La religion dans la sphère publique

sous la direction de

Solange Lefebvre

Les Presses de l'Université de Montréal

Catalogage avant publication de Bibliothèque et Archives Canada

Vedette principale au titre :
La religion dans la sphère publique
(Paramètres)
Comprend des réf. bibliogr.
ISBN 978-2-7606-1996-8
1. Pluralisme religieux. 2. Religions – Relations. 3. Religion et État. 4. Pluralisme religieux – Canada. 5. Canada – Religion. I. Lefebvre, Solange, 1959- . II. Collection.

BL410.R44 2005 201'.5 C2005-941714-5

Dépôt légal : 4e trimestre 2005
Bibliothèque nationale du Québec

Les Presses de l'Université de Montréal remercient de leur soutien financier le ministère du Patrimoine canadien, le Conseil des Arts du Canada et la Société de développement des entreprises culturelles du Québec (SODEC).

Réimprimé au Canada en janvier 2009

Remerciements

CE LIVRE EST LE FRUIT de plusieurs collaborations. Dans le cadre du 125e anniversaire de la Faculté de théologie et de sciences des religions, le doyen Jean-Marc Charron m'a demandé d'organiser un événement sur la religion dans la sphère publique. Par la même occasion, notre faculté allait lancer une chaire de recherche financée par des fonds privés, la chaire religion, culture et société. Il fut facile de recueillir l'appui de plusieurs partenaires financiers, très enthousiastes à l'idée qu'un colloque multisectoriel se tienne sur cette question, multisectoriel car s'y rencontrèrent des représentants des milieux universitaires, des institutions publiques et parapubliques, des groupes religieux et du milieu associatif. Merci donc aux partenaires financiers qui ont rendu possible l'organisation de l'événement et cette publication : Patrimoine Canada ; Secrétariat aux affaires religieuses, ministère de l'Éducation ; Vice-rectorat à la recherche, Université de Montréal ; centre d'Étude des religions de l'Université de Montréal, Chaire religion, culture et société. Nos remerciements vont aussi à Paule-Renée Villeneuve et à Julie Routhier, qui ont coordonné l'événement de main de maître. Plusieurs étudiants y ont tenu divers rôles : Alain Bihan, Louis Bourbonnais, Danielle Jodoin, Sybille Lepper, Claude Supple. Et ces membres du secrétariat de la faculté nous ont offert une aide précieuse : Jeannette Baillargeon, Lolita Fréchette, Diane Labbé, Ginette Poirier.

À titre d'éditrice du livre, je désire remercier les contributeurs, qui ont fait preuve d'une grande coopération à toutes les étapes de la rédaction, et les lecteurs externes, qui ont enrichi les travaux de leurs commentaires. La première version de leurs textes fut présentée lors du colloque et nourrit de riches discussions. Merci aussi aux collègues ayant commenté les conférences : Paul Allen (Concordia), Gregory Baum (McGill), Denise Couture (Montréal), Robert Mager (Laval), Micheline Milot (UQÀM), Pierre Noël (Sherbrooke), Jacques Racine (Laval), Louis Rousseau (UQÀM), Jean-François Roussel (Montréal), Jean-Guy Vaillancourt (Montréal). Plusieurs groupes religieux étaient représentés et ont généreusement pris part aux discussions, mentionnons les catholiques, protestants, évangéliques, baha'is, bouddhistes, juifs, musulmans et sikhs. Mentionnons aussi la contribution de Liz Chappel, directrice du Ontario Multifaith Council on Spiritual and Religious Care. Les participants au débat étaient trop nombreux pour que je puisse leur adresser des remerciements personnels ici, notamment des représentants de divers paliers de la fonction publique québécoise et canadienne.

Pour le travail d'édition lui-même, j'aimerais remercier l'agent de recherche Jacques Julien, Ph.D. ; Lamphone Phonevilay et Jean-François Breton, étudiants au doctorat en sciences des religions, qui ont vu au recueil et à la révision des textes. Merci au traducteur Pierrot Lambert ainsi qu'à l'équipe des Presses de l'Université de Montréal, en particulier Sandra Soucy et Florence Noyer.

Solange Lefebvre

Août 2005

Introduction

La religion dans la sphère publique, entre reconnaissance et marginalisation

SOLANGE LEFEBVRE

DANS LES SOCIÉTÉS DÉMOCRATIQUES et pluralistes, la question de la religion dans la sphère publique donne lieu à de nombreux débats importants et complexes. Elle concerne ici les rapports entre les religions et les courants spirituels, l'État et la société civile, et ces trois paliers étroitement liés de la société traversent évidemment plusieurs domaines publics et parapublics : les institutions d'éducation, les services sociaux et de santé, les milieux carcéraux, les institutions du droit et les politiques publiques. Elle a aussi un grand impact sur le milieu du travail et associatif, et la famille. Le concept de « sphère publique » reçoit plusieurs acceptions différentes, toujours en distinction d'une sphère privée. Habermas et Benhabib le définissent comme « l'espace où se déploient les diverses formes d'associations volontaires qui composent la société civile dans les États démocratiques modernes »[1]. À l'opposé, des théoriciens tels que John Rawls y voient « le lieu concernant la sphère légale et ses institutions »[2]. Ces dernières années ont vu d'amples développements d'une réflexion sur la *religion publique* (*Public Religion*[3]) et sur la *religion dans la vie publique* (*Religion in Public Life*[4]). Van Die, notamment, entrevoit la société comme « un ensemble constitué par l'État, le marché et le milieu associatif (*voluntary*) », et s'interroge sur le rôle public des religions et leur contribution au bien commun[5]. Les auteurs de ce livre débattent plusieurs de ces positions.

Malgré cette importance de la question, la réflexion et les attitudes actuelles la concernant relèvent de *deux tendances contradictoires*, du moins au Canada : la reconnaissance et la marginalisation. Dans divers milieux institutionnels et associatifs, on convient généralement que la dimension religieuse doit être prise en compte, mais dans les faits, elle se trouve souvent marginalisée. Nombreuses sont les raisons de l'importance qu'on pourrait lui accorder ; retenons-en trois. Premièrement, dans de nombreuses vies individuelles et communautaires, la religion ou la spiritualité est une source forte de sens, d'espoir et d'altruisme, voire de bonne « santé physique et mentale ». À l'opposé, elle suscite des résistances aux normes de santé et de bien-être social en vigueur. Deuxièmement, dans les débats publics, les groupes religieux peuvent faire entendre leur voix et il arrive qu'on y fasse appel autour de diverses questions. Ils constituent des regroupements organisés et représentatifs de visions profondes des citoyens, qui occupent une place importante dans la société civile. Troisièmement, derrière le racisme, les mécompréhensions, la discrimination et certaines formes de résistance culturelle se trouvent souvent des différends religieux qu'il importe de comprendre pour les surmonter.

Contradictoirement, d'autre part, il y a marginalisation de la réflexion et de l'attention sur la religion dans nos sphères publiques. D'une part, plusieurs réflexions sur la modernité la présupposent marginale ou destinée à disparaître. Certes, ainsi qu'on l'observe aussi en Europe, cette marginalisation se rattache à l'une des thèses classiques de la sécularisation, selon laquelle dans la modernité, la religion subirait un déclin progressif et inéluctable ou, au mieux, une privatisation dans les aires personnelle, familiale et associative[6]. Et plus généralement, elle tient à une logique néoévolutionniste des sciences modernes, qui appréhendent souvent l'histoire comme un parcours linéaire, faisant se succéder la tradition, la modernité et la postmodernité, en occultant les continuités et les transmissions[7]. En outre, l'accroissement de la diversité religieuse fait souvent peur, tant aux citoyens qu'aux décideurs. Les revendications de certaines minorités ethnoreligieuses et le rebondissement des intégrismes et des fondamentalismes sur la scène mondiale font en sorte que bien des sociétés préfèrent, à l'instar de la France, « limiter la visibilité religieuse ». Plutôt que d'assumer une gestion de la complexité religieuse, on préfèrera sa privatisation. Certes, selon les pays et les traditions culturelles et politiques, on favorisera l'une ou l'autre attitude. Les chartes canadienne et québécoise des droits plaident plutôt en faveur de *l'accommodement raisonnable* des diverses demandes religieuses.

Ce livre aborde la question sous plusieurs angles et de manière multisectorielle, profitant des contributions de chercheurs travaillant dans les universités et diverses institutions. Sur le plan des faits, il s'attache surtout à l'examen de la réalité canadienne, mais quatre contributions se penchent sur certains enjeux européens. Plusieurs textes soulèvent des questions fondamentales sur les rapports entre la religion et la société. Une première partie se penche sur les enjeux de la diversité au Canada et au Québec, suivie, en deuxième partie, d'études sur les manières dont ils se traduisent dans des pratiques institutionnelles : en éducation, dans la sphère municipale et dans les milieux de la santé. Un texte examine le cas particulier de la spiritualité amérindienne. La troisième partie concerne divers enjeux culturels et professionnels fondamentaux pour plusieurs sociétés : le déploiement d'un champ d'étude critique appliquée de la religion, la formation au dialogue interreligieux, l'apport d'une théologie des religions à la sphère publique, le problème de la violence sectaire et ses sources. En quatrième lieu, deux contributions évoquent quelques pays européens et leur gestion du religieux, après quoi deux réflexions se penchent sur la signification de la sécularisation et de la sécularité de l'État. Le chapitre conclusif discute ces études et réfléchit sur les concepts de sécularité/laïcité, ainsi que sur les modalités de la classique distinction entre la religion et l'État, de même que sur les nouveaux défis professionnels.

La question de la religion dans la sphère publique comporte un grand nombre d'autres facettes que nous n'avons pu traiter ici. L'analyse de l'apport historique et contemporain des divers réseaux et mouvements religieux à la culture, à l'action sociale et civique, a déjà fait l'objet de deux collectifs canadiens importants[8]. Il n'est pas question non plus des diverses modalités de la socialisation ou de la transmission religieuse : les visions du monde particulières, l'éthique et les valeurs, les rapports à l'espace national et aux autres communautés de sens, dont Bramadat et Seljak proposent d'intéressantes synthèses[9]. Mais ce livre couvre malgré tout un champ très large et permet, à travers son interdisciplinarité et sa multisectorialité, d'indiquer plusieurs pistes de recherche et de mettre plusieurs perspectives en lumière.

Notes

1. Craig Calhoun (dir.), *Habermas and the Public Sphere*, Cambridge, MIT Presse, 1992 ; Seyla Benhabib (dir.), *Democracy and Difference*, Princeton, Princeton University Press, 1996.
2. John Rawls, *Political Liberalism*, New York, Columbia University Press, 1993.
3. Jose Casanova, *Public Religions and Modern World*, Chicago, University of Chicago Press, 1994 ; Robert Wuthnow, *Producing the Sacred : An Essay in Public Religion*, Urbana, University of Illinois Press, 1994.
4. Voir, par exemple, Ronald F. Thiemann, *Religion in Public Life. A Dilemma for Democracy*, Washington, Georgetown University Press, 1996.

5. Marguerite Van Die (dir.), *Religion and Public Life in Canada*, Toronto, University of Toronto Press, 2001, p. 5.
6. Gilbert Vincent et Jean-Paul Willaime, « Avant-propos », dans Gilbert Vincent et Jean-Paul Willaime (dir.), *Religions et transformations de l'Europe*, Strasbourg, PUS, 1993, p. 11.
7. Voir Mikhaël Elbaz, « Bifurcations postmodernes et frontières de l'identité », dans Mikhaël Elbaz, Andrée Fortin et Guy Laforest (dir.), *Les frontières de l'identité. Modernité et postmodernisme au Québec*, PUL/L'Harmattan, Ste-Foy/Paris, 1996.
8. M. Van Die, 2001 ; David Lyon et Marguerite Van Die, *Rethinking Church, State, and Modernity. Canada Between Europe and America*, Toronto, University Toronto Press, 2000.
9. Paul Bramadat et David Seljak, *Religion and Ethnicity in Canada*, Don Mills, Ontario, Pearson Education, 2005 ; P. Bramadat et D. Seljak, *Christianity and Ethnicity in Canada* (à paraître).

Bibliographie

Benhabib, Seyla (dir.), *Democracy and Difference*, Princeton, Princeton University Press, 1996.

Bramadat, Paul et David Seljak, *Religion and Ethnicity in Canada*, Don Mills, Ontario, Pearson Education, 2005.

—, Christianity and Ethnicity in Canada (à paraître).

Calhoun, Craig (dir.), *Habermas and the Public Sphere*, Cambridge, MIT Presse, 1992.

Casanova, Jose, *Public Religions and Modern World*, Chicago, University of Chicago Press, 1994.

Elbaz, Mikhaël, Fortin, Andrée et Guy Laforest (dir.), *Les frontières de l'identité. Modernité et postmodernisme au Québec*, PUL/L'Harmattan, Ste-Foy/Paris, 1996.

Lyon, David et Marguerite Van Die, *Rethinking Church, State, and Modernity. Canada Between Europe and America*, Toronto, University Toronto Press, 2000.

Rawls, John, *Political Liberalism*, New York, Columbia University Press, 1993.

Thiemann, Ronald F., *Religion in Public Life. A Dilemma for Democracy*, Washington, Georgetown University Press, 1996.

Van Die, Marguerite (dir.), *Religion and Public Life in Canada*, Toronto, University of Toronto Press, 2001.

Vincent, Gilbert et Jean-Paul Willaime (dir.), *Religion et transformations de l'Europe*, Strasbourg, Presses Universitaires de Strasbourg, 1993.

Wuthnow, Robert, *Producing the Sacred : An Essay in Public Religion*, Urbana, University of Illinois Press, 1994.

PREMIÈRE PARTIE

Société canadienne et diversité religieuse

CHAPITRE 1

Transformations et pluralisme : les données des recensements de 1981 à 2001

PETER BEYER

LE TERRITOIRE CANADIEN a presque toujours été habité par une population embrassant une pluralité de religions[1]. Après le XVIe siècle, l'arrivée d'Européens de différentes confessions chrétiennes, engagés dans des entreprises commerciales et coloniales, n'a fait qu'ajouter à la multiplicité des expressions religieuses autochtones. Dès le début, mais aussi spécialement dans le dernier tiers du XXe siècle, l'entrée au pays de représentants de diverses grandes religions de l'humanité, et de nombreuses nouvelles religions, a modifié une configuration religieuse jusque-là dominée par les allégeances chrétiennes. Quel est précisément l'état des lieux actuel ? La nécessaire exploration de notre mosaïque tient sa difficulté des aléas du pluralisme, une évidence à l'origine de tant de conflits et de contestations, pourtant devenue récemment un motif de célébrations publiques, voire le vecteur des identités nationales. La pluralité religieuse informe donc le paysage humain du Canada comme une dimension à la fois évolutive, constante et féconde. Une étude de la place de la religion dans la sphère publique au Canada ne saurait donc esquiver une réflexion sur ce pluralisme religieux.

Mais comment cerner cette dimension ? Cette question n'appelle pas une réponse unique et simple. Dans une perspective scientifique, bon nombre de méthodes et d'approches nous viennent à l'esprit, qui visent à en circonscrire notamment les aspects locaux, régionaux, nationaux : celles faisant appel aux techniques de l'analyse qualitative ou quantitative, celles qui s'attachent aux manifestations collectives ou individuelles, ou celles qui focalisent l'attention sur les institutions religieuses mêmes ou plutôt sur les incidences de ces expressions de la foi dans l'ensemble de la sphère publique. À titre d'introduction, j'esquisserai un tableau statistique de la situation religieuse au Canada, en me servant des données des recensements des deux dernières décennies. Une telle approche présente des avantages et des faiblesses, mais elle peut fournir une excellente vue d'ensemble qui favorise une mise en relief des questions que nous voulons aborder ici.

Quelques observations générales

Nous dégagerons d'abord quelques tendances générales, avant de procéder à une analyse de détail. De façon générale, le segment de la société canadienne dont les racines plongent le plus profondément dans l'histoire du pays – que peut-être nous pourrions appeler « la population établie » – s'identifie de moins en moins au christianisme ; un nombre croissant de membres de cette population se disent areligieux. Ce qui n'empêche guère une croissance du pluralisme religieux en ce pays, comme en témoignent les 114 catégories religieuses, un sommet historique, utilisées pour le recensement de 2001 dans les formulaires de Statistique Canada[2].

Cette augmentation du pluralisme religieux tient en partie du rôle de l'immigration dans la croissance démographique du Canada. Étant donné le faible taux de natalité de la population établie, l'immigration constitue la source de cette croissance. Depuis la fin des années 1960, à la suite de changements apportés à la politique d'immigration canadienne, la provenance des populations immigrantes en ce pays s'est modifiée[3]. Certes, les cohortes d'immigrants ne représentent pas à parts égales toutes les régions du monde, mais une tendance nette marque un rapprochement entre la répartition des origines des immigrants récents au Canada et la répartition démographique de la planète[4]. Puisque les autres pays affichent une répartition différente des confessions religieuses, l'augmentation du pluralisme religieux au Canada accuse la présence croissante de religions non chrétiennes. Par ailleurs, l'immigration modifie également la composition interne de la pluralité chrétienne du Canada.

Certes, l'apport de l'immigration ne se traduit pas simplement par l'ajout d'ingrédients nouveaux à un mélange canadien préexistant. Les identités religieuses mises en contact, tant celles des nouveaux venus que celles des sociétés déjà présentes, ne font pas que se juxtaposer simplement pour produire une augmentation quantitative. Les identités des uns et des autres sont appelées à changer. Voilà un autre facteur qui influe sur la composition religieuse du Canada : l'évolution des immigrants une fois installés au Canada. Seront-ils assimilés progressivement dans les courants dominants ? Exacerberont-ils leur différence, au contraire ? Nous verrons que ces questions appellent des réponses divergentes. Les nouveaux immigrants connaissent un cheminement ambivalent. En outre, l'arrivée continuelle de nouveaux contingents influe sur ces tendances : les nouveaux immigrants ne sont pas influencés seulement par les configurations existantes de l'identité religieuse ; et ceux qui viennent après eux s'inscrivent dans la même dynamique. La répartition des confessions religieuses chez les nouveaux immigrants submerge les tendances qu'accusent les proches qui les ont précédés en terre canadienne.

La question des tendances manifestées par les nouveaux immigrants concerne pour une part le comportement de la génération suivante. Les générations nées en terre d'accueil s'écartent des us et coutumes de leur culture d'origine, adoptant même des attitudes différentes quant à l'identité religieuse[5]. Cette trajectoire bien connue s'avère chez la plupart des enfants des nouveaux venus. Or, ici comme ailleurs, les cohortes les plus récentes submergent démographiquement les plus anciennes. Malgré leur croissance rapide, les deuxièmes générations forment toujours une minorité au sein de tous les groupes d'origine. Et comme leurs membres sont encore très jeunes, ils ne sont pas encore en mesure de définir par eux-mêmes leur identité religieuse. Ce sont encore leurs parents, pour l'essentiel, qui déterminent leur identité religieuse. Dans ce contexte, les différentes cohortes d'âges de la deuxième génération tendent à « être à la traîne », accusant les configurations religieuses du groupe parental déjà établi plutôt que celle de l'ensemble des groupes d'origines, voire du segment le plus récent des nouveaux venus.

En conséquence, les tendances actuelles ne sont en rien garantes de ce que l'avenir nous réserve. Même si les tendances actuelles relevées chez les immigrants déjà installés au Canada se maintenaient – et nous savons bien que les tendances courantes ne se maintiennent jamais – la part dominante de l'immigration dans la croissance démographique à venir et les variations à prévoir dans la composition religieuse des vagues successives des nouveaux venus de demain nous empêchent de prédire avec assurance les configurations futures, même celles d'un horizon aussi proche que les 10 ou 20 prochaines années. Ce qui ne nous empêche pas de faire ressortir quelques facteurs dominants. L'aspect le plus important du flux migratoire prévisible au Canada tient sans doute à sa constance. Les vagues d'arrivées intermittentes sont choses du passé. Et à moins d'un phénomène semblable au choc du 11 septembre 2001, l'immigration continuera d'épouser la répartition globale de la population dans la société. Concrètement, ce parallélisme se traduira par l'afflux continuel de différents types de chrétiens, de musulmans, d'hindous et de bouddhistes, ne serait-ce qu'à cause de la prédominance écrasante de ces populations dans le monde par rapport à celles par exemple des sikhs, des juifs et des jaïns. Parmi les chrétiens, et pour les mêmes raisons, nous devrions nous attendre à continuer de recevoir plus de catholiques, à voir décroître l'afflux de protestants tant libéraux que conservateurs et à voir augmenter le nombre des chrétiens « génériques », c'est-à-dire de chrétiens n'appartenant à aucune confession particulière. Une telle évolution pourrait certes se dessiner dans les distinctions internes au sein d'autres importants groupes religieux, mais elle ne se profile pas encore assez nettement dans les données de recensement pour que nous puissions en parler actuellement.

LA COMPOSITION RELIGIEUSE DE LA POPULATION CANADIENNE : TENDANCES ET TRANSFORMATIONS RÉCENTES

Les tendances récentes, eu égard à l'identification religieuse, accusent d'abord un maintien de la dominante chrétienne dans la société canadienne[6]. On observe cependant un déclin, relevé depuis 20 ans, du poids relatif de la population s'identifiant comme chrétienne, déclin associé à une progression des segments de la société se disant areligieux, ou déclarant appartenir à d'autres grandes religions, ou encore, dans une mesure beaucoup moindre, professant une religion étrangère à ces catégories. Pourtant, en 2001, au moins 77 % de la population se disait encore chrétienne. La catégorie qui a gagné le plus de terrain est la catégorie « Aucune religion ». Cette tendance, comme nous le verrons, s'inscrit dans un mouvement plus vaste vers une sorte de débordement de toute catégorisation, marquant tantôt un refus total ou partiel des catégories, tantôt un recours à des catégories « génériques » peu utiles pour nos analyses typologiques.

Voilà pour le profil global de la société canadienne. Mais nous savons bien que le Canada est un pays de contrastes. Or, plutôt que de nous pencher sur les dimensions religieuses qui entrent dans la composition des singularités provinciales ou régionales, nous prêterons attention aux zones métropolitaines, où se concentre la diversité religieuse et, de fait, la majorité de la population canadienne.

Examinons deux profils parallèles, ceux des deux régions métropolitaines les plus diversifiées sur le plan religieux au Canada, Toronto[7] et Vancouver[8]. La configuration relevée ici reproduit pour l'essentiel la configuration nationale, sauf que les catégories non chrétiennes y sont nettement mieux représentées. Dans chaque cas, les chrétiens forment une majorité déclinante. En 2001, ce phénomène est tout juste encore notable à Vancouver. Les deux régions comptent maintenant environ 14 % de fidèles des autres grandes religions. À Vancouver, plus du tiers des répondants déclarent n'appartenir à aucune religion, tandis qu'une proportion assez significative, soit 1,1 %, s'inscrivent sous la bannière d'autres religions pouvant comprendre la mouvance païenne des Wicca, la spiritualité indienne autochtone, le courant spiritualiste, les baha'i, et des religions orientales autres que l'hindouisme et le bouddhisme. Faut-il considérer Vancouver comme le foyer de la diversité religieuse au Canada ? Attention ! Il ne faut pas oublier que la région de Toronto forme un ensemble humain de six millions de personnes, alors que la métropole de la côte ouest n'en compte que deux millions. Toutes les catégories relevées, à une exception près, dénombrent plus d'adeptes à Toronto qu'à Vancouver. On trouve par exemple, pour 2001, une proportion de plus de 33 % de Vancouvérois, soit un peu moins de 800 000 personnes, qui s'inscrivent dans la catégorie « Aucune religion » ; à Toronto, sous la même rubrique, la proportion n'est que de 17 % seulement, mais ce contingent comprend plus d'un million de personnes. Fait significatif, l'exception mentionnée concerne les sikhs : un plus grand nombre de sikhs vivent à Vancouver que dans la région de Toronto. Nous reparlerons de cet écart. Tant Vancouver que Toronto dépassent, au chapitre de la diversité religieuse, la deuxième région urbaine en importance au Canada, Montréal.

Qu'en est-il du profil de Montréal ? En 2001, la région de Montréal comptait environ 3,4 millions d'habitants, soit beaucoup plus que Vancouver, mais beaucoup moins que le grand Toronto. Les pourcentages affichés pour Montréal y montrent une présence chrétienne beaucoup plus forte, une plus faible proportion de personnes sans religion de même qu'une représentation moindre des autres grandes religions qu'à Toronto ou Vancouver. Il n'est donc guère surprenant de retrouver à Montréal un nombre beaucoup moins important d'inscriptions « Aucune religion » et d'adhérents totaux aux grandes religions non chrétiennes que dans les deux autres grands centres urbains. Personne ne s'étonnera non plus de constater que Montréal compte à elle seule plus de catholiques que les deux autres métropoles réunies. Il s'agit là, dois-je le rappeler, d'un décompte aux fins de l'identification religieuse, qui n'indique aucunement le niveau de la pratique ou de la croyance. Les chiffres ne sauraient nous dire ce que les répondants entendent par leur appartenance déclarée à telle ou telle catégorie.

Outre l'aspect géographique, une autre variable importante, celle des sexes, est source de différentiations prévisibles. Il semble que les hommes sont plus susceptibles de s'inscrire dans la catégorie « Aucune religion » que les femmes. Les femmes sont donc mieux représentées chez les chrétiens. Par contre, elles sont minoritaires chez les adeptes des autres grandes religions. Dans cette catégorie, la légère supériorité des hommes tient entièrement à la prédominance masculine qu'accusent les musulmans, les sikhs et les hindous. Chez les juifs et les bouddhistes, les femmes sont majoritaires ; il faut noter que leur majorité dans le contingent bouddhiste est toute récente, puisqu'elle marque un renversement de la situation qui prévalait en 1981. De fait, la situation au sein de ces groupes religieux apparaît fluide, en raison des changements notables dans la composition de la deuxième génération et des cohortes d'immigrants plus récentes. Une présentation détaillée de ces complexités internes déborderait le cadre du présent exposé. Soulignons simplement que la légère prédominance des hommes dans les groupes religieux non chrétiens – et non pas seulement chez les bouddhistes – peut représenter une configuration provisoire. La majorité masculine dans la catégorie « Aucune religion », par contre, n'accuse aucune ambiguïté interne et constitue donc vraisemblablement une différence plus stable.

La dérive graduelle des populations établies depuis longtemps au Canada de leur affiliation chrétienne vers le statut « Aucune religion » est un des deux facteurs marquants dans la transformation de la configuration religieuse du pays. L'autre grand facteur tient naturellement à l'afflux massif constant d'immigrants de toutes les parties du monde. Quant à l'évolution, depuis vingt ans, de la composition du paysage religieux chez les immigrants au Canada, ses grandes lignes, entre 1981 et 2001, révèlent une diminution notable des contingents chrétiens, une présente accrue de l'option « Aucune religion » et une hausse considérable des adeptes des « autres » grandes religions. La croissance quasi égale de deux contingents, celui des personnes n'affichant « aucune religion » et celui des « autres » grandes religions, mérite qu'on s'y attarde, car elle manifeste une incidence de l'immigration plus nuancée que le simple apport, par l'immigration, de configurations d'affiliation religieuse tout à fait inédites : de fait, les immigrants présentent à la fois des différences et des similitudes significatives à l'égard de la population née au Canada. Les immigrants contrent certaines tendances dominantes chez la population canadienne prise globalement, mais en confortent d'autres, par exemple la baisse graduelle de l'importance relative du christianisme et la hausse du contingent « Aucune religion ». À qui voudrait explorer l'adaptation graduelle des immigrants aux tendances dominantes de la population canadienne, rappelons que les immigrants manifestent souvent déjà, à leur arrivée, ces tendances dominantes. De fait, leur projet d'immigration peut, dans un certain nombre de cas, subir une présélection, tantôt explicite, tantôt accidentelle, en fonction de ces tendances. Je reviendrai à cet important phénomène.

Toutefois, ne laissons pas ces affinités occulter la différence capitale que présente la population immigrante alors qu'elle entraîne une progression en importance des grandes religions non chrétiennes au Canada. Examinons en ce sens la composition des cohortes successives d'immigrants depuis les années précédant le recensement de 1961, au fil des décennies profilées dans les recensements ultérieurs, selon deux aspects. Premièrement, avant 1970, les deux cohortes affichent non pas tant des quantités inférieures que des pourcentages inférieurs d'adeptes des autres grandes religions. Les juifs représentent le groupe le plus important de ces adeptes dans les deux cohortes, formant, ce qui n'est guère surprenant, plus de 80 % de la cohorte antérieure à 1961 et encore beaucoup plus d'un tiers dans la cohorte de 1961-1970. Si cette domination n'a rien de surprenant, c'est que les lois canadiennes en matière d'immigration n'ont été modifiées pour permettre une configuration différente qu'à la fin des années 1960. Deuxièmement, les cohortes qui arrivaient après sont de plus en plus nombreuses, et leur composition accuse une croissance rapide de la proportion des adeptes des religions non chrétiennes. Et dans les trois cohortes, le judaïsme est nettement minoritaire au sein de ces religions non chrétiennes. Les juifs ne forment par exemple que 4 % environ de la plus récente cohorte (1991-2001).

Il importe au premier chef de nous pencher sur les incidences de l'immigration sur la majorité chrétienne, depuis vingt ans, et sur les transformations qui s'opèrent dans ce segment de la population canadienne avant d'explorer plus en détail la situation des autres grandes religions. Plusieurs éléments sont à noter. Si les catholiques ont vu décroître légèrement leur poids démographique, l'ensemble de la représentation chrétienne a augmenté à la faveur des gains proportionnels marqués par les chrétiens orthodoxes orientaux et les chrétiens « génériques » s'identifiant comme « protestants », ou, plus simplement, comme chrétiens sans spécifier davantage (comme le permettait le recensement). Les pertes proportionnelles ont été essuyées entièrement par les confessions chrétiennes libérales telles que l'Église Unie, l'Église presbytérienne et l'Église anglicane. Fait intéressant à noter, les confessions chrétiennes conservatrices n'ont enregistré aucun progrès, continuant de représenter un peu moins de 10 % de la population totale.

Toute interprétation de ces tendances doit tenir compte d'un certain nombre de facteurs. Premièrement, en ce qui concerne la catégorie identifiant une confession « chrétienne, non incluse ailleurs », la prépondérance des chrétiens « génériques » dans ce contingent suggère un phénomène important de reclassification subjective : sans changer leur appartenance religieuse, les répondants peuvent en avoir modifié la désignation. J'expliquerai bientôt pourquoi je tiens un tel phénomène pour un facteur d'explication. Mais il faut d'abord considérer le facteur immigration. Étant donné l'importance de celle-ci dans l'évolution démographique du Canada, nous pouvons penser qu'une bonne partie de ces changements d'affiliation à l'intérieur de la population chrétienne concerne les identités religieuses associées à l'afflux des familles d'immigrants. Arrêtons-nous sur les changements relevés dans les pourcentages relatifs des immigrants associés à quatre des cinq groupements confessionnels, les catholiques, les protestants d'allégeance libérale, les protestants de tendance conservatrice et les autres chrétiens. Notons que les orthodoxes orientaux se composent d'immigrants dans une proportion beaucoup plus forte, naturellement. Il nous suffira de préciser qu'en 2001, nettement plus de la moitié (56,3 %) des adeptes des confessions chrétiennes orthodoxes orientales étaient des immigrants, ce qui marquait une augmentation par rapport aux décennies précédentes, où l'apport des immigrants représentait un peu moins de la moitié de ce segment. En ce qui concerne les autres sous-groupes, les statistiques montrent que le pourcentage formé par les immigrants dans trois des quatre sous-groupes a augmenté, les protestants libéraux constituant l'exception. Ceux-ci, étant le sous-groupe bénéficiant le moins de l'immigration, sont donc précisément ceux qui subissent un déclin constant, les trois autres connaissant un accroissement ou du moins un maintien de leur poids démographique.

Par ailleurs, les immigrants, eu égard à leur importance relative, ont été attirés d'une manière disproportionnée vers les confessions conservatrices et les identités plus « génériques », qui englobent les nombreuses Églises indépendantes. En chiffres absolus, cependant, ce sont les catholiques qui ont le plus bénéficié de l'immigration, une croissance qui tient en partie de la présence massive du catholicisme dans les régions du monde d'où peut provenir l'immigration. Je tiens à souligner ce dernier élément car il illustre la « neutralité » relative des politiques d'immigration du Canada depuis la fin des années 1960 : mis à part les réfugiés, le système de points d'appréciation du Canada tend à neutraliser l'importance de l'origine géographique en privilégiant d'autres facteurs tels que l'appartenance à une classe moyenne instruite disposée à se déplacer. La neutralité géographique se traduit en grande partie par une neutralité sur les plans ethnoculturel et religieux, malgré l'importance de la population chrétienne au Canada, comme pouvoir d'attraction d'immigrants chrétiens.

Nous obtenons un tableau semblable, quoique légèrement différent, si nous prenons en considération uniquement les immigrants d'origine géographique « non traditionnelle ». Ce segment a un poids considérable : les trois quarts des immigrants entrés au Canada entre 1991 et 2001 provenaient de pays non occidentaux ; plus de la moitié de la population immigrante totale est d'origine non occidentale. Regardons la répartition relative des chrétiens dans ce segment. Le protestantisme libéral est la catégorie la plus faiblement représentée. Et même si la courbe marque du moins une progression, le pourcentage reste très faible : les protestants libéraux n'ont pas été en mesure de tirer parti de manière significative du facteur de croissance dominant de la population canadienne. La source traditionnelle d'immigration au sein de cette catégorie religieuse, soit la Grande-Bretagne et les pays luthériens du nord de l'Europe, a tout simplement cessé de fournir au Canada une part importante de ses nouveaux immigrants. Ce facteur, isolé d'autres éléments qui expliquent le déclin de la représentation des protestants libéraux, signifie non seulement la perte, pour les Églises concernées, de la forme de renouvellement « naturel » qu'offrait un tel afflux migratoire, mais contribue également au vieillissement de leurs communautés. Les politiques d'immigration du Canada favorisent explicitement les jeunes. Les Canadiens enracinés au pays depuis longtemps accusent un taux de natalité très bas. Les groupes qui ne voient pas leurs rangs grossir par l'arrivée de cohortes d'immigrants plus jeunes, favorisés par un taux de natalité supérieur, tendront à subir un déclin relatif, une perte de leur «part de marché»: et c'est précisément ce qui semble en voie de se produire.

Une deuxième caractéristique qui se dégage commence à résoudre la stagnation relative des Églises protestantes conservatrices. Le taux de l'apport en leur sein d'adeptes nés dans des pays non occidentaux est inférieur à celui que connaissent les chrétiens «génériques» et les catholiques. Le fossé croissant entre les chrétiens «génériques» et les conservateurs est un phénomène notable qui constitue la différence la plus nette entre ce graphique et le précédent. Là où la pente des conservateurs s'affaiblit, celle des catholiques et même celle des protestants libéraux demeurent stables. La courbe des chrétiens «génériques», par contre, s'accentue, là où ils forment, proportionnellement, la sous-catégorie chrétienne jouissant de la croissance la plus rapide.

Nous pouvons obtenir une vue plus détaillée de la situation globale si nous examinons les configurations différentes d'une série de confessions protestantes choisies. Un examen attentif des données fait ressortir la représentativité de l'évolution des luthériens pour une détermination plus générale de la conjoncture du segment des protestants libéraux dans son ensemble, soit une situation marquée par une progression constante jusqu'en 1971, suivie d'un déclin constant, plus prononcé. Ces Églises ont connu une décennie particulièrement difficile entre 1981 et 1991, et les presbytériens ont continué de subir des revers sérieux au cours des deux dernières décennies. Les données les concernant ont constitué l'une des mauvaises surprises du recensement de 2001. Les pentecôtistes ont dû constater un déclin semblable. Après un siècle entier de progression constante et à certains moments remarquable, les adeptes du pentecôtisme formaient en 2001 une cohorte inférieure de 15 % à celle de 1991. Mais ces mouvements ne sont pas les seuls à accuser un déclin. D'autres confessions protestantes conservatrices moins nombreuses marquent une diminution de leurs effectifs, un peu moins brutale, certes, notamment les mennonites (y compris les huttérites, toujours en croissance), l'Armée du Salut et les Témoins de Jéhovah. L'Église de Jésus-Christ des Saints des Derniers Jours, mieux connue sous le nom d'Église des Mormons, n'a pas connu de déclin, mais sa croissance s'est presque arrêtée, après des décennies de progression marquée. Dans l'ensemble, si ce n'était de la croissance enregistrée par les baptistes (chez les baptistes évangéliques, probablement, plutôt que chez les adeptes de la convention baptiste) et de plusieurs très petites confessions, telles que les adventistes du septième jour, le secteur protestant conservateur aurait subi un déclin global entre 1991 et 2001.

Il serait illogique, certes, de tirer trop de conclusions de ces statistiques, mais les données appellent une explication. C'est ici que l'identification chrétienne « générique » et notamment les catégories « chrétienne, non incluse ailleurs » et « protestante, autre » peuvent entrer en jeu. Bien des gens qui jusque-là avaient inscrit leur identité ethnique à l'enseigne d'un pays d'Europe de l'Ouest, ont déclaré être canadiens en 2001, ce qui a entraîné à la fois une réduction considérable du contingent ethnique d'Europe de l'Ouest et une hausse correspondante du nombre de Canadiens. Il est tout à fait possible qu'une tendance semblable ait poussé une grande partie des pentecôtistes et bon nombre d'adeptes d'autres confessions protestantes conservatrices à s'inscrire dorénavant à une autre enseigne, sans même, peut-être, que ce changement de catégorie s'accompagne de la moindre dérogation aux pratiques et aux croyances religieuses tenues jusque-là. Il ne s'agit là, cependant, que d'une hypothèse, exigeant, comme bien d'autres, une étude plus poussée[9].

Religion et immigration : d'une part… d'autre part…

Penchons-nous maintenant sur les religions non chrétiennes. Le changement le plus manifeste concerne le judaïsme, qui a perdu le privilège d'être la seule religion non chrétienne bien représentée au Canada, au fil de l'immigration inscrite après les années 1960. Or, maintenant, quatre autres grandes religions, soit le bouddhisme, le sikhisme, l'hindouisme et l'islam sont également très bien représentées : l'islam s'est hissée au deuxième rang, derrière le christianisme, comptant, en 2001, plus d'un demi-million d'adeptes. Le judaïsme continue de croître, en chiffres absolus, mais les autres religions ont bénéficié manifestement d'une croissance beaucoup plus rapide. Il ne serait pas très risqué de prédire qu'en 2011, l'islam aura consolidé son emprise sur le deuxième rang et que l'hindouisme, le bouddhisme et peut-être le sikhisme auront dépassé de loin le judaïsme. Je dis peut-être, dans le cas du sikhisme, puisque cette prédiction se fonde sur la composition démographique du monde, et surtout celle de l'Asie du Sud et de l'Est. Les musulmans, les bouddhistes et les hindous sont tellement nombreux dans ces régions ! À l'échelle du monde, les juifs et les sikhs sont de petits peuples. D'ailleurs, le pourcentage des sikhs au sein de la population canadienne a commencé à décliner par rapport aux trois autres grandes religions. En 1981, les sikhs occupaient encore la quatrième place, derrière le christianisme, le judaïsme et l'islam ; dès le recensement de 1991, ils avaient été dépassés par les bouddhistes et les hindous, et l'écart s'est creusé dans la décennie suivante. Cette perte de poids relatif témoigne simplement du jeu de facteurs démographiques et des politiques de l'immigration, car le sikhisme est une religion vivante, en pleine croissance.

Si une nette différenciation régionale est décelable au Canada, elle tient moins aux distinctions qui se profilent à l'intérieur du segment chrétien qu'à la composition relative de la population appartenant aux autres grandes religions. Les nouveaux immigrants cherchant à s'installer majoritairement dans les grands centres urbains, la différenciation régionale se profile surtout dans les villes. Nous commentons ce qu'il en est à Montréal, Toronto, Ottawa, Calgary et Vancouver. Notons que la configuration d'Edmonton, une ville qui compte environ un million d'habitants, ressemble de près à celle de Calgary.

Une constatation s'impose de prime abord : les écarts entre ces villes sont très prononcés. La région de Toronto compte le double de la population de la deuxième métropole et, d'autre part, Montréal et Vancouver sont des centres beaucoup plus importants que Calgary ou Ottawa. Ceci étant dit, aucune constante ne se dégage quant à la distribution des différentes identités religieuses. À Montréal, comme dans l'ensemble du pays, les musulmans n'ont dépassé les juifs qu'au cours de la dernière décennie, à la faveur d'une augmentation rapide des adeptes de l'islam et d'une diminution graduelle de la population juive. Les hindous et les bouddhistes voient leur effectif augmenter également, mais à Montréal, c'est nettement la progression du segment musulman qui retient l'attention. Ce phénomène s'observe aussi dans la région métropolitaine en quelque sorte voisine, et de taille beaucoup plus modeste, celle d'Ottawa-Gatineau, sauf que là, la montée de l'islam ressort davantage, étant donné que la région n'a jamais compté une population juive importante.

Mais au chapitre de la présence en terre canadienne des grandes religions non chrétiennes, c'est la région de Toronto qui fait figure de proue du pluralisme, en raison de son importance démographique, certes, mais aussi de la distribution beaucoup plus égale des contingents non chrétiens qu'elle présente. Le premier aspect qui frappe est le poids relatif des groupes, notamment les hindous et les bouddhistes, aussi bien que les juifs. Les deux tiers des hindous canadiens vivent dans ce conglomérat urbain. La population juive de Toronto, sans doute en raison d'une importante migration en provenance de Montréal, a enregistré une croissance significative au cours des deux dernières décennies. Pourtant, ici comme ailleurs, le taux de croissance du contingent juif décline manifestement, tandis que celui de toutes les autres catégories est en progression, notamment celui des musulmans et, de façon un peu moins marquée, celui des hindous.

À Calgary, l'histoire se répète, mais si nous allons voir plus à l'ouest, une présence proportionnellement plus marquée des bouddhistes et des sikhs commence à se manifester. Cette tendance ressort nettement à Vancouver, qui, sur cet aspect comme sur tous les autres aspects de l'identité religieuse, fournit à nos états des lieux ce que les statisticiens appellent « les véritables observations extrêmes aberrantes ». Les sikhs et les bouddhistes forment les deux groupes dominants, bénéficiant de la croissance la plus rapide, dans la région de Vancouver, alors qu'à Toronto ce sont les musulmans et les hindous qui tiennent le haut du pavé. De fait, les sikhs de Vancouver forment une population plus importante, soit 116 000 personnes, que leurs coreligionnaires de Toronto, qui dénombrent 98 000 adeptes : c'est là la seule catégorie religieuse qui présente une telle anomalie. Par ailleurs, à l'instar de Calgary, Vancouver compte relativement peu de juifs, qui représentent dans ces deux villes le plus petit groupe religieux non chrétien. Ainsi, eu égard à l'importance relative, soit deux tiers, de la population canadienne vivant à l'est du Manitoba, il semble que les juifs, les hindous et les musulmans tendent à préférer l'est du Canada dans une mesure à peu près égale à la préférence marquée pour l'ouest chez les bouddhistes et les sikhs. Cette tendance se maintiendra-t-elle ? et à quel degré ? L'avenir le dira.

Considérons maintenant un autre aspect, qui couvre à la fois l'origine ethnique et les deuxièmes générations d'immigrants, nées au Canada, à travers ce groupe choisi de populations qui n'ont jamais accordé au christianisme une place dominante : les Chinois, les Asiatiques du Sud-Est (au Canada, ce contingent est surtout formé de Vietnamiens), les Asiatiques du Sud et les Moyen-Orientaux (comprenant les Africains du Nord et les Asiatiques de l'Ouest et du Centre, donc couvrant en gros la région entre le Maroc et l'Afghanistan). Attardons-nous d'abord à la taille de la deuxième génération, qui en 2001 avait pris de l'importance, même si ses membres étaient encore très jeunes, puisque la vaste majorité d'entre eux n'avaient pas encore vingt ans. Dans les quatre groupes, entre 25 et 33 % des membres étaient nés au Canada, un pourcentage bien inférieur à celui des enfants des groupes ethniques établis depuis plus longtemps au Canada, mais tout de même important. Cela dit, notons au passage la configuration ambiguë de l'appartenance déclarée au christianisme chez des membres de tous les groupes : le nombre de chrétiens est toujours plus grand chez les membres des deuxièmes générations que chez ceux des premières, et les cohortes d'immigrants arrivées plus tôt présentent une proportion de chrétiens plus importante que les cohortes des immigrants plus tardifs, une tendance que nous avons déjà notée.

Pourtant, malgré cette hausse du nombre de chrétiens déclarés chez les immigrants arrivés depuis plus longtemps au Canada et au sein des deuxièmes générations, ces groupes ont tendance à s'éloigner du christianisme avec le temps. Le seul groupe qui n'accuse pas une tendance marquée à cet égard est celui des Asiatiques du Sud, soit le groupe qui, de toute façon, accuse la plus faible représentation chrétienne.

À la décroissance enregistrée dans le segment chrétien fait pendant une croissance relevée dans d'autres catégories. Ainsi une partie des membres des deuxièmes générations soit grossit les rangs de la catégorie « Aucune religion » soit s'attache à l'identité ou aux identités traditionnelles de leur groupe. Les deuxièmes générations de Chinois et d'Asiatiques du Sud-Est, notamment, joignent en nombre les communautés bouddhistes, au détriment des segments chrétien et « Aucune religion ». Il faut bien comprendre, toutefois, qu'aux yeux des Est-Asiatiques, la désignation « Aucune religion » s'entend non pas tant d'une absence de religion que d'une absence d'identification subjective à une religion particulière, voire à une religion unique[10]. Le phénomène le plus remarquable chez les Asiatiques du Sud tient peut-être à la grande stabilité de la répartition proportionnelle des différentes identités religieuses pendant ces vingt ans. La seule petite évolution notée concerne la proportion de sikhs au sein de la première génération enregistrée en 2001, qui a subi une baisse traduisant les configurations de l'immigration au cours de la période de vingt ans sous examen, et la faiblesse relative de la présence sikhe en regard de la représentation musulmane susceptible de contribuer à l'immigration, celle de l'Asie du Sud. Chez les populations du Moyen-Orient, l'islam gagne nettement du terrain aux dépens notamment des deux types de christianisme.

Si nous nous attardons maintenant aux groupes ethniques régionaux dont les pays d'origine sont à prédominance chrétienne, la configuration qui se dessine ici présente des analogies sensibles avec la précédente. De manière générale, chez les peuples vivant dans des régions marquées par une présence significative de l'islam, y compris, à l'heure actuelle, l'Europe de l'Est, dans une certaine mesure, l'identité musulmane gagne du terrain, notamment chez les Africains subsahariens. Chez les Européens de l'Est, l'identité chrétienne orientale connaît un regain de vigueur chez les membres des premières générations, mais la tendance s'inverse tout à fait chez ceux des deuxièmes générations. Dans les contingents du Moyen-Orient, l'identité chrétienne décroît parmi les deuxièmes générations, au profit de la catégorie « Aucune religion ». Mais là, il faut faire attention de ne pas voir nécessairement dans cette tendance le résultat d'une *perte* d'identité particulière mais plutôt le reflet de changements de configuration des flux migratoires. Or, comme les membres des deuxièmes générations, surtout les très jeunes, tendent à épouser l'identification religieuse des premières générations, mais, avec un certain décalage *générationnel*, le déclin du christianisme oriental et les progrès marqués par le contingent des personnes sans identité religieuse tant chez les immigrants d'Europe de l'Est que chez ceux du Moyen-Orient pourrait traduire une évolution plus réelle, sinon la configuration des premières générations en 1981 devrait ressembler davantage à celle des deuxièmes générations en 2001. Cette ressemblance n'existe pas chez les Européens de l'Est. Mais une mise en garde importante s'impose : les Européens de l'Est forment le groupe ethnique dominant dans ces tableaux et comprennent beaucoup de personnes des troisièmes et quatrièmes générations. Et contrairement aux groupes d'immigrants arrivés plus récemment, leurs deuxièmes générations ne sont pas dominées par des jeunes de moins de vingt ans.

Cette dernière observation, enfin, fait ressortir l'importance d'une prise en considération des transformations enregistrées avec le temps au sein des divers groupes, notamment au chapitre des configurations décelables parmi différentes cohortes internes. Si nous établissons une corrélation de la durée de séjour au Canada et l'identité religieuse, chez six sous-groupes régionaux-ethniques au sein desquels le christianisme n'a jamais occupé une place dominante, en tenant compte dans chaque sous-groupe de deux cohortes d'âge et d'immigration et de la détermination des configurations de l'identité religieuse entre 1981 et 2001, ces cohortes affichant une relative stabilité ; elles représentent plus ou moins[11] les mêmes groupes en 1981 et en 2001 –, elles ne seront pas affectées sérieusement par l'intégration de nouveaux arrivants. Nous relevons ici une configuration définie, où nous pouvons déceler les effets de l'adaptation graduelle à la société canadienne. De fait, la *durée de séjour* comme phénomène semble en corrélation plutôt positive avec l'identité « chrétienne », puisque seul le petit contingent de l'Asie du Sud-Est accuse un déclin avec le temps. Par ailleurs, chez les Chinois et les Asiatiques du Sud-Est, le temps semble favoriser le maintien du bouddhisme tout en marquant, chez les Sud-Asiatiques, à la fois un déclin de l'hindouisme et du sikhisme, et la stabilité de l'identité musulmane ; cette identité musulmane décline par contre chez les immigrants venus du Moyen-Orient. Force est de constater l'étonnante performance du bouddhisme, au chapitre de la stabilité. Mais attention, l'interprétation de cette tendance doit prendre en compte différentes données : chez les groupes est-asiatiques, le bouddhisme gagne du terrain au détriment de la catégorie « Aucune religion », un phénomène exactement opposé à la situation qui prévaut chez les deux autres identités religieuses. Les gains marqués dans les rangs bouddhistes tiennent donc peut-être à une identification subjective et non à un changement effectif d'orientation religieuse. Ainsi, par exemple, il est tout à fait possible que les groupes est-asiatiques, au fil du temps après leur arrivée au Canada, en viennent à déclarer une appartenance au bouddhisme en plus grand nombre, constatant qu'une telle identification n'a rien de *sectaire* mais affiche plutôt une désignation religioculturelle. De même, d'autres groupes, tels ceux de l'Asie du Sud ou du Moyen-Orient, peuvent en venir à conclure avec le temps qu'il est tout aussi recevable de ne déclarer aucune identité religieuse que d'en déclarer une, et qu'il n'y a donc rien de mal à admettre ce qui était déjà leur véritable appartenance. Certes, des changements réels d'orientation sont toujours possibles. Seules des recherches plus poussées parmi ces groupes pourraient nous permettre de cerner précisément les évolutions effectives.

Conclusion

Nous pouvons tirer plusieurs conclusions, au moins provisoires, des données que j'ai présentées sur l'identité religieuse dans le Canada d'aujourd'hui. Premièrement, l'ensemble des Canadiens s'identifient un peu moins au christianisme et sont un peu plus nombreux à ne déclarer « aucune religion », une tendance significative, quoique non prononcée véritablement. Cela dit, les évolutions internes des configurations de l'identité chrétienne pourraient s'accentuer si les adeptes du protestantisme libéral et même du protestantisme conservateur s'inscrivent dans une catégorie chrétienne plus générique (indépendante) ou dans le camp catholique. Ces deux types de transformation sont influencés par une immigration importante en provenance de toutes les régions du monde, mais surtout des zones les plus peuplées, notamment l'Asie du Sud et de l'Est. Une autre constatation s'impose, du fait de l'immigration, celle de la montée rapide des grandes religions non chrétiennes, à l'exception du judaïsme, une croissance qui concerne au premier chef l'islam, là aussi, probablement, pour des raisons démographiques[12]. Or, actuellement, c'est surtout dans les grandes agglomérations, du moins celles de Montréal et les autres centres plus à l'ouest, que la diversité religieuse est la plus manifeste. Chez ces groupes religieux non chrétiens et non juifs, cette croissance tient jusqu'ici à une immigration importante. Les enfants de la deuxième génération, nés au Canada, forment de plus en plus un segment important de ces populations d'immigrants, malgré la jeunesse relative de la grande majorité d'entre eux, qui n'avaient pas vingt ans en 2001. Au fil des prochaines décennies, même si le flux migratoire se poursuit – un phénomène que laissent prévoir les politiques gouvernementales établies dont il tiendra sa source, plutôt que de réactions épisodiques à des événements particuliers sur la scène mondiale –, ces générations nées au Canada auront une incidence croissante sur le sort de ces autres religions au Canada. De fait, les deuxièmes générations s'écartent du comportement des premières, même si pour le moment l'évolution à long terme de cette divergence ne peut être déterminée avec la moindre certitude, puisque les identités des deuxièmes générations sont également influencées par les identités des parents immigrants, et que la composition de ces contingents n'est pas uniforme d'une décennie à l'autre.

Les prochaines décennies annoncent des évolutions significatives. Dans les grandes villes, notamment, mais parfois aussi certaines villes plus petites, la représentation des religions non juives et non chrétiennes devrait atteindre des proportions considérables. Il se peut même que d'ici 2011, c'est-à-dire au cours des cinq prochaines années, la population musulmane du Canada ait dépassé la barre de un million de personnes, que les populations hindoue, bouddhiste, voire sikhe, aient respectivement franchi le seuil de un demi-million d'habitants, et qu'entre le tiers et la moitié d'entre eux soient nés au Canada. Déjà, le pays compte plus de musulmans que de presbytériens ; d'ici 2011, chacune de ces quatre grandes religions aura plus d'adeptes au Canada que cette Église chrétienne, voire que les Églises luthérienne et baptiste. Cela dit, le flot important de l'immigration, qui devrait se maintenir, transformera probablement le visage du christianisme au Canada, puisque des proportions importantes d'adeptes des différentes confessions chrétiennes apporteront des formes non européennes de christianisme. Un phénomène encore plus important est à prévoir, si les immigrants et leurs descendants maintiennent une tendance à une « dé-dénominalisation », relevée du moins chez les Églises protestantes.

Or nous pouvons noter – ce sera là notre dernière observation – que ces données ne nous permettent guère d'éclaircir au moins deux autres questions touchant la religion au Canada, soit ses formes sociales et son degré d'influence sur la société dans son ensemble. L'augmentation du segment « Aucune religion » (et, dans une mesure beaucoup moindre, celle des adeptes des « autres religions » affiliées à la spiritualité autochtone et au néopaganisme) ainsi qu'une « généricisation » progressive que subit du moins le christianisme nous indiquent un possible mouvement vers une désinstitutionnalisation accompagnant une diversification de la religion. L'absence de religion, après tout, est rarement le fait de l'athéisme ; il faut y voir plus souvent la non-affiliation à une religion particulière. Cette possibilité, par ailleurs, soulève la question de l'influence : désinvestie de son autorité, la religion ne peut revendiquer qu'une influence indirecte sur la société canadienne, puisqu'une influence sociale exige précisément une forme de présence concentrée, convergente, permettant d'asseoir une autorité et un pouvoir. La difficulté à laquelle achoppe la religion au Canada ne concerne pas que le maintien ou l'augmentation du nombre des personnes qui s'identifient subjectivement à elle mais aussi le maintien et la constitution d'institutions susceptibles d'exercer une influence sociale. Assistons-nous à l'avènement de telles institutions ? Les analyses statistiques que j'ai présentées ici ne permettent guère de répondre à cette question. De fait, les statistiques ne servent pas à répondre à des questions, elles en soulèvent plutôt.

Notes

1. Ce texte est traduit de l'anglais par Pierrot Lambert.
2. Sauf indication contraire, toutes les données des recensements canadiens fournies dans le présent exposé sont tirées d'une totalisation spéciale des données des recensements décennaux de 1971 à 2001, préparée pour un projet financé par le Conseil de recherches en sciences humaines du Canada et intitulée : « Trends in Religious Identification among Recent Immigrants to Canada, 1961-2001 » (Tendances observées dans l'identification religieuse des immigrants récents au Canada, 1961-2001), sous la direction de l'auteur, avec la collaboration de John H. Simpson et de Leslie Laczko et avec l'aide de Kyuhoon Cho, Wendy K. Martin et Rubina Ramji. Les extrants sont les tableaux des données de recensement de Statistique Canada pour 1971, 1981, 1991 et 2001, accessibles sur CD-Rom, DO0324, Ottawa, Statistique Canada, Division des services consultatifs, 2003.
3. Jacques Henripin, *La métamorphose de la population canadienne*, Montréal, Les Éditions Varia, 2003 ; Shiva S. Halli et Leo Driedger (dir.), *Immigrant Canada. Demographic, Economic, and Social Challenges*, Toronto, University of Toronto Press, 1999 ; Wayne W. McVey, Jr. et Warren E. Kalbach, *Canadian Population*, Toronto, Nelson Canada, 1995.

4. Peter Beyer, « Die Lokalisierung des religiösen Pluralismus : Bildet Kanada den Modellfall ? (Localisation du pluralisme religieux : le Canada peut-il servir de modèle ?) » exposé devant la Société suisse pour l'étude des religions, Lucerne, Suisse, 2003.
5. John H. Simpson, « Ethnic Groups and Church Attendance in the United States and Canada », *Concilium*, vol. 122, 1977, p. 16-22 ; Hans Mol, *Faith and Fragility : Religion and Identity in Canada*, Burlington, Ontario, Trinity Press, 1985 ; Reginald W. Bibby, *Unknown Gods : The Ongoing Story of Religion in Canada*, Toronto, Stoddart, 1993 ; R. W. Bibby, « Canada's Mythical Religious Mosaic : Some Census Findings », *Journal for the Scientific Study of Religion*, vol. 39, nº 2, 2000, p. 235-39.
6. R. W. Bibby, *Restless Gods : The Renaissance of Religion in Canada*, Toronto, Stoddart, 2002.
7. Cette région comprend, en plus de la ville de Toronto, tout le territoire englobant le demi-cercle reliant Hamilton, Kitchener/Waterloo, Guelph, Brampton/Bramalea, Vaughan, Richmond Hill et Markham, et jusqu'à Oshawa.
8. Vancouver inclut la région métropolitaine de recensement (RMC) de Vancouver et la RMC adjacente d'Abbotsford.
9. Le mouvement pentecôtiste a essuyé des pertes d'environ 67 000 adeptes entre 1991 et 2001 tout en bénéficiant de l'arrivée de 21 000 nouveaux immigrants. Les pertes nettes s'élèvent donc à 88 000 anciens adeptes. Les immigrants pentecôtistes arrivés avant 1991 formaient, selon les données de recensement de 1991, un groupe de 63 400 personnes environ. Mais voilà qu'en 2001 seulement, 41 500 personnes de ce groupe s'inscrivent dans cette catégorie, une baisse de 1/3. Les Pentecôtistes nés au Canada voient leurs effectifs passer de 368 000 à 304 000, ce qui représente en pourcentage la moitié de la baisse enregistrée. Les immigrants de longue date comptent donc pour 25 % de la décroissance, alors qu'ils ne forment que 14 % de la population pentecôtiste en 1991. L'augmentation importante de la population chrétienne « générique » due à l'immigration nous permet de soupçonner que nous avons affaire ici à un phénomène significatif de reclassification plutôt qu'à une défection massive favorisant un autre type de christianisme ou une autre religion. Voir Statistique Canada, *Religions au*

Canada : La nation, Ottawa, Industrie, Science et Technologie Canada, 1993 ; Statistique Canada, données de recensement de 1971, 1981, 1991 et 2001, CD-ROM, Ottawa, Statistique Canada, Division des services consultatifs, 2003.

10. Jordan Paper, *The Spirits Are Drunk : Comparative Approaches to Chinese Religion*, Albany, New York, State University of New York Press, 1995.
11. La qualification « plus ou moins » a son importance ici, non pas seulement parce qu'elle est inévitable dans des cohortes de ce genre – certains de leurs membres meurent ou quittent le pays dans la période de décalage – mais aussi du fait d'une fluidité dans l'identification ethnique et d'autres facteurs influant sur l'inscription des personnes dans telle ou telle cohorte dans un temps donné. Ainsi, pour ces groupements régionaux-ethniques, les nombres ne décroissent pas nécessairement avec le temps, malgré le jeu prévisible des premiers facteurs mentionnés. Ils augmentent même en certains cas, quand un nombre accru de personnes décident, avec le temps, de déclarer telle identité ethnique (par exemple, une personne pouvant déclarer plusieurs appartenances ethniques pourra inscrire une réponse différente d'un recensement à l'autre, sans « mentir »), ou encore, facteur d'une importance au moins égale chez les groupes d'immigrants, les « illégaux » peuvent voir leur statut légalisé ou ils peuvent constater que de répondre au questionnaire du recensement n'entraînera pas leur arrestation. Somme toute, cependant, ces cohortes présentent une assez grande cohérence, et les résultats relevés sont donc très probablement significatifs.
12. À cet égard, il convient de noter que si nous postulons un moment, aux fins de notre exposé, que l'appartenance au groupe « Aucune religion » chez les immigrants est-asiatiques représente une identité religieuse plus positive que la simple déclaration d'une absence d'affiliation religieuse, ces Asiatiques de l'Est dépasseraient en importance numérique les musulmans au sein de la population canadienne. Il n'est donc pas nécessaire de poser que la relation entre l'importance de la représentation musulmane au Canada et la présence démographique globale de l'islam est contredite par

l'affirmation précédente concernant la domination démographique des contingents de l'Asie du Sud et de l'Est.

Bibliographie

Beyer, Peter, « Die Lokalisierung des religiösen Pluralismus : Bildet Kanada den Modellfall ? » (La localisation du pluralisme religieux : le Canada peut-il servir de modèle ?), document présenté lors d'une réunion de l'Association suisse pour l'étude de la religion, Lucerne, Suisse, 2003.

Bibby, Reginald W., *Restless Gods : The Renaissance of Religion in Canada*, Toronto, Stoddart, 2002.

—, « Canada's Mythical Religious Mosaic : Some Census Findings », *Journal for the Scientific Study of Religion*, vol. 39, nº 2, 2000, p. 235-39.

—, *Unknown Gods : The Ongoing Story of Religion in Canada*, Toronto, Stoddart, 1993.

Halli, Shiva S. et Leo Driedger (dir.), *Immigrant Canada : Demographic, Economic, and Social Challenges*, Toronto, University of Toronto Press, 1999.

Henripin, Jacques, *La métamorphose de la population canadienne*, Montréal, Les Éditions Varia, 2003.

McVey, Jr., Wayne W. et Warren E. Kalbach, *Canadian Population*, Toronto, Nelson Canada, 1995.

Mol, Hans, *Faith and Fragility : Religion and Identity in Canada*, Burlington, Ontario, Trinity Press, 1985.

Paper, Jordan, *The Spirits Are Drunk : Comparative Approaches to Chinese Religion*, Albany, New York, State University of New York Press, 1995.

Simpson, John H., « Ethnic Groups and Church Attendance in the United States and Canada », *Concilium*, vol. 122, 1977, p. 16-22.

Statistique Canada, données de recensement de 1971, 1981, 1991 et 2001, CD-ROM, Ottawa, Statistique Canada, Division des services consultatifs, 2003.

—, *Les religions au Canada : La nation*, Ottawa, Industrie, Science et Technologie Canada, 1993.

CHAPITRE 2

Le «modèle de la diversité canadienne» peut-il rendre justice au fait religieux?

JOHN BILES

«En tant que Canadiens, si nous voulons faire davantage pour partager nos expériences constructives avec le monde entier, nous devons apprendre à repérer les faiblesses de nos propres structures»[1].

La religion présente «une forme de diversité qui appelle un débat, une expression publiques. Les pessimistes pourront se demander si le *modèle canadien* peut servir à affronter cette problématique, ou s'il ne risque pas de l'aggraver au contraire»[2].

La valorisation du multiculturalisme se heurte à une question cruciale : la notion de multiculturalisme, par conséquent, le modèle de la diversité canadienne, permettent-ils d'affronter les problématiques associées à la religion[3] ? Je propose[4] une réponse affirmative à cette question dans le présent exposé. Une réponse qui, toutefois, exigera un virage lucide chez les élites canadiennes (les décideurs politiques, les médias, les chercheurs), un changement de perspectives qui tire la religion des coulisses pour l'accueillir sur la scène du discours public. De fait, je soutiens que seule l'amorce décisive et proactive de tels débats saura nous éviter les incidences regrettables d'une longue marginalisation de la religion, qui dans de nombreux pays européens se traduit par l'aliénation de minorités religieuses exclues. Une telle ouverture du discours public en notre pays passerait par l'étape obligée d'une reconnaissance du rôle prépondérant du christianisme dans la société canadienne. Elle nous forcerait également à raisonner notre peur à l'égard de l'intolérance présumée des organismes religieux, perçue comme une menace pour le discours inclusif du modèle de la diversité, une dimension capitale de notre identité canadienne.

Mais notre société ne s'est-elle pas sentie menacée à maintes reprises par les religions non chrétiennes ? Pensez aux sempiternelles controverses entourant le turban et le hijab. Ces querelles, et les passions qu'elles soulèvent, tiennent trop souvent d'attitudes franchement racistes et discriminatoires. Un ouvrage récent, *Religion and Ethnicity in Canada*[5], aborde ces questions de manière compétente. Aussi, je n'examinerai pas, dans le présent exposé, le recours au modèle canadien de la diversité pour la résolution de telles situations. Je me pencherai plutôt sur deux études de cas, mettant en scène des organismes religieux d'allégeance chrétienne et le gouvernement du Canada. En me concentrant sur des exemples faisant intervenir des groupes chrétiens, j'espère favoriser une compréhension plus globale de l'accueil que réserve la société aux initiatives des milieux religieux dans les débats publics, sans voir se profiler les facteurs croisés de la race, de la langue, de l'origine ethnique et de l'appartenance religieuse auxquels font appel d'autres situations[6]. Les deux situations que je présenterai relèvent du domaine de l'immigration, qui meuble souvent le discours public. Il s'agit : 1) des difficultés faites par Citoyenneté et Immigration Canada aux évêques africains et asiatiques qui ont sollicité un visa pour venir assister à la dixième assemblée de la Fédération luthérienne mondiale, tenue à Winnipeg et 2) de l'accueil dans des églises chrétiennes de personnes dont la demande du statut de réfugié a été refusée par les autorités de l'Immigration.

Ce qui m'intéresse particulièrement, dans le discours public concernant ces deux situations, ce sont les formulations du principe de la séparation de l'Église et de l'État, le déploiement singulier, dans une atmosphère surchauffée, du discours public libre et ouvert dont se vante notre société et les incidences de ces situations pour notre identité nationale, autant d'éléments qui, à mon sens, sont intimement liés à la réussite du modèle de la diversité canadienne. L'examen de telles situations présente un autre avantage non négligeable, puisqu'il favorise un premier discernement de l'apport jugé acceptable, aux yeux de la population, de la religion dans le discours public : un facteur social d'une importance cruciale pour les décideurs politiques et pour les organismes religieux eux-mêmes.

Avant d'aborder ces études de cas, il convient de circonscrire brièvement le contexte des événements mentionnés. J'esquisserai donc d'abord le fameux *modèle de la diversité canadienne*, pour me pencher ensuite sur l'état des relations qui existaient entre l'Église et l'État dans le Canada de 2003, avant que l'opinion publique soit saisie des situations évoquées.

« Le modèle de la diversité canadienne » : la citoyenneté partagée

L'intégration des nouveaux venus dans les sphères politiques, sociales, économiques et culturelles de la vie canadienne s'opère sous la bannière du *modèle de la diversité canadienne*. Ce « modèle » s'est constitué surtout depuis la fin de la Seconde Guerre mondiale[7], bien que de l'avis de certains chercheurs, sa naissance remonte à beaucoup plus loin qu'un siècle[8].

Plus récemment, un certain nombre de synthèses ont été tentées pour décliner explicitement la thématique du modèle de la diversité canadienne. L'ancien premier ministre Jean Chrétien évoquait notamment en l'an 2000 la « voie canadienne » à la conférence de Berlin sur une gouvernance de progrès pour le

XXIe siècle ; les politicologues Jane Jensen et Martin Papillon[9], des Réseaux canadiens de recherche en politiques publiques, ont élaboré, à la demande du ministère du Patrimoine canadien, une analyse intitulée : « The "Canadian Diversity Model": Repertoire in Search of a Framework » ; le « modèle » a été présenté par le sous-ministre d'alors du ministère du Patrimoine canadien, Alex Himmelfarb, à une rencontre préparatoire du troisième Sommet sur la gouvernance progressiste[10], tenu en 2001. Au cours des trois dernières années, de hauts fonctionnaires du gouvernement canadien ont continué de faire la promotion du modèle : l'analyste des politiques Erin Tolley en concluait que « même si le gouvernement a changé depuis le dévoilement de ce modèle, des documents stratégiques récents s'inscrivent dans la même perspective, laissant entendre que le modèle canadien est suffisamment enraciné pour échapper à l'influence des changements de direction politique »[11].

La formulation dominante du modèle s'articule autour de trois grands axes : les contacts, la culture et les valeurs[12]. Les contacts se concrétisent grâce à des programmes visant à mettre les Canadiens en rapport les uns avec les autres au-delà de leurs différences. Ils font appel à des moyens tels que les échanges, le programme d'accueil[13], les programmes d'immersion en langues officielles, les célébrations nationales, les commémorations et les outils d'apprentissage ainsi que des investissements dans la culture publique canadienne.

La culture, « notre sens collectif de notre identité », appelle la création d'espaces qui accueillent les différences. À ce chapitre, il faut souligner le rôle important des institutions telles que le radiodiffuseur national, la Société Radio-Canada, le réseau des institutions patrimoniales du pays (musées et galeries d'art) et les industries culturelles dynamiques, dont les secteurs du livre, des périodiques, de la vidéo et de l'enregistrement sonore.

Les valeurs forment la cheville ouvrière du modèle. Elles en sont de loin l'élément le plus contesté. Comme l'explique Tolley, aucun consensus solide ne se dégage quant à ce qui constitue les valeurs canadiennes, malgré l'idée reçue d'une communauté de vues au Canada sur un grand nombre de valeurs[14]. Notre valeur suprême tiendrait à notre disposition à engager (et souvent à poursuivre) le débat sur nos valeurs dans un climat de respect mutuel. Ce respect et les valeurs qui le sous-tendent se manifestent dans la Charte des droits et libertés, dans les jugements de la Cour suprême et dans le discours gouvernemental.

Essentiellement, le « modèle » canadien fait fond sur le postulat d'un engagement des citoyens dans une activité incessante de construction et de reconstruction du sens de l'identité canadienne et des orientations de notre société. Quand la religion entre dans l'arène, comme je le montrerai plus loin, le processus se complexifie considérablement.

L'ÉQUILIBRE CANADIEN ENTRE L'ÉGLISE ET L'ÉTAT

« Rendez donc à César ce qui est à César, et à Dieu ce qui est à Dieu » (Matthieu 22, 21).

Si tout était si simple ! Il y a tant de hauts fonctionnaires, tant de spécialistes des questions religieuses, qui aiment bien se prononcer sur la division entre l'Église et l'État au Canada ! Il faut dire qu'ils ont surtout tendance à faire des déclarations là où l'intervention du religieux dans la vie publique met en scène l'islam ou une autre religion non chrétienne[15]. Une telle partialité manifeste, je crois, la convergence, assez éloignée du libéralisme, d'une ignorance volontaire et d'une dose d'hypocrisie au sein des élites canadiennes (notamment chez bon nombre de décideurs politiques, dans les médias, dans des milieux universitaires), nourrissant la perception généralisée d'une séparation complète de l'Église et de l'État au Canada. Le sociologue David Martin soutient que le christianisme détient un « pouvoir fantôme » au Canada[16]. En somme, les élites canadiennes peuvent bien professer le credo d'une séparation de l'Église et de l'État, de fait, presque tous les symboles et les institutions symboliques de notre pays éveillent des résonances chrétiennes. Notre devise nationale, notre constitution, notre hymne national, notre monnaie, entre autres exemples, font référence à Dieu et au christianisme[17].

Bref, la religion est toujours fermement confinée dans la sphère privée qu'est la vie personnelle de ceux-là qui tendent à influencer ou à régir le discours public canadien. L'absence totale de thématique religieuse dans les formulations du *modèle canadien de la diversité* et dans l'attribution des ressources pour l'exploration des divers éléments de ce modèle confirme ce rôle sous-jacent. Paul Bramadat, spécialiste des sciences religieuses, fait remarquer qu'une part très infime des subventions de recherche a été accordée pour l'exploration de la diversité religieuse[18]. Erreur d'appréciation sérieuse, dans une société où la religion joue un rôle de premier plan dans les débats publics, comme le montrent les situations suivantes.

Première étude de cas : Assemblée de la Fédération luthérienne mondiale

La Fédération luthérienne mondiale (FLM) a tenu sa dixième assemblée à Winnipeg, du 21 au 31 juillet 2003. L'assemblée constitue l'organe décisionnel suprême de la FLM. Elle a lieu tous les six ans. Les organisateurs attendaient près de huit cents participants, tant hommes que femmes et enfants. Trente-cinq pour cent environ des participants devaient se procurer un visa pour entrer au pays[19]. Or, les délégués de onze pays africains et de trois pays asiatiques se sont vu refuser un visa[20].

Évidemment, ce refus a déclenché toute une série d'interventions dans la classe politique, toutes administrations confondues, ainsi que dans les médias. La FLM a fait appel à des élus provinciaux et municipaux après l'échec des démarches entreprises par l'évêque national luthérien, Raymond L. Schultz, auprès du ministre de Citoyenneté et Immigration Canada, Denis Coderre, visant l'obtention de permis ministériels[21] pour l'ensemble des délégués[22]. Par exemple, le maire de Winnipeg, Glen Murray, s'est engagé à téléphoner au ministre fédéral de l'Immigration pour lui demander instamment de délivrer les visas[23]. De son côté, le premier ministre du Manitoba, Gary Doer, a promis de s'enquérir des raisons du refus des autorités fédérales[24].

Le *Winnipeg Free Press* et toute une gamme de commentateurs sont entrés dans l'arène à leur tour. Le premier d'une série d'éditoriaux du *Winnipeg Free Press* sur le sujet annonçait une position non équivoque :

> Un refus de visa fondé sur une décision injuste ne coûte absolument rien à un représentant du gouvernement. Par contre, la Fédération luthérienne mondiale devrait payer chèrement la présence en son assemblée de participants de mauvais aloi, animés d'intentions criminelles. À tout considérer, ce sont les luthériens, vraisemblablement, qui voient juste, tandis que le gouvernement canadien cherche à couvrir par des excuses son ignorance et ses erreurs de jugement[25].

« Le débat ne faisait aucune mention de la responsabilité constitutionnelle du gouvernement canadien à l'égard de la protection des frontières nationales, y compris l'émission de visas. Selon cet éditorial, le gouvernement du Canada aurait dû considérer comme suffisamment crédibles les luthériens pour leur céder son autorité concernant l'entrée au pays. La réponse du gouvernement canadien à cet article a été formulée entre autres par des fonctionnaires de Citoyenneté et Immigration Canada, par Denis Coderre, ministre responsable de CIC, et par le ministre en chef représentant le Manitoba au sein du Cabinet, Rey Pagtakhan, ministre responsable des Affaires des anciens combattants. Tous ont souligné l'importance de maintenir l'intégrité du système d'immigration et la responsabilité du gouvernement à son égard. Les autorités de CIC ont affirmé que pour des raisons tenant à la protection de la vie privée, elles ne pouvaient divulguer les renseignements qu'elles détenaient sur les personnes qui s'étaient vu refuser un visa[26]. »

Contrariés par les attaques continuelles dont ils étaient l'objet dans les éditoriaux du *Winnipeg Free Press*, le ministre Denis Coderre et le sous-ministre Michel Dorais ont adressé une lettre au journal pour expliquer les mesures prises par Citoyenneté et Immigration Canada[27]. Rey Pagtakhan « niait avec véhémence que le ministère de l'Immigration eût réservé un traitement injuste aux luthériens. "Je veux réaffirmer ma confiance en ce que les mécanismes mis en place par notre gouvernement sont efficaces et témoignent en vérité de nos valeurs canadiennes en tant que nation démocratique et ouverte" »[28].

Fait important à noter, aucune critique sérieuse n'a été formulée à l'égard des démarches entreprises par l'Église luthérienne pour obtenir une exemption des règles sur les visas. À tous les niveaux d'administration publique, les pressions exercées sur Citoyenneté et Immigration Canada ont reçu des appuis. Quant aux médias, ils ont toujours favorisé l'Église luthérienne. L'impression qui se dégage de cette convergence d'opinions traduit l'acceptation d'un rôle des organismes religieux dans la délivrance des visas, un volet essentiel de la politique d'immigration. Personne n'a donc soulevé, pendant tout ce débat, la problématique des relations entre la sphère publique et la sphère privée concernant la place de la religion dans la société canadienne. Et personne n'a accusé les organismes religieux d'ingérence dans la politique sur l'immigration et l'accueil des réfugiés, comme c'est le cas lorsque les églises servent d'asile à des demandeurs du statut de réfugié.

Certains journalistes ont affirmé que l'Église luthérienne était plus à même de juger les candidatures à l'obtention des visas que Citoyenneté et Immigration Canada. Les médias ont souligné souvent, par ailleurs, l'incidence de telles décisions sur notre identité nationale. Le *Vancouver Sun* affirmait, par exemple :

> Cet incident a terni la réputation du Canada comme pays d'accueil. C'est la première fois que des délégués se voient refuser l'entrée dans un pays hôte depuis la première assemblée, en 1947 .[...] Et au fil des réunions de l'assemblée, jamais une seule fois un participant a-t-il créé des problèmes ou refusé de quitter le pays hôte au moment voulu[29].

Le *Winnipeg Free Press* faisait remarquer, pour sa part, que cet épisode pénible porterait atteinte de façon profonde et durable à la réputation du Canada sur la scène internationale[30]. Pour ne pas être en reste, certains politiciens ont aussi voulu souligner les incidences significatives de cette situation sur notre identité nationale. Tant la députée NPD de Winnipeg, Judy Wasylycia-Leis, que le premier ministre Gary Doer, ont prédit que cette affaire aurait des conséquences désastreuses. Wasylycia-Leis affirmait: « Cette affaire entache vraiment la réputation du Canada. Notre pays a l'air ridicule. » Doer avertissait pour sa part que les refus de visas aux luthériens n'étaient pas de bon augure pour la tenue de futures manifestations internationales, notamment les Jeux olympiques d'hiver de 2010 en Colombie-Britannique[31].

Il faut souligner enfin que, malgré la vivacité des échanges entre Citoyenneté et Immigration Canada et le *Winnipeg Free Press*, le discours est toujours demeuré passablement respectueux, ce qui donne à penser que les organismes religieux peuvent participer aux débats publics sans mettre en péril le discours libre et ouvert qui est au cœur du *modèle de la diversité canadienne*.

Voilà donc une première situation montrant qu'une contestation directe de l'État soulevée par un organisme religieux dans un domaine tel que l'immigration apparaît légitime à la population canadienne. Certains perçoivent même les luthériens comme de meilleurs promoteurs de l'identité inclusive du Canada que le gouvernement canadien. Certes, l'affaire ne concernait que l'obtention de visas de séjour, donc un accès temporaire, en principe, au territoire canadien. En outre, il s'agissait d'un cas relativement isolé, celui d'une rencontre devant se dérouler dans un temps précis et à un endroit précis. L'imaginaire national ne s'est pas emparé de cette affaire comme il a exploité l'histoire des églises servant d'asile à des demandeurs du statut de réfugié. L'assemblée luthérienne illustre tout de même l'intervention continuelle des organismes religieux dans le débat public, qui contredit la solide conviction d'une séparation nette entre l'Église et l'État. Il convient de noter que la publicisation dans les médias de cette affaire (qui a ainsi acquis une notoriété plus grande que les discussions politiques ordinaires) et l'intervention des politiciens locaux de tous les paliers d'administration publique n'ont suscité aucune opposition publique perceptible.

Par contre, l'utilisation des églises comme sanctuaires se déploie depuis un certain nombre d'années, dans différentes collectivités un peu partout au pays, et a fait les manchettes tant au plan local qu'à l'échelle nationale. Et dans ce cas-ci, il ne s'agit pas de visas temporaires mais bien de la possibilité de résidence permanente au Canada.

Deuxième étude de cas : l'Église comme sanctuaire

Selon le sociologue Randy Lippert, la notion de « sanctuaire » nous a été léguée par les anciens Hébreux, qui tenaient le sanctuaire pour un lieu sacré réservé à des rituels religieux particuliers. Une tradition chrétienne a fait du sanctuaire un lieu de refuge et de protection des fugitifs. Cette pratique a commencé à disparaître au Moyen Âge, avec la montée en puissance des États européens, mais elle est réapparue au début des années 1980, dans la foulée d'un accroissement significatif du nombre de demandeurs du statut de réfugié arrivant en Europe, au Canada et aux États-Unis[32].

Depuis 1983, près de 40 cas ont été rapportés d'immigrants ou de demandeurs du statut de réfugié cherchant à éviter une expulsion du pays en se mettant sous la protection d'une église chrétienne. Lippert fait remarquer qu'il s'agit là d'une tendance croissante. Jamais, dans l'histoire de notre pays, autant de personnes n'ont été hébergées dans des sanctuaires que maintenant[33]. La plupart des situations sont réglées en moins d'un mois. Pour 21 demandeurs du statut de réfugié ayant trouvé asile dans un sanctuaire, un tel recours s'est soldé par l'octroi d'un statut légal[34].

Aucune disposition des lois canadiennes ne porte sur la notion de « sanctuaire ». Pourtant, divers corps policiers ont reconnu qu'ils n'interviendraient pas pour arrêter une personne dans une église[35]. Cet accord officieux a été violé pour la première fois le 5 mars 2004, quand la police de Québec a procédé à l'arrestation de Mohamed Cherfi pour inobservation des conditions d'une libération conditionnelle, à l'église Saint-Pierre, un temple de l'Église unie (le prévenu avait négligé de communiquer un changement d'adresse lorsqu'il s'est réfugié dans l'église). Il a immédiatement été déporté vers les États-Unis, qui menaçaient de le renvoyer en Algérie. Les médias du Québec ont fait grand cas de cette histoire et de l'indignation soulevée par la rupture d'un accord officieux conclu entre la police, les autorités de l'immigration et les Églises[36].

Il s'agit là d'un cas isolé. Des responsables d'organismes non gouvernementaux œuvrant dans le domaine des demandes du statut de réfugié m'ont signalé que les groupes religieux un peu partout au pays étaient très bien organisés et qu'ils travaillaient en collaboration afin de maintenir en vigueur cette règle tacite. Ils ont décidé collectivement que seules les églises chrétiennes seraient utilisées comme sanctuaires, puisqu'ils nourrissent des doutes quant au respect, chez les forces policières, des gurdwaras, des mosquées, des temples et des synagogues. Par ailleurs, ils choisissent très attentivement les causes où ils s'investissent. Un leader religieux de la région de Montréal, par exemple, affirme qu'il reçoit presque chaque semaine des demandes d'asile. Il dit refuser la plupart de ces demandes parce qu'il a souvent affaire à des réfugiés économiques incapables de prouver qu'ils sont menacés dans leur intégrité physique[37].

Du point de vue des autorités ecclésiastiques, le recours à la protection des sanctuaires vise à inciter le gouvernement canadien à revisiter son évaluation des conditions de vie dans différents pays. Jusqu'à maintenant, l'activation du principe du sanctuaire a servi à faire pression sur le gouvernement pour qu'il mette en œuvre le processus d'appel des décisions concernant le statut de réfugié, prévu dans la mouture récente de la Loi sur l'immigration et la protection des réfugiés[38]. Du point de vue du gouvernement, toutefois, ce mouvement des sanctuaires apparaît comme une contestation pure et simple de la responsabilité gouvernementale à l'égard de la détermination du statut de réfugié au Canada, partant, de sa politique d'admission.

Or, les sanctuaires sont vus également, dans certains commentaires publics, comme une forme recevable de désobéissance civile. Dans une lettre à la rédaction du *Ottawa Citizen*, Ria Heynen affirme que la véritable démocratie doit faire justice au droit, et même au devoir, qu'ont les Églises et la société civile de surveiller les agissements des gouvernements et d'intervenir dans l'arène publique. La démocratie exige un engagement actif là où notre conscience refuse d'entériner les actions des gouvernants. Notre responsabilité ne se limite pas à une participation aux élections[39].

Si l'utilisation des sanctuaires comme refuges rencontre l'appui général des politiciens locaux et des médias et, bien sûr, celui des Églises elles-mêmes, le principe ne fait pas l'unanimité. Les avis sont beaucoup plus partagés dans l'affaire des sanctuaires que dans celle des visas pour les visiteurs luthériens. Par exemple, l'ancien ministre de la Citoyenneté et de l'Immigration du Canada, Denis Coderre, en réponse à une question à la Chambre des communes, affirmait: «Je ne négocie pas dans les églises ou avec les Églises. Nous, de ce côté-ci des Communes, n'admettons pas la désobéissance civile»[40]. La ministre suivante, Judy Sgro, en a rajouté. Dans une entrevue accordée à La Presse canadienne, elle faisait remarquer:

> Il s'agit là d'une question très délicate. Vraiment, si nous commençons à utiliser les églises comme porte arrière pour l'entrée au Canada, nous aurons de graves problèmes… Notre première préoccupation doit porter sur la protection de notre pays et de notre société. Personne ne devrait pouvoir se soustraire à la loi, où que ce soit. […] Voilà un principe incontournable. Tôt ou tard, les fugitifs seront arrêtés et renvoyés du pays[41].

L'affirmation de la ministre identifiant les sanctuaires comme une menace à la sécurité du Canada a été particulièrement mal accueillie. Le critique en matière d'immigration, James Bissett[42], s'est moqué ouvertement de l'échelle des priorités de la ministre et lui a conseillé de s'occuper d'abord des 36 000 demandeurs du statut de réfugié déboutés qui ont échappé à la surveillance de Citoyenneté et Immigration Canada[43]. Dans la même veine, Darryl Gray, ecclésiastique membre de l'Église métropolitaine de Montréal, y allait d'un autre boulet : « La ministre de l'Immigration se cache derrière le masque de la sécurité nationale pour perpétuer un système de sélection des immigrants qui est discriminatoire et déficient. »[44]. Les propos de Gray faisaient écho à ceux d'autres ecclésiastiques se disant agacés par l'affaire des sanctuaires, mais bien plus agacés encore par l'absence d'un véritable mécanisme d'appel pour les demandeurs du statut de réfugié, en dépit des dispositions en ce sens dans la nouvelle Loi sur l'immigration et la protection des réfugiés[45].

Un éditorial, un seul, est venu appuyer la dénonciation par la ministre des sanctuaires comme autant de menaces à la sécurité nationale. Le *Windsor Star* affirmait :

> Personne ne prétend que les demandeurs du statut de réfugié qui se terrent actuellement dans des églises au Canada sont des terroristes ou qu'ils représentent une menace pour la sécurité nationale. Par contre, rien ne nous garantit que d'autres revendicateurs d'asile, dans l'avenir, ne constitueront pas un véritable danger pour notre sécurité. Et nul ne peut nous assurer que le nombre des protégés des sanctuaires ne grossira pas si le Canada vient à durcir ses politiques d'immigration[46].

Cet éditorial illustre la perspective alarmiste d'une « pente dangereuse » accentuant le péril auquel un faible nombre de fugitifs accueillis dans des églises expose la primauté du droit, voire la sécurité nationale au Canada. Autre exemple : dans une lettre à la rédaction de la *Montreal Gazette*, Meena Khan souligne : « Il s'agit là d'un précédent dangereux. Ce n'est pas l'Église qui rédige nos lois, et l'Église ne devrait pas être autorisée à nous dicter la manière dont nous appliquons nos lois »[47].

La conscience d'un risque de dérive s'exprime même chez ceux-là qui manifestent un appui modéré à la protection des fugitifs dans les sanctuaires. Le journal *The Record* pose la question :

> Si une église peut abriter un demandeur du statut de réfugié, pourra-t-elle abriter également une personne soupçonnée d'actes criminels, si les autorités ecclésiastiques ont le sentiment de son innocence ? Et si une Église peut enfreindre un décret gouvernemental, pourquoi pas un autre groupe religieux, un club, un ensemble d'individus ?[48]

La dimension la plus intéressante de cette étude de cas tient au défi que le principe du sanctuaire pose à la capacité de l'État canadien de maîtriser l'immigration et d'appliquer sa politique concernant les réfugiés. Comme le reconnaît *The Record*, « en ouvrant leurs portes aux gens que le gouvernement cherche à expulser, les groupes religieux contestent l'autorité de l'État »[49]. L'opinion publique canadienne se montre assez sévère, habituellement, à l'égard des personnes qui déjouent les mesures de contrôle de nos frontières, témoin, l'accueil glacial réservé aux Chinois qui sont entrés illégalement au pays par bateau sur la côte Ouest, durant l'été 1999, pour demander le statut de réfugié. Dans le cas présent, l'opinion publique se montre beaucoup plus favorable. Cette tolérance tient-elle à l'intervention des Églises chrétiennes, donc, à une acceptation tacite du rôle de ces organismes confessionnels dans l'établissement des politiques publiques ? Tient-elle plutôt à la prudence exercée par les responsables ecclésiastiques dans le choix des personnes hébergées dans les sanctuaires ? Ou traduit-elle une préoccupation à l'égard des personnes en instance de déportation, qui risquent la torture ou la mort dans leur pays d'origine ? Les personnes ou les familles hébergées représentent-elles une menace moindre que les passagers des navires servant à l'entrée illégale de demandeurs du statut de réfugié ? Est-ce que tous ces facteurs influent sur l'opinion publique ? Il serait bien difficile de les départager. Quoi qu'il en soit, les sondages attestent un appui de l'ordre de 67 % de la population canadienne envers le recours aux sanctuaires[50]. La mention explicite, dans l'ensemble des médias, du rôle des Églises dans la contestation de la politique de l'immigration et la protection des réfugiés permet de supposer un appui au moins tacite du rôle des Églises dans les débats publics sur la politique concernant les réfugiés. Cet appui remonte à une époque lointaine, puisque les institutions religieuses se sont toujours investies dans la politique concernant les réfugiés au Canada[51].

Le vieux débat sur la séparation de l'Église et de l'État au Canada rebondit à différentes tribunes. L'ancienne chef du Nouveau Parti démocratique du Canada, Alexa McDonough, faisait observer que les déclarations de Judy Sgro à propos des sanctuaires « témoignent d'une ignorance profonde de l'histoire vénérable du principe du sanctuaire dans les institutions religieuses et d'une volonté inquiétante du gouvernement de franchir la barrière de la séparation de l'Église et de l'État »[52].

La réaffirmation de la séparation de l'Église et de l'État rallie même les opposants à la protection offerte aux fugitifs dans les sanctuaires. L'éditorialiste du *Saskatoon Star Phoenix*, entre autres, affirme hardiment :

> Tout bien intentionnés qu'ils soient, les leaders religieux chrétiens qui décident de faire fi des lois canadiennes et de continuer

> à donner asile à des personnes réclamant le statut de réfugié font preuve d'un dangereux manque de jugement. [...] Dans une société sécularisée comme la nôtre, reconnaissant une séparation nette de l'Église et de l'État, l'existence de lieux interdits aux autorités gouvernementales nous répugne[53].

Cette conviction, exprimée dans la plupart des médias et par nombre de politiciens, d'une séparation radicale entre l'Église et l'État, tant pour appuyer que pour refuser l'utilisation des sanctuaires comme lieux d'asile, accuse une forte ambiguïté. Or, la population semble moins divisée. Un sondage révèle un niveau de soutien de 67 % à l'accueil de réfugiés dans les églises. Étant donné le rôle capital joué par les organismes chrétiens dans ce mouvement d'accueil dans les sanctuaires, ne doit-on pas conclure que la population appuie les organismes religieux en matière de détermination du statut de réfugié ? Mais attention ! Un segment important de la société, soit 44 %, estime également que les lois canadiennes concernant les réfugiés doivent être appliquées rigoureusement, même si cela entraîne l'expulsion de personnes fournissant un apport effectif à notre pays. Une partie importante de la population considère donc comme approprié le régime actuel de l'immigration au Canada. Peut-être faut-il en conclure que les organismes religieux peuvent jouer un rôle de médiation entre l'exigence d'humanité dans l'instruction des situations individuelles et la nécessité d'un cadre solide dans le contrôle d'un flot annuel d'un quart de million d'arrivées au Canada[54]. En somme, les Canadiens appuient non pas tant une séparation nette entre l'Église et l'État qu'une interaction compensatoire de ces deux pôles.

Cette fonction de courtage se profile également dans les questions d'identité nationale soulevées dans cette situation. Le thème qui se dégage singulièrement concerne l'image d'une société humanitaire que se façonne la population canadienne.

Dans un sondage réalisé par Communication Canada sur ce qui définit leur pays, 85 % des répondants désignent le multiculturalisme et 83 % citent la tolérance des différences religieuses et culturelles comme principaux descripteurs nationaux[55]. Cette conviction profonde contredit la ligne dure des partisans d'une application stricte de la loi et du processus de sélection des demandeurs du statut de réfugié, qui occulte les questions morales sérieuses posées par l'absence d'un mécanisme d'appel[56].

La présente étude de cas, à l'instar de la précédente, met en scène des opinions contradictoires exprimées dans un discours qui sait rester poli. De fait, malgré les critiques soulevées par la prise de position de la ministre Judy Sgro, le débat social entourant l'utilisation des sanctuaires et l'importance croissante de ce phénomène jouit d'un appui massif. Le gouvernement et les opposants à la pratique de l'asile ecclésiastique souhaitent orienter ce débat social vers une cessation de ce recours qui apparaît comme une menace à l'autorité de l'État. De leur côté, les Églises veulent engager un dialogue avec le ministre en vue de l'instauration, dans les meilleurs délais, d'un mécanisme d'appel pour les demandeurs du statut de réfugié. Les deux parties s'entendent sur un objectif commun : l'arrêt de la pratique de l'asile accordé dans les sanctuaires.

Comme le prouvent les deux études de cas présentées, la population canadienne se montre très réceptive au rôle de la religion dans les débats sur les politiques publiques, dans la mesure où les organismes religieux et leurs membres sont disposés à entrer dans la mêlée en pratiquant un discours public inclusif et respectueux, sans privilégier un ordre de droits particulier. Par ailleurs, ces études de cas montrent bien que les Canadiens ne sont pas prêts à admettre, quoi qu'en disent les médias et la classe politique, une séparation nette de l'Église et de l'État qui se traduise par une marginalisation de la religion et des convictions religieuses. De fait, les études de cas mettent en lumière une certaine valorisation de l'apport des organismes religieux comme contrepoids moral au pouvoir de l'État. Cette perspective se manifeste, certes, dans l'affaire des sanctuaires, mais aussi dans celle des demandes de visa pour les visiteurs luthériens. La population canadienne semble donc disposée à reconnaître l'absence d'une séparation entre l'Église et l'État au Canada. Il s'agit là d'une réalité sociale importante, pouvant contribuer au nivellement de l'arène publique de manière à y permettre l'expression d'une pluralité de voix religieuses. Si l'opinion publique admet que les organismes religieux chrétiens peuvent jouer un rôle dans l'arène des débats politiques, et si les liens résiduels entre l'État canadien et le christianisme sont mis en lumière, alors nous pouvons commencer à explorer les voies d'inclusion des organismes religieux représentant l'ensemble des Canadiens, et non seulement les chrétiens.

Ces considérations nous ramènent à notre question centrale: le multiculturalisme et le *modèle canadien de la diversité* sont-ils menacés par l'intervention de groupes religieux dans l'arène publique? Eh bien non, pas du tout. De fait, le «modèle canadien de la diversité», fondé sur les contacts, la culture et les valeurs, se trouve grandement renforcé si des intérêts religieux s'engagent plus à fond dans les débats publics. Il est de plus en plus question d'interculturalisme: comment interpréter cette notion sinon comme un euphémisme pour traduire une volonté de voir s'établir des relations entre des communautés (de quelque manière que l'on définisse ce concept) appelées à collaborer à la solution de problèmes communs. Mais il en est ainsi depuis toujours. L'historien James Walker a bien montré que la stratégie la plus efficace de réalisation du changement passait par la constitution de coalitions d'intérêts[57]. Je vois mal comment le refus de toute participation des groupes religieux aux débats publics, sauf sous la bannière de l'appartenance ethnique ou raciale, puisse servir un tel objectif. À l'instar du spécialiste des religions Harold Coward, je crois que « [...] l'expérience et la sagesse des religions pourraient informer fructueusement l'humaniste ou le sécularise moderne. La problématique et les principes du pluralisme religieux épousent à plusieurs égards la même dynamique que le pluralisme culturel de nos sociétés actuelles »[58]. En somme, nous gagnerions tous à une ouverture du *modèle de la diversité canadienne* au pluralisme religieux.

Par ailleurs, il faut mettre en lumière une corrélation du plus haut intérêt et néanmoins complètement ignorée, entre la religion et les valeurs. À mon sens, aucune analyse sérieuse des *valeurs* canadiennes ne saurait occulter le rôle de la religion ; et pourtant, la religion est absente de tant de discours publics en ce domaine. Mes préoccupations sont partagées par Tariq Modood, qui déplore l'absence totale de la religion dans le *modèle canadien* promu par les Réseaux canadiens de recherche en politiques publiques[59].

L'analyse des valeurs dans le contexte du « modèle canadien de la diversité » fraie parfois dangereusement avec une définition exclusivement judéo-chrétienne des valeurs canadiennes. Les propos concernant la nécessité d'un partage des valeurs laissent entendre que les « autres » (les nouveaux venus non chrétiens, la plupart du temps) sont guidés par des valeurs différentes et qu'ils doivent s'adapter à « nos » valeurs (judéo-chrétiennes). Un tel raisonnement contredit manifestement les valeurs mêmes que nous envisageons (la paix, la démocratie, le respect, l'inclusion, l'ouverture et la tolérance). Si ce discours vise l'islam, nous nageons en pleine confusion, puisque l'islam est une religion « abrahamique », à l'instar du christianisme et du judaïsme, dont il partage la majorité des valeurs[60].

Parlons culture. Il faut voir dans la religion, tant dans son profil extérieur que dans sa pratique, une forme essentielle de la culture. Ce n'est pas sans raison que le ministère du Patrimoine canadien, dans les *images canadiennes* qu'il veut projeter dans tous ses produits de communication, choisit toujours des sikhs portant le turban ou des musulmanes couvertes du hijab. Il s'agit là de manifestations très visibles et capitales d'une différence culturelle. Si l'on peut en juger par la participation du public au festival de la Diwali à Toronto ou aux célébrations du Vaisakhi à Vancouver, la population canadienne s'intéresse de plus en plus à la découverte d'autres réalités culturelles. Plutôt que de bouder ces activités en n'y voyant que des manifestations sempiternelles de *chants et de danses* multiculturels, nous devrions y saisir l'occasion d'établir de nouveaux liens interculturels susceptibles de favoriser le sens de l'appartenance qui sous-tend le *modèle canadien de la diversité*. Comme le souligne le spécialiste des religions Bramadat, de telles manifestations peuvent même constituer des économies parallèles de statut capables d'engendrer, pour les nouveaux venus qui cherchent à s'intégrer dans la société canadienne, des incidences favorables tant sur le plan économique qu'en matière de santé mentale[61].

Enfin, nous devons nous demander ce que nous révèlent ces études de cas sur notre identité nationale. Les Canadiens s'enorgueillissent de la perspective particulière de leur pays, dont ils vantent le modèle bilingue et multiculturel. De fait, un sondage réalisé pour Communication Canada en 2003 montrait que 77 % des Canadiens se disent fiers de la dimension multiculturelle du Canada, tandis que 57 % en apprécient le bilinguisme. Les proportions augmentent lorsque les questions concernent l'importance de ces deux aspects pour l'identité canadienne, passant à 85 % pour le multiculturalisme et à 59 % pour le bilinguisme[62]. Cette conviction ne se limite pas à notre sentiment national. Des douzaines de délégations viennent chaque année s'enquérir de notre *modèle de la diversité* et nos diplomates sont bombardés de demandes d'information à ce sujet. Et l'origine canadienne du plus important réseau mondial de recherches en matière de politiques concernant l'immigration, la diversité et l'intégration, Metropolis, n'est pas le fruit du hasard : notre pays est un leader mondial reconnu au titre de la société diversifiée, ouverte et inclusive qu'il a su créer et maintenir. Toutefois, si nous ne savons pas comment aborder le rôle du pluralisme religieux dans l'exploration de notre identité multiculturelle, nous risquons de perdre notre bonne réputation et de nous mettre nous-mêmes en quête d'un modèle à l'étranger.

Notes

1. Jean Chrétien, « L'immigration et le multiculturalisme au Canada », texte de conférence, Sommet de Londres sur la gouvernance progressiste, 12 juillet 2003.
2. Will Kymlicka, « Introduction », *Canadian Diversity/Diversité canadienne*, printemps 2003.
3. Ce texte a été traduit de l'anglais par Pierrot Lambert.
4. Les opinions exprimées dans le présent exposé n'engagent que l'auteur et non le projet Metropolis, le ministère de la Citoyenneté et de l'Immigration du Canada ou le Gouvernement du Canada.
5. Paul Bramadat et David Seljak (dir.), *Religion and Ethnicity in Canada*, Don Mills, Ontario, Pearson Education, 2005.
6. Certes, nous pouvons discerner, au sein même du christianisme, des facteurs croisés et des éléments de diversité. Voir P. Bramadat et D. Seljak (dir.), *Christianity and Ethnicity in Canada*, à paraître, qui approfondira ces questions. De tels croisements de facteurs chez les chrétiens sont toutefois moins manifestes pour la société canadienne que les croisements associés aux religions non chrétiennes.

7. Nandor F. Dreisziger, « The Rise of the a Bureaucracy for Multiculturalism : The Origins of the Nationalities Branch, 1939-1941 », dans *On Guard for Thee : War, Ethnicity and the Canadian State, 1939-1945*, Ottawa, ministère des Approvisionnements et Services, 1988 ; John Jaworsky, « A Case Study of the Canadian Federal Government's Multiculturalism Policy », Mémoire de maîtrise non publié, Université Carleton, 1979 ; Reva Joshee, « Federal Policies on Cultural Diversity and Education 1940-1971 », Thèse de doctorat, Université de la Colombie-Britannique, 1995 ; Leslie Pal, *Interests of State : The Politics of Language, Multiculturalism and Feminism in Canada*, Montréal, McGill-Queen's Press, 1993 ; Beatte Schiffer-Graham, « The Federal Policy of Multiculturalism in Canada (1971-1988) », Mémoire de maîtrise non publié, Université du Manitoba, 1990.
8. John Biles et Effie Panousos, « Snakes and Ladders of Canadian Diversity », document inédit rédigé pour le ministère du Patrimoine canadien, 1999 ; Richard Day, *Multiculturalism and the History of Canadian Diversity*, Toronto, University of Toronto Press, 2000.
9. Jane Jenson et Martin Papillon, « The "Canadian Diversity Model" : Repertoire in Search of a Framework », Projet F-54 du réseau de la famille, Réseaux canadiens de recherche en politiques publiques, <www.cprn.org>, 2001.
10. John Lloyd, « Parting the Sea : Europe is Starting to See the Wisdom of Canada's Multicultural Model », *Globe and Mail*, 13 juillet 2001, p. A13.
11. Erin Tolley, « National Identity and the "Canadian Way" : Values, Connections and Culture », *Canadian Diversity/Diversité canadienne*, 2004, p. 11-15.
12. Le gouvernement représente un espace occupé par des idées opposées, tout comme le milieu universitaire ou la société en général. Le *modèle* et ses objectifs se prêteront donc à une multitude d'expressions. J'ai choisi la présente formulation, car c'est celle que je connais le mieux et celle qui, je crois, a le plus de poids dans l'administration fédérale actuelle au Canada.
13. L'objectif du programme d'accueil est de jumeler des immigrants et des citoyens ou des résidents permanents pour favoriser une intégration heureuse.

14. E. Tolley, 2004.
15. Il arrive, certes, que le rôle du christianisme dans la société soit contesté. On s'est questionné, ici et là, sur le bien-fondé des concerts de Noël dans les écoles publiques. Et il est question régulièrement dans les médias de la tradition de la récitation du « Notre Père » au début des séances des conseils municipaux. La fréquence et la teneur de ces débats diffèrent, en quantité et en qualité, de celles touchant les problématiques associées à d'autres religions. Entre autres particularités, les débats sur la place du christianisme accusent rarement une polarisation « nous-eux ».
16. David Martin, « Canada in Comparative Perspective », dans David Lyon et Marguerite van Die (dir.), *Rethinking Church, State and Modernity*, Toronto, University of Toronto Press, 2000.
17. John Biles et Humera Ibrahim, « Religion and Public Policy : Immigration, Citizenship and Multiculturalism – Guess Who's Coming to Dinner », dans Paul Bramadat et David Seljak (dir.), *Religion and Ethnicity in Canada*, Don Mills, Ontario, Pearson Education, 2005, p. 154-177, p. 167.
18. *Ibid.*, p. 164.
19. WFN 2003 (World Wide Faith Network (WFN) Archives, « Lutherans in Silent Protest of Visa Denials », 30 juillet 2003, <http://www.wfn.org/2003/07/msg00347.html ELCIC 2003> ; Kevin Rollason, « Visa denials make worldwide news : Foreign press keeps close eye on LWF assembly », *Winnipeg Free Press*, 25 juillet 2003, p. A5.
20. Sur 48 demandes de visa rejetées, 17 ont finalement été acceptées après révision ; 23 demandeurs ont sollicité une révision ; huit d'entre eux ont été déboutés, selon la Fédération luthérienne mondiale. Des journalistes en ont conclu, qu'aux yeux d'Ottawa, certains de ces demandeurs étaient de présumés meurtriers, des escrocs cherchant à détourner des fonds ecclésiaux et autres criminels, ou simplement que les demandeurs ne s'étaient pas présentés aux entrevues nécessaires. Voir Jason Bell, « Lutherans outraged at Ottawa », *Winnipeg Free Press*, 23 Juillet 2003, p. A1 ; Bob Harvey, « Lutherans get second chance to submit visas », *Ottawa Citizen*, 26 juin 2003, p. A4 ; Kevin Rollason, « Delegates excluded, cloud cast on assembly Lutherans fear summit could become meaningless », *Winnipeg Free Press*, 22 juillet 2003, p. A1 ; Kevin Rollason,

«Lutherans applaud Doer's vow to help», *Winnipeg Free Press*, 24 juillet 2003, p. A1 ; Leslie Scrivener, «Lutherans refused visas to Winnipeg Assembly», *Toronto Star*, 21 juillet 2003, p. A06.

21. Les permis ministériels sont considérés techniquement comme des permis de résidence temporaire. Ils peuvent être accordés, selon la Loi sur l'immigration et la protection des réfugiés, à «un étranger interdit de territoire ou qui ne se conforme pas à la présente Loi… s'il estime que des circonstances d'ordre humanitaire relatives à l'étranger… ou l'intérêt public le justifient» (paragraphe 25 (1)).
22. Communiqué de l'Église luthérienne évangélique du Canada : «Visa Denials Still a Concern—Bishop Appeals to Minister of Immigration», 7 juillet 2003.
23. J. Bell, «Coderre can redeem himself by letting the Lutherans in», *Vancouver Sun*, 23 juillet 2003, p. A10.
24. K. Rollason, 24 juillet 2003.
25. Éditorial de la rédaction, «Drive-by slanders», *Winnipeg Free Press*, 24 juillet 2003, p. A10.
26. J. Bell, 23 juillet 2003.
27. Denis Coderre, «Lettre à la rédaction», *Winnipeg Free Press*, 26 juillet 2003, p. A15 ; Michel Dorais, «Lettre à la rédaction», *Winnipeg Free Press*, 26 juillet 2003, p. A15.
28. K. Rollason, 24 juillet 2003 ; Rey Pagtakhan, «Letter to the Editor», *Winnipeg Free Press*, 25 juillet 2003.
29. J. Bell, 2003, p. A10.
30. Éditorial de la rédaction, «Canada Disgraced», *Winnipeg Free Press*, 31 juillet 2003, p. A10.
31. K. Rollason, 24 juillet 2003.
32. Randy Lippert, projet «Sanctuary», <http://cronus.uwindsor.ca/users/l/lippert/lippert.nsf>.
33. Ingrid Peritz, «Family's sanctuary turns into a gilded cage», *Globe and Mail*, 19 novembre 2003, p. A12.
34. Rachel Boomer, «Sanctuary Seeker's Success Depends on Support—prof.», *Halifax Daily News*, 19 avril 2003 ; «Hundreds have taken refuge», *Montreal Gazette*, 2 août 2003, p. A4; I. Peritz, 19 novembre 2003.

35. Anh Hoang, « Pastor defends right to offer sanctuary », *Western Catholic Reporter*, 21 février 2001, <http://www.wcr.ab.ca/news/2000/0221/nannysanctuary022100.shtml> ; Murray MacAdam, « Finding sanctuary in Halifax », *The Catalyst*, vol. 26, nº 4, juillet/août 2003, <http://www.cpj.ca/refugees/03/sanja4.html>.
36. Julie Mareschal, « Libre opinion : Le respect des valeurs dans le dossier Cherfi », *Le Devoir*, 29 mars 2004, p. A6.
37. Michelle Macafee, « Canadian Churches follow Old Testament tradition », 10 août 2003, <http://cnews.canoe.ca/CNEWS/Canada/2003/08/10/pf-157964.html>.
38. Brian Myles, « Pour la dignité, les droits et la vie », *Le Devoir*, 7 août 2003, p. A1.
39. Ria Heynen, « Democratic duty », lettre à la rédaction, *Ottawa Citizen*, 30 juillet 2004, p. A13.
40. Éditorial de la rédaction, « Sanctuary under fire », *Globe and Mail*, 27 juillet 2004, p. A14.
41. Jim Bronskill, « Sgro to urge churches to stop practice of harbouring refugee claimants », *Globe and Mail*, 26 juillet 2004, p. A4.
42. Joe Bissett, « Forget churches : Reform the refuge system », lettre à la rédaction, *National Post*, 28 juillet 2004, p. A13.
43. Il convient de noter que les demandeurs du statut de réfugié qui voient leur demande refusée ne sont déportés que s'ils sont considérés comme présentant une menace pour la sécurité de la société canadienne. La vaste majorité des demandeurs déboutés se voient simplement dire de quitter le pays. À moins qu'ils ne signalent leur départ à la frontière ou à leur point d'embarquement, leur éventuel départ n'est inscrit nulle part. Une modification de ce système exigerait un investissement massif permettant d'escorter tous les demandeurs déboutés vers l'extérieur du pays, ou de tenir un registre de toutes les sorties du pays (y compris celles des citoyens). Aucune de ces deux solutions n'est considérée comme financièrement viable actuellement.
44. Éditorial de la rédaction, « Gray we'll keep on providing sanctuary : Minister rebuffs appeal from Sgro », *Montreal Gazette*, 28 juillet 2004, p. A8.
45. Denis Dufresne, « Menace sur les sanctuaires », *La Tribune*, 28 juillet 2004, p. A6.

46. Éditorial de la rédaction, «Sanctuary: Refuge in church outmoded», *Windsor Star*, 30 juillet 2004, p. A6.
47. Meena Khan, «Notion of sanctuary doesn't apply in refugee case», lettre à la rédaction, *Montreal Gazette*, 6 août 2003, p. A20.
48. Éditorial de la rédaction, «Ottawa must fix its refugee system», *The Record*, 7 août 2004, p. A16.
49. Ibid.
50. Environics *Focus Canada* 2004-1.
51. J. Biles et H. Ibrahim, 2005.
52. Amy Pugsley Fraser, «Waiting on Martin's Promise», *Chronicle-Herald*, 30 juillet 2004, p. B8.
53. Éditorial de la rédaction, «Refugee laws need overhaul», *Star Phoenix*, 9 août 2004, p. A10.
54. Environics *Focus Canada* 2004-1.
55. *Communication Canada*, novembre 2003. Résultats du sondage intitulé «À l'écoute des Canadiens», <www.communication.gc.ca>.
56. Au moment de l'adoption de la Loi sur l'immigration et la protection des réfugiés, le système de détermination du statut de réfugié a été modifié. Notamment, un seul juge, et non plus deux, préside aux audiences de détermination de la reconnaissance du statut de réfugié. Pour compenser la perte associée au retrait d'un juge, la Loi exige la création d'une section des appels. Cette disposition n'a pas encore été mise en application.
57. James St. G. Walker, "*Race*", *Rights and the Law in the Supreme Court of Canada: Historical Case Studies*, Waterloo, Ontario, Wilfrid Laurier University Press, 1997.
58. Harold Coward, *A Short Introduction: Pluralism in the World Religions*, Oxford, OneWorld Publications, 2000, p. 146.
59. Tariq Modood, «Citizenship and the Recognition of Cultural Diversity: The Canadian Experience – Response by Tariq Modood», publication des Réseaux canadiens de recherche en politiques publiques, 31 mai 2000, p. 2.
60. H. Coward, 2000.
61. P. Bramadat, «Shows, Selves and Solidarity: Ethnic Identity and Cultural Spectacles in Canada», *Canadian Ethnic Studies*, vol. 33, n° 3, 2001, p. 78-98; P. Bramadat, «Toward a New Politics of Authenticity: Ethno-cultural Representation in Theory and Practice», *Canadian Ethnic Studies* (à paraître).

62. *Communication Canada*, novembre 2003.

Bibliographie

Biles, John et Effie Panousos, « Snakes and Ladders of Canadian Diversity », document inédit rédigé pour le ministère du Patrimoine canadien, 1999.

Bramadat, Paul, « Shows, Selves and Solidarity : Ethnic Identity and Cultural Spectacles in Canada », *Canadian Ethnic Studies*, vol. 33, n° 3, 2001, p. 78-98.

—, « Toward a New Politics of Authenticity : Ethno-cultural Representation in Theory and Practice », *Canadian Ethnic Studies* (à paraître).

Bramadat, Paul et David Seljak (dir.), *Religion and Ethnicity in Canada*, Don Mills, Ontario, Pearson Education, 2005.

Bramadat, Paul et David Seljak (dir.), *Christianity and Ethnicity in Canada* (à paraître).

Chrétien, Jean, « L'immigration et le multiculturalisme au Canada », texte de conférence, Sommet de Londres sur la gouvernance progressiste, 12 juillet 2003.

Coward, Harold, *A Short Introduction : Pluralism in the World Religions*, Oxford, OneWorld Publications, 2000.

Day, Richard, *Multiculturalism and the History of Canadian Diversity*, Toronto, University of Toronto Press, 2000.

Dreisziger, Nandor F., « The Rise of the a Bureaucracy for Multiculturalism : The Origins of the Nationalities Branch, 1939-1941 », dans *On Guard for Thee : War, Ethnicity and the Canadian State, 1939-1945*, Ottawa, ministère des Approvisionnements et Services, 1988.

Environics, *Focus Canada* 2004-1.

Jaworsky, John, « A Case Study of the Canadian Federal Government's Multiculturalism Policy », Mémoire de maîtrise, Université Carleton, 1979.

Jenson, Jane et Martin Papillon, « The "Canadian Diversity Model" : Repertoire in Search of a Framework », Projet F-54 du réseau de la famille, Réseaux canadiens de recherche en politiques publiques. Document électronique, <www.cprn.org>, 2001.

Joshee, Reva, « Federal Policies on Cultural Diversity and Education 1940-1971 », Thèse de doctorat, Université de la Colombie-Britannique, 1995.

Kymlicka, Will, « Introduction », *Canadian Diversity/Diversité canadienne*, printemps 2003.

Martin, David, « Canada in Comparative Perspective », dans Lyon, David et Marguerite van Die (dir.), *Rethinking Church, State and Modernity*, Toronto, University of Toronto Press, 2000.

Modood, Tariq, « Citizenship and the Recognition of Cultural Diversity : The Canadian Experience – Response by Tariq Modood », publication des Réseaux canadiens de recherche en politiques publiques, 31 mai 2000.

Pal, Leslie, *Interests of State : The Politics of Language, Multiculturalism and Feminism in Canada*, Montréal, McGill-Queen's Press, 1993.

Schiffer-Graham, Beatte, « The Federal Policy of Multiculturalism in Canada (1971-1988) », Mémoire de maîtrise, Université du Manitoba, 1990.

Tolley, Erin, « National Identity and the "Canadian Way" : Values, Connections and Culture », *Canadian Diversity/Diversité canadienne*, 2004, p. 11-15.

James St. G. Walker, *"Race", Rights and the Law in the Supreme Court of Canada : Historical Case Studies*, Waterloo, Ontario, Wilfrid Laurier University Press, 1997.

CHAPITRE 3

La diversité religieuse et les institutions publiques: quelques orientations

SOPHIE THERRIEN

LE CONSEIL DES RELATIONS INTERCULTURELLES est un organisme public autonome, composé de 15 membres, et qui relève de la ministre des Relations avec les citoyens et de l'Immigration. Il a pour mission de mener des travaux de recherche, de publier des avis et, de façon générale, de conseiller la ministre sur toutes les questions touchant la diversité, les relations interculturelles, l'immigration et l'intégration.

Si la priorité du Conseil est de répondre aux demandes exprimées par la ministre, il peut aussi, de sa propre initiative, se pencher sur des problématiques lui apparaissant pertinentes. C'est ce qui s'est produit à l'automne 2002, lorsque les membres du Conseil ont convenu d'amorcer des travaux de recherche sur la diversité religieuse dans l'espace public. Ces travaux ont conduit à la publication, en mars 2004, d'un avis intitulé: « Laïcité et diversité religieuse: l'approche québécoise »[1]. Cet avis était en rédaction en novembre 2003, au moment où a eu lieu le colloque du CÉRUM. Le texte du présent article, qui reprend et développe les éléments présentés en conférence, s'appuie directement sur le contenu de cet avis.

Un peu d'histoire

Lorsqu'on s'attarde à analyser les relations entre État et religions en Occident, on constate assez rapidement qu'il existe une certaine variété de modèles. Ainsi, quelques pays (France, Mexique, Turquie, États-Unis, Portugal) affirment dans leur constitution la séparation entre l'État et les religions, certains ont adopté une religion d'État tout en reconnaissant la liberté de culte (Angleterre, Grèce, Danemark, Finlande, Suède), d'autres donnent une reconnaissance officielle et un soutien financier à certaines religions (Belgique, Pays-Bas), alors que d'autres encore accordent des privilèges à une religion par rapport aux autres (Espagne, Allemagne). Cette diversité de modèle trouve ses racines dans l'histoire de chaque État, dans les conflits et les guerres qui ont opposé les croyances en présence au fil des siècles ainsi que dans leurs relations plus ou moins harmonieuses avec les régimes politiques qui ont dirigé le pays.

Qu'en est-il au Québec ? Société ancrée dans le continent nord-américain et bénéficiant à la fois d'un héritage français et d'une influence britannique, le Québec se retrouve au confluent de traditions fort différentes en matière de relations État-Églises. Il s'avère indispensable de s'intéresser à la manière dont celles-ci se sont développées dans le contexte spécifique de l'histoire du Québec. Un bref retour en arrière s'impose donc.

Le Régime français

La colonisation européenne du territoire qui deviendra le Québec commence véritablement avec l'arrivée de Jacques Cartier, en 1534. En 1608, Samuel de Champlain établit un fort et un entrepôt à Stadaconé, fondant ainsi la ville de Québec. Par la suite, en 1642, Paul Chomedey de Maisonneuve, à la tête d'un groupe de dévots portant le nom de Société de Notre-Dame, fonde Ville-Marie, sur l'île de Montréal. Plus qu'une colonie d'établissement, il s'agit d'un projet voué à la conversion et à l'évangélisation des Amérindiens. Dans un tel contexte, on comprend mieux pourquoi l'histoire officielle a gardé peu de traces des croyances et des rites pratiqués par les Amérindiens, ceux-ci étant considérés par les historiographes (souvent eux-mêmes membres du clergé) comme des coutumes païennes qu'il fallait combattre et extirper au nom de la vraie foi.

1760-1867

C'est la défaite de 1760 et l'arrivée des Britanniques qui marquera les débuts de la diversité religieuse. Dans un premier temps, les représentants de la couronne mettent fin à la Coutume de Paris et obligent les catholiques à partager leurs églises avec les protestants. Une partie du clergé retourne en France et le rapport entre l'Église, les Canadiens français et l'État change dramatiquement.

Cependant, les Britanniques sont peu nombreux et la mère patrie est loin. En cette fin de XVIIIe, les échos de la Révolution américaine parviennent jusqu'au Nord. Craignant que les Canadiens se joignent à la France qui soutient les révolutionnaires et se rebellent contre les nouveaux gouvernants, ceux-ci vont rapidement adopter une attitude conciliante à l'égard des « papistes » et vont renoncer à imposer l'anglicanisme comme religion d'État. Les catholiques, souhaitant que la liberté de culte soit maintenue, acceptent le compromis, et une tolérance de coexistence s'installe. Dès 1763, l'Acte de Paris reconnaît la liberté de culte. En 1791, le Haut et le Bas-Canada sont créés. Un article de l'acte constitutif interdit aux membres du clergé, catholique ou anglican, de se faire élire. Cette situation de tolérance prévaudra sans trop de difficulté pendant plus d'un demi-siècle. Elle permettra aux catholiques de la «*Province of Quebec*» d'obtenir des droits dont les catholiques d'Irlande ne jouissent pas à l'époque.

Cependant, le rejet des 92 Résolutions, la révolte des Patriotes qui s'ensuit et qui est durement réprimée et surtout l'Acte d'Union entre le Haut et le Bas-Canada vont modifier cet équilibre non seulement entre le pouvoir colonial et la société canadienne française mais aussi entre le clergé et les élites politiques. Privés de leur projet d'un espace politique et territorial sur lequel assurer la survie d'une nation canadienne-française, minorisés au sein de l'Acte d'Union, les politiciens canadiens-français sont alors prêts pour une alliance stratégique avec le clergé. L'Église, de son côté, est à cette époque traversée par le courant de l'ultramontanisme[2] et se trouve en bonne posture pour imposer ses vues à une bourgeoisie affaiblie à la recherche d'un allié. Les intérêts des Canadiens français seront donc, à partir de ce moment, intimement liés à ceux du clergé catholique, et ce, pour pratiquement le siècle suivant.

De cette époque, on garde l'image d'une Église omnipotente, imposant ses vues aux politiciens, dominant non seulement les écoles, les hôpitaux et les orphelinats mais aussi les consciences et les vies. Cette image mérite pourtant d'être nuancée. En fait, selon Micheline Milot, «on a trop souvent confondu le type d'influence que peut exercer un appareil idéologique comme l'Église avec sa réelle puissance politique»[3]. D'après elle, les tentatives hégémoniques du clergé, si elles sont indéniables, n'ont pas connu le succès espéré par ce dernier.

Ainsi, l'adoption, en 1847, du principe de la responsabilité ministérielle marque l'avènement de la démocratie et de l'État libéral. À partir de ce moment, plusieurs batailles opposeront les politiciens au clergé pour défendre les prérogatives de l'État dans différents domaines: Loi sur le divorce (1864), droit à la sépulture (1870), jurisprudence sur le mariage civil entre 1901 et 1911 ; précision des droits des juifs (exemption de l'enseignement chrétien et des offices religieux en 1888, égalité avec les protestants en 1903, droit de fonder des écoles affirmé par la Cour suprême et le Conseil privé de Londres, droit de travailler le dimanche et respect des fêtes religieuses comme jours fériés)[4]. Le rejet par les politiciens (tant les libéraux que les conservateurs) du programme catholique piloté par la branche ultramontaine du Parti conservateur en témoigne aussi (1871), tout comme l'adoption par le gouvernement du Québec de la clause sur l'influence indue (1875). Cet ajout à la Loi électorale vient empêcher les membres du clergé d'user de leur pouvoir pour influencer le vote, que ce soit par des menaces, contraintes ou autres.

En fait, sur tous les domaines où il souhaitait maintenir ses prérogatives, l'État a su garder son autonomie, même contre l'avis de l'Église. Par contre, en ce qui concerne les écoles et les hôpitaux, c'est d'un commun accord que l'État a confié, pendant plusieurs décennies, la gestion de ces établissements aux Églises. De plus, si l'Acte d'Union de 1840 s'avérait globalement favorable au Haut-Canada, il réitérait aussi la liberté de culte et ne reconnaissait aucun statut officiel à l'une ou l'autre des religions en présence.

1867-1960

Cette situation ne sera pas modifiée lors de la signature de l'Acte de l'Amérique du Nord britannique en 1867. La première Constitution canadienne est en effet muette sur les relations Églises-États. Il n'y a aucune mention de Dieu dans le préambule (contrairement à la Constitution de 1982) et aucune religion n'acquiert de statut officiel. On peut voir dans ce silence la suite logique de la tolérance de coexistence qui s'est instaurée dès le début de la colonie. Par ailleurs, la Constitution se bornera à permettre aux protestants minoritaires au Québec la gestion de leurs écoles.

Cependant, après la Seconde Guerre mondiale, la mainmise de l'Église commence à s'effriter. Au sein même de l'Église catholique, les nouvelles vocations sont moins nombreuses et les religieux peinent à assumer l'ensemble des responsabilités de l'Église (écoles, universités, hôpitaux, garderies, etc.). Les catholiques laïcs (soit les personnes qui ne sont pas membres d'une congrégation) jouent un rôle de plus en plus important au sein des institutions gérées par le clergé et réclament des changements. Ailleurs, plusieurs secteurs de la société contestent à la fois le gouvernement conservateur de Maurice Duplessis et les positions anti-modernité du clergé. Des changements en profondeur se préparent.

1960-1975

La Révolution tranquille se met en place. On assiste, au tournant des années 1960, à l'instauration d'un État providence québécois, avec la création du ministère du Bien-être social et de la Jeunesse (1958), de la Loi sur l'assurance hospitalisation (1961), de la mise sur pied des ministères des Affaires culturelles (1961), de l'Éducation (1964) et de l'Immigration (1968), ainsi que la nationalisation de l'électricité.

Des transformations culturelles et sociales se manifestent au même moment. On voit se confirmer la laïcisation accélérée des structures dirigées par l'Église, initiée non pas à travers un conflit entre religieux et libéraux mais bien par les catholiques laïcs engagés au sein de l'Église (Jeunesse ouvrière catholique, associations de femmes chrétiennes, etc.). On assiste par ailleurs à une redéfinition de la vision que les Canadiens français ont d'eux-mêmes. L'ancrage ethnoreligieux perd sa pertinence. Les Canadiens français disparaissent, progressivement remplacés par les Québécois, dénomination qui peu à peu englobera ceux et celles qui, sans être nés au Québec, ont choisi d'y faire leur vie. La langue et la culture deviennent les éléments rassembleurs par excellence et les pôles de l'identité.

Cependant, l'immigration, qui, depuis déjà plus d'un siècle, a amené des dizaines de milliers de personnes (essentiellement des Européens) à venir se joindre aux Canadiens français et aux Britanniques installés au Québec, devient un enjeu sociopolitique pour la société francophone. Pour un ensemble de raisons historiques et sociologiques, la grande majorité des immigrants a en effet choisi l'anglais comme langue d'usage et de scolarisation. L'adoption, en 1977, de la Charte de la langue française faisant du français la langue officielle du Québec et obligeant les enfants immigrants à fréquenter l'école française, va transformer cette réalité. Elle aura notamment deux conséquences : obliger l'État à assumer ses responsabilités en matière d'intégration et de francisation des nouveaux arrivants, et amener la société québécoise à assumer pleinement sa diversité, tant sur le plan culturel que religieux.

Cette importante transformation suit de près un autre changement majeur : l'adoption en 1975, par l'Assemblée nationale, de la Charte des droits et libertés de la personne. Il s'agit d'une loi qui a prédominance sur toutes les autres lois du Québec, ce qui donne aux droits qui y sont formulés la même force que s'ils apparaissaient dans un texte constitutionnel. Son adoption a été concomitante de la création de la Commission des droits de la personne, mise sur pied afin d'assurer le respect et la promotion de la Charte de manière indépendante du gouvernement.

1975 À NOS JOURS

En 1982, c'est au tour du gouvernement fédéral de se doter d'une charte des droits, enchâssée dans la Constitution canadienne. La fin du XXe siècle sera donc marquée, entre autres phénomènes, par la valorisation et l'expression d'une culture des droits individuels, par l'adaptation des institutions québécoises à la diversité ethnoculturelle ainsi que par la poursuite du processus de laïcisation de la société. Car si la Charte de la langue française avait créé l'obligation pour les enfants d'immigrants de fréquenter l'école en français, elle n'avait en rien modifié la structure confessionnelle des commissions scolaires de la région montréalaise. Cette transformation se fera progressivement, au prix de longs débats et mènera, en 2000, à la création de commissions scolaires linguistiques[5]. L'entrée en vigueur des chartes, jointe à la sécularisation de la société, crée donc un nouvel environnement pour l'expression de la diversité religieuse. Avant d'aller plus loin, examinons le cadre légal qui balise cette expression.

LE CADRE LÉGAL

La liberté de religion est un droit garanti par l'article 2 a) de la Charte canadienne des droits et libertés et l'article 3 de la Charte des droits et libertés de la personne du Québec. La liberté de religion est un droit individuel qui se traduit collectivement par le droit pour les membres d'une même religion de se réunir et de manifester leur foi. La liberté de religion comprend le droit de la professer, de l'enseigner et de la propager, donc, par voie de conséquence, le droit du fidèle de fréquenter un lieu de culte et, sur le plan collectif, le droit pour la communauté religieuse de construire et de posséder un lieu de culte pour se réunir et pratiquer les rites de ses croyances religieuses[6].

De manière générale, le juge ne se préoccupe pas de la validité de la doctrine ou de sa conformité aux dogmes. Le fait qu'une personne, en son âme et conscience, affirme que la pratique ou le symbole font partie de sa croyance suffit pour entériner la valeur de la demande. De même, la rareté de la pratique ou le fait qu'elle soit peu répandue parmi les adeptes de cette religion n'invalide pas non plus la demande. Lorsqu'un employeur fait l'objet d'une plainte pour un motif de discrimination interdit par les Chartes, telle la religion, c'est à lui de prouver qu'il a pris tous les moyens à sa disposition pour corriger la situation et éviter qu'elle ne cause des préjudices à l'individu. Le plaignant, quant à lui, doit faire preuve de bonne foi mais aussi être prêt à certains compromis. Enfin, il importe de rappeler deux dimensions essentielles de la logique des droits de la personne : les droits des uns s'arrêtent là où commencent ceux des autres. De plus, mes droits n'existent que dans la mesure où les autres me les reconnaissent.

L'expression de la liberté de religion, y compris à travers la négociation d'un accommodement raisonnable, ne peut se traduire par le déni d'un autre droit protégé par les Chartes. Ainsi, par exemple, la jurisprudence reconnaît aux personnes s'opposant à la transfusion sanguine par conviction religieuse le droit de refuser un tel traitement pour eux-mêmes. Cependant, dans le cas de parents ayant cette conviction et voulant refuser ce même traitement pour leur enfant mineur, la Cour a privilégié la protection du droit à la vie de l'enfant et autorisé le traitement contre la volonté des parents. Autrement dit, une personne ne peut revendiquer l'exercice d'un droit s'il se trouve ainsi à léser celui d'une autre personne.

Mentionnons que les tribunaux ont adopté une définition large de la liberté religieuse et qu'ils n'établissent pas de distinction préalable entre religion et secte. Aux yeux de la loi canadienne, le respect de la liberté de religion et de conscience ne permet pas à l'État de décider lui-même de ce qui serait une religion ou de ce qui serait sectaire.

L'OBLIGATION D'ACCOMMODEMENT RAISONNABLE

L'obligation d'accommodement raisonnable en cas de discrimination indirecte fait son apparition en droit canadien en 1985, par le jugement rendu dans une cause (Commission ontarienne des droits de la personne c. Simpson Sears Ltd [1985] 2 R.C.S. 536) impliquant un conflit entre convictions religieuses et horaires de travail. On peut le définir comme l'obligation d'adapter une règle conçue pour une majorité, dans le but de répondre aux besoins spécifiques de certaines personnes ou d'un groupe afin que ceux-ci ne soient pas victimes de discrimination liée aux caractéristiques qui les différencient de la majorité. Cela implique de faire des exceptions aux règles générales ou de les modifier de manière à composer avec les besoins propres à certains groupes ou personnes afin de respecter leur droit à l'égalité[7].

Cette disposition exige des employeurs de « prendre des mesures raisonnables pour s'entendre avec le plaignant à moins que cela ne cause une contrainte excessive ; en d'autres mots, il s'agit de prendre les mesures qui peuvent être raisonnables pour s'entendre sans que cela n'entrave indûment l'exploitation de l'entreprise de l'employeur et ne lui impose de frais excessifs »[8]. L'obligation d'accommodement raisonnable découle du droit à l'égalité et de la liberté de religion, reconnus à la fois par les lois relatives aux droits de la personne et par les deux chartes en vigueur. Elle peut donc s'appliquer aux employeurs et aux fournisseurs de biens et services publics ou privés ainsi qu'au législateur et à l'autorité réglementaire.

Depuis son apparition dans le paysage juridique canadien, l'accommodement raisonnable a fait l'objet de plusieurs recherches et publications. Mentionnons entre autres les travaux du professeur José Woehrling[9], ceux du CRI[10] et, bien sûr, ceux de la CDPDJ[11]. Ces travaux nous ont obligés à prendre conscience de quelques réalités trop souvent négligées. L'égalité de fait ne signifie pas toujours l'égalité de traitement. Il faut parfois des traitements différentiels pour respecter l'équité entre les personnes. De plus, les accommodements se font sur la base de droits individuels, en lien avec un contexte spécifique. Ils ne constituent pas des droits collectifs reconnus aux groupes religieux. Enfin, les droits reconnus dans les Chartes le sont à tous les citoyens et ne concernent pas que les minorités ethniques ou religieuses.

La laïcité au Québec

Ce bref survol historique, suivi d'un portrait sommaire de l'environnement légal actuellement en vigueur, permet de mettre en lumière une spécificité de la société québécoise : cette manière bien particulière, vieille de plus de deux siècles, de gérer sa diversité religieuse, en la négociant, alors que les mêmes confessions en présence se sont ailleurs affrontées de manière très violente (ex : catholiques et protestants en Irlande). En fait, la rencontre, il y a près de 250 ans, de deux traditions politiques et religieuses a donné lieu à un modèle atypique de relations religions-États, où aucune religion n'a de statut officiel ou reconnu, sans pour autant que la laïcité n'y soit non plus officiellement déclarée. Nous sommes en présence d'un flou juridique que la pratique de l'accommodement raisonnable ne comble que partiellement.

D'ailleurs, au Québec, le concept de laïcité s'avère souvent polémique. Il véhicule en effet un ensemble de représentations et une charge émotive suscitant des réactions polarisées. Son ancrage dans l'histoire de la France de même qu'un certain anticléricalisme présent au sein des élites libérales canadiennes françaises ont contribué à lui donner une allure rigide, voire antireligieuse. Est-ce dire que ce concept ne peut en rien contribuer à la réflexion québécoise sur les relations entre les religions et l'État et qu'il faudrait y renoncer ? Peut-on se référer à la notion de laïcité en l'inscrivant dans le contexte du Québec ? Avant de répondre à ces questions, il nous semble important de proposer quelques définitions afin de préciser le sens accordé à certains concepts, souvent utilisés comme des synonymes mais qui correspondent à des réalités différentes.

Laïcisation, laïcité et sécularisation

Dans la littérature actuelle, il est difficile de dégager un véritable consensus quant au sens à donner à ces différents termes. Pour beaucoup d'auteurs anglo-saxons, le terme « sécularisation » correspond à l'équivalent conceptuel de la laïcisation, car le mot « laïcité » n'avait jusqu'à tout récemment pas d'équivalent de traduction en anglais. Nous retiendrons surtout ici les définitions élaborées par Micheline Milot et Jean Baubérot, définitions qui se complètent et qui permettent de jeter un certain éclairage sur les modèles État-religions évoqués précédemment.

La sécularisation s'applique au processus interne à une société par lequel le religieux perd peu à peu sa dimension englobante sous l'influence des autres champs sociaux (culture, économie, etc.). Le religieux peut demeurer pertinent pour les individus, mais ne peut plus s'imposer à l'ensemble de la société. La sécularisation n'exclut pas le fait que des phénomènes de revitalisation religieuse et de demandes de reconnaissance de la part de groupes puissent se manifester. Elle se présente comme un processus socioculturel progressif, alors que la laïcisation, qui touche le fonctionnement des institutions, entraîne souvent des débats et des rapports de force.

La laïcisation concerne les démarches faites et voulues par l'État pour maintenir des rapports neutres avec les religions et pour empêcher les interventions directes des religions dans la gestion de l'État. Ces éléments seront formulés soit par voie constitutionnelle, soit par voie juridique, soit à travers le droit coutumier (*common law*). Avec la laïcisation, « l'autonomie de la régulation politique va de pair avec l'autonomie des religions par rapport au pouvoir de l'État », et ce processus inclut aussi « les principes de droits et de justice qui doivent être mis en œuvre par l'ordre politique dans le cadre d'une démocratie libérale en contexte pluraliste »[12].

La laïcité décrit le résultat du processus de laïcisation. On peut la définir comme un aménagement progressif des institutions sociales et politiques concernant la diversité des préférences morales, religieuses et philosophiques des citoyens. Par cet aménagement, la liberté de conscience et de religion se trouve garantie par un État neutre à l'égard des différentes conceptions de la vie bonne, et ce, sur la base de valeurs communes rendant possible la rencontre et le dialogue[13].

Ainsi, on peut voir la laïcité comme :

- L'indépendance de l'État relativement aux religions, ainsi que l'autonomie de la religion par rapport au politique. Autrement dit, les religions n'exercent directement aucun pouvoir politique, et l'État n'exerce aucun pouvoir religieux, laissant les Églises s'organiser librement dans l'espace public. Cette séparation, jamais entièrement étanche, permet cependant à l'État de s'assurer qu'il peut exercer ses fonctions sans être soupçonné de favoritisme ou de parti pris à l'égard d'une croyance.

- Un principe qui doit nécessairement s'appuyer sur les droits individuels. La laïcité constitue en effet un corollaire des droits et libertés. Elle ne signifie donc pas que les diverses religions et croyances n'ont plus de place dans l'espace civique, ni que les manifestations de croyances dans l'espace public pourraient être interdites. Les individus, en tant que porteurs de croyances et de convictions, ont le droit, reconnu par les chartes, d'exercer leur liberté de conscience et de religion et de l'exprimer dans l'espace public. La laïcité s'impose donc aux institutions afin que les individus puissent jouir pleinement de leurs droits et de leurs libertés.

Dans un contexte où la diversité religieuse fait partie du tissu social, cette séparation entre l'État et les religions permet d'assurer à chaque individu un traitement équitable. Au niveau de la justice par exemple, elle contribuera à garantir l'impartialité religieuse des tribunaux. La notion de laïcité fait partie de la théorie de la démocratie, la laïcité de l'État et des institutions communes d'une société démocratique étant le garant du traitement pluraliste de la diversité religieuse (potentiellement vulnérable à la discrimination) en son sein. On le constate, la laïcité ainsi définie se distingue du *laïcisme*, cette doctrine qui vise à expurger la religion, dans toutes ses manifestations, de l'ensemble de la sphère publique.

Si, dans certains États, le concept de laïcité rend possible des manifestations publiques du phénomène religieux qui ailleurs ne seront pas tolérées, il ne faut pas y voir, selon M. Milot, une situation plus ou moins « pure » de la laïcité mais [...] une interprétation différente de celle-ci par les acteurs sociaux. Théoriquement, les deux attitudes sont possibles dans un contexte laïque, mais la seconde est nettement plus restrictive et dénote une grande inquiétude de l'État quant aux différences qui se manifestent dans l'espace public. [...] on peut donc discerner différents types de laïcité, allant de la plus assimilatrice à la plus intégrationniste[14].

On le voit, une telle définition de la laïcité, qui inclut des éléments de l'approche française tout en s'en distançant, vient préciser les rôles et responsabilités des principaux protagonistes, soit les institutions publiques, les institutions religieuses et les citoyens. Telle que définie, elle nous apparaît comme un cadre normatif capable de soutenir la réflexion et l'action en vue de la prise en compte de la diversité religieuse dans le Québec contemporain.

La laïcité en résumé

Elle est une forme de pacte[15] entre État et religions, le résultat d'un processus historique propre à chaque État dans ses relations avec les diverses religions, une réalité constamment en mouvement, en lien avec l'évolution de la société, une exigence envers les institutions, un cadre normatif permettant l'expression du pluralisme religieux. Le pluralisme est entendu ici comme « la manière dont l'État prend en compte la diversité ». **Elle n'est pas** une opinion sur la croyance ou sur la religion, un système idéologique, un synonyme d'athéisme, d'anticléricalisme ou d'anti-religion (même si l'on peut parfois les voir associés), une exigence envers les individus.

Elle implique la non-ingérence de l'État dans les affaires religieuses, la non-ingérence des religions ou des clergés dans la gestion de l'État, le respect des droits individuels. Elle n'implique pas l'interdiction de manifester ses croyances dans l'espace public. **Elle peut permettre** une prise en compte équitable de la diversité religieuse. **Elle ne peut pas permettre** un traitement inéquitable entre les religions ou les groupes de convictions.

L'ÉTAT ET LES RELIGIONS : INDÉPENDANCE MAIS NON INDIFFÉRENCE

Aujourd'hui, on peut constater que le paysage religieux est en réorganisation sous l'effet de plusieurs forces distinctes et parfois opposées : une sortie des religions jusqu'à maintenant dominantes, attestée par la croissance du nombre de personnes déclarant n'avoir aucune affiliation religieuse ; un intérêt pour une spiritualité vécue à une plus petite échelle qui se manifeste par la popularité des petites églises évangéliques et des mouvements nouvel âge et, bien sûr, la croissance des religions telles l'islam, le sikhisme, le bouddhisme et l'hindouisme, surtout alimentée par l'immigration récente.

Par ailleurs, l'émotivité que suscitent inévitablement les situations impliquant la diversité religieuse nous rappelle que la société québécoise n'a peut-être pas résolu tous ses différends et toutes ses contradictions internes au regard de la religion. Pour les institutions publiques, il sera donc nécessaire de s'attaquer aux craintes, aux perceptions négatives et aux obstacles d'ordre symbolique qui créent de la résistance et, à terme, de l'intolérance et de l'exclusion. Ces attitudes et ces craintes, que l'on retrouve dans tous les secteurs, sont le plus souvent les suivantes : la crainte de voir l'espace civique redevenir religieux, alors qu'on voit généralement la laïcisation en cours comme un gain par rapport à la situation antérieure et un rempart contre l'influence abusive du clergé ; la peur d'assister à une montée de l'intégrisme et de voir éventuellement certains groupes imposer à tous des normes jugées inacceptables ; l'impression que les droits reconnus à certains (minoritaires) sont dans les faits enlevés, retirés aux autres (majoritaires) ; les amalgames dangereux qui se créent dans l'imagerie populaire entre certains groupes religieux et une menace terroriste, amalgames qui transforment indistinctement tout croyant en assassin potentiel ; la méconnaissance ou l'incompréhension du concept de laïcité tant au sein du groupe majoritaire que chez les différents groupes religieux.

Pour relever ces défis, le Québec peut compter sur certains atouts mais doit aussi prendre conscience des manques à combler. Parmi ses atouts, le Québec peut s'appuyer sur un cadre juridique qui n'impose aucune religion officielle et qui reconnaît depuis longtemps la liberté de culte ; des chartes qui vont dans le sens de la reconnaissance de la liberté de religion, y compris celle de la manifester dans l'espace public ; un modèle d'intégration des immigrants qui reconnaît la différence, tout en valorisant l'intégration ; un ensemble de pratiques institutionnelles et communautaires qui combinent une reconnaissance de la différence ; une valorisation du vivre-ensemble et le refus de la discrimination.

Certains éléments devront cependant émerger pour que des résultats significatifs soient atteints. Il faut une définition explicite de la laïcité adaptée au contexte du Québec afin de fournir aux institutions, aux citoyens et aux organismes de la société civile incluant les groupes religieux le cadre commun permettant d'arbitrer les relations entre les religions et l'État. En outre, on souhaite des mécanismes de gestion de la diversité afin de favoriser une souplesse plus grande au sein des entreprises et des institutions. Enfin, on devrait développer une culture des droits de la personne partagée à la fois par les institutions et par tous les citoyens, peu importe leur origine ou le moment de leur arrivée au Québec, et une pratique de l'accommodement raisonnable.

Il importe pour l'État québécois de développer et de conserver des relations sereines avec les divers groupes de conviction qui composent maintenant la société québécoise (incluant les personnes déclarant n'avoir « aucune affiliation religieuse »), sans nier les dérapages possibles qui peuvent être commis au nom d'une croyance, sans fermer les yeux sur certains courants présents au sein de toutes les croyances, et qui veulent politiser la foi. Pour ce faire, l'État doit d'abord prendre position concernant deux sujets particulièrement sensibles dans l'opinion publique : la laïcité des institutions québécoises et l'enseignement des religions à l'école. En statuant sur ces deux sujets, l'État pourra créer un cadre qui permettra de poursuivre sereinement le débat sur la place de la religion dans l'espace public.

À partir de ce cadre où l'expression de la religion dans la sphère publique est acceptée comme une réalité sociale, comme l'expression des droits reconnus à tous par les chartes et comme une modalité du vivre ensemble, découlent pour les institutions publiques certaines responsabilités : développement de l'expertise, formation, adaptation des services à la diversité de la clientèle, etc. Ces adaptations sont alors consenties non pas au nom d'une tolérance mal définie, ressemblant à une démission, mais au nom de la laïcité des institutions.

L'accommodement raisonnable, nous l'avons vu, est une obligation juridique qui se traduit par une attitude de négociation où chaque partie se doit de reconnaître l'autre dans sa spécificité au nom du vivre ensemble. Au cours des années, plusieurs milieux ont développé une expertise précieuse, qui doit être partagée, développée et approfondie. Cependant, parce qu'il a une dimension strictement individuelle, l'accommodement raisonnable ne peut à lui seul suffire pour assurer une saine gestion de la diversité religieuse. L'identité religieuse n'a pas seulement besoin d'être accommodée, elle a aussi besoin d'être reconnue comme une part de l'identité des citoyens, une part qui ne nuit en rien au vivre ensemble. C'est selon nous un des défis incontournables de la société québécoise contemporaine.

Notes

1. Cet avis est disponible sur le site Internet du Conseil à l'adresse <www.conseilinterculturel.gouv.qc.ca>.
2. Doctrine, née en France, qui prêchait la primauté de l'autorité papale et par conséquent l'implication de l'Église dans les affaires temporelles, et qui s'opposait farouchement aux idées libérales, notamment à la souveraineté du peuple.
3. Micheline Milot, *Laïcité dans le nouveau monde : le cas du Québec*, Turnhout, Brepols, 2002, p. 110.
4. *Ibid.*, p. 86-88, 93.
5. Pour une perspective plus détaillée concernant l'évolution du système scolaire, voir l'article de Mme Christine Cadrin-Pelletier dans le présent recueil.
6. Myriam Jézéquel, *Cadre d'analyse juridique en matière d'aménagement ou de reconversion des lieux de culte par les municipalités du Québec*, étude réalisée pour le compte du CRI, janvier 2003, p. 4.
7. Maurice Drapeau, « Droit du travail. L'évolution de l'obligation d'accommodement à la lumière de l'arrêt *Meiorin* », *Revue du Barreau*, tome 61, printemps 2001, p. 306.
8. *Ibid.*
9. José Woehrling, « L'accommodement raisonnable et l'adaptation de la société à la diversité religieuse », *Revue de droit de McGill*, n° 43, 1998, p. 325-401.
10. Conseil des communautés culturelles et de l'immigration, *La gestion des conflits de normes par les organisations dans le contexte pluraliste de la société*, Avis présenté au ministre des Affaires internationales, de l'Immigration et des communautés culturelles, 1993 ; *Gérer la diversité dans un Québec, francophone, démocratique et pluraliste*, étude complémentaire, 1993.
11. Pierre Bosset *et al.*, « Le pluralisme religieux au Québec, un défi d'éthique sociale », document officiel, février 1995 ; P. Bosset, « Pratiques et symboles religieux : quelles sont les responsabilités des institutions ? », texte de conférence d'une allocution présentée lors de la journée de formation permanente organisée conjointement par la Commission et le Barreau du Québec sur « Les 25 ans de la Charte québécoise », août 2000.
12. M. Milot, 2002, p. 32.

13. Comité sur les affaires religieuses, *Rites et symboles religieux à l'école ; défis éducatifs de la diversité*, avis au ministre de l'Éducation, mars 2003, p. 21
14. M. Milot, 2002, p. 36.
15. Selon Jean Baubérot, « La notion sociologique de pacte n'implique pas – contrairement à l'emploi du mot par le sens commun – ni l'égalité des parties ni la conclusion d'accords explicites. Il suffit qu'une situation de « guerre » puisse être contrée par l'organisation d'un vivre ensemble formellement pacifique et qui tienne compte des éléments constitutifs de l'identité de chacune des parties en présence » (cité dans M. Milot, 2002, p. 68).

Bibliographie

Bosset, Pierre *et al.*, « Le pluralisme religieux au Québec, un défi d'éthique sociale », document officiel, février 1995.

Bosset, Pierre, « Pratiques et symboles religieux : quelles sont les responsabilités des institutions ? », texte de conférence d'une allocution présentée lors de la journée de formation permanente organisée conjointement par la Commission et le Barreau du Québec sur « Les 25 ans de la Charte québécoise », août 2000.

CCCI, *La gestion des conflits de normes par les organisations dans le contexte pluraliste de la société*, Avis présenté au ministre des Affaires internationales, de l'Immigration et des Communautés culturelles, 1993.

Comité sur les affaires religieuses, *Rites et symboles religieux à l'école : défis éducatifs de la diversité*, avis présenté au ministre de l'Éducation, mars 2003.

Drapeau, Maurice, « Droit du travail. L'évolution de l'obligation d'accommodement à la lumière de l'arrêt Meiorin », *Revue du Barreau*, tome 61, printemps 2001, p. 299-319.

Jézéquel, Myriam, *Cadre d'analyse juridique en matière d'aménagement ou de reconversion des lieux de culte par les municipalités du Québec*, étude réalisée pour le compte du CRI, janvier 2003.

McAndrew, Marie, « L'accommodement raisonnable : atout ou obstacle dans l'accomplissement des mandats de l'école », *Options CSQ*, n° 22, automne 2003, p. 131-147.

—, « Le remplacement du marqueur linguistique par le marqueur religieux en milieu solaire », dans Renaud, Jean, Pietrantonio, Linda et Guy Bourgeault (dir.), *Ce qui a changé depuis le 11 septembre : les relations ethniques en question*, Montréal, Presses de l'Université de Montréal, 2002, p. 131-148.

—, *Immigration et diversité à l'école. Le débat québécois dans une perspective comparative*, Montréal, Presses de l'Université de Montréal, 2001.

Milot, Micheline et Fernand Ouellet, *L'enseignement de la religion à l'école après la loi 118. Enquête auprès des leaders religieux*, Montréal, Immigration et Métropoles, janvier 2004, étude réalisée pour le compte du CRI.

Milot, Micheline, *Laïcité dans le nouveau monde : le cas du Québec*, Turnhout, Brepols, 2002.

Woehrling, José, « L'accommodement raisonnable et l'adaptation de la société à la diversité religieuse », *Revue de droit de McGill*, n° 43, 1998, p. 325-401.

Deuxième partie

Milieux d'éducation, municipaux et de santé

Chapitre 4

L'éducation à la diversité religieuse dans le système scolaire québécois

Modifications systémiques et enjeux culturels entre majorité et minorités religieuses

Christine Cadrin-Pelletier

Faire état des évolutions connues dans l'éducation à la diversité religieuse dans le système scolaire québécois au cours des dernières décennies supposerait de longs développements tant il y aurait de nuances à considérer. On ne trouvera donc ici que quelques grands repères à partir d'observations tirées des pratiques scolaires, distanciées souvent des réflexions théoriques ou des orientations officielles[1]. Ces repères feront voir en quoi l'histoire de l'éducation à la diversité religieuse au Québec est faite de modifications systémiques et d'enjeux liés aux rapports entre la majorité catholique et les minorités protestantes et autres, mais aussi de mutations culturelles au sein même de ces divers groupes.

Trois périodes peuvent être retenues comme caractéristiques de cette évolution : 1964 à 1974, 1974 à 1995 et 1995 à nos jours. Pour chacune de ces périodes seront signalés brièvement les événements extrascolaires qui ont eu une incidence majeure sur la prise en compte de l'éducation à la diversité religieuse, les déplacements observés au sein du système scolaire public de l'éducation préscolaire, des enseignements primaire et secondaire, et les mutations entraînées dans la culture institutionnelle scolaire au regard de l'éducation à la diversité religieuse. Ce survol plutôt impressionniste comporte des lacunes évidentes et des raccourcis historiques. Il fournit cependant un cadre interprétatif des grands déplacements observés au cours des dernières décennies.

Première période : l'indifférence tranquille (1964-1974)

La première période est généralement bien connue : le ministère de l'Éducation est créé en 1964. Les dispositions constitutionnelles de la confédération de 1867 sont en vigueur, ce qui confère des droits aux catholiques et aux protestants dans la gestion du système scolaire structuré sur une base biconfessionnelle. On peut identifier des instances, des dispositions législatives et réglementaires, et des services éducatifs de différentes natures qui ont trait au caractère confessionnel du système scolaire public.

Mise en perspective avec la question de l'éducation à la diversité religieuse, cette confessionnalité se vit cependant de façon diamétralement opposée du côté catholique et du côté protestant. Ces deux réseaux confessionnels ont peu en commun malgré leur structure apparentée. Dans les commissions scolaires catholiques, la question de l'éducation à la diversité religieuse ne se pose pas vraiment, même en milieu urbain. Les écoles publiques ne reçoivent que des élèves catholiques, majoritairement francophones, dispensent un enseignement religieux de type catéchétique, assurent la préparation sacramentelle des enfants et sont très proches des instances paroissiales qui y ont leurs entrées régulières. Dans la plupart des régions du Québec, la très forte majorité catholique soutient tout naturellement cet état de fait.

En contrepartie, dans les commissions scolaires protestantes, majoritairement anglophones, les écoles publiques accueillent, depuis la fin du XIXe siècle, les non-catholiques[2] dont une grande partie des nouveaux arrivants. Cette ouverture à la diversité culturelle et religieuse, inhérente aux diverses dénominations protestantes, prend appui sur les fondements mêmes du protestantisme qui « se plaît dans l'esprit du libre examen et se réserve le droit de n'être pas d'accord, [en s'efforçant toujours] de se montrer respectueux des droits et opinions d'autrui »[3]. Cela fait en sorte que ces écoles se définissent comme indépendantes des Églises protestantes, sans pour autant être antireligieuses. Elles accordent une importance toute relative à leur statut confessionnel, jugeant que « l'éducation protestante [ne doit avoir] aucune visée de prosélytisme, ni d'endoctrinement »[4]. Ces écoles offrent un enseignement religieux ouvert à la diversité religieuse reconnaissant « le droit de l'enfant à une éducation qui offre diverses opinions à propos de la vérité sans que ne lui soit imposée une option religieuse ou idéologique particulière »[5], tel qu'il sera affirmé, en 1988, dans le préambule du règlement du Comité protestant du Conseil supérieur de l'éducation.

Il y a donc le monde catholique homogène et le monde protestant hétérogène, deux univers aux cultures fort différentes. Ces réseaux scolaires cohabitent en entretenant une certaine suspicion l'un par rapport à l'autre ou, à tout le moins, une réserve polie dont les effets se feront sentir jusqu'à tout récemment. Ce n'est pas l'heure du dialogue interreligieux entre les deux réseaux confessionnels chrétiens, encore moins entre la majorité catholique et les personnes d'autres traditions religieuses qui, lorsque cela est possible, se dotent d'institutions privées.

Deuxième période : le grand dérangement (1974-1995)

Au cours de ces vingt ans, plusieurs événements majeurs viennent ébranler l'édifice confessionnel catholique et protestant. Mentionnons, entre autres, l'adoption de la Charte de la langue française, en 1977, et l'avènement de la Charte des droits et libertés du Québec, en 1975, et, plus tard, en 1982, l'enchâssement de la Charte canadienne des droits et libertés dans la Constitution canadienne. Dans un autre ordre d'idées, ajoutons, bien que ce fut sans conséquence pour le réseau protestant, l'adoption des orientations pastorales de l'Assemblée des évêques du Québec, en 1983, concernant la prise en charge paroissiale de l'initiation sacramentelle des enfants. Pour en faciliter la compréhension, les effets systémiques de ces événements seront d'abord précisés dans le réseau des commissions scolaires catholiques, puis dans celui des commissions scolaires protestantes.

A) Les modifications systémiques dans le réseau des commissions scolaires catholiques

L'adoption de la Charte de la langue française (1977) modifie substantiellement le paysage scolaire, puisque, dorénavant, les élèves immigrants doivent fréquenter l'école française. Du coup, les écoles catholiques, majoritairement francophones, commencent à accueillir des élèves d'origines culturelles diverses. De traditionnellement européenne, l'immigration devient progressivement asiatique, haïtienne, jamaïcaine, arabe et autres. La diversification des appartenances religieuses des élèves croît en conséquence. Les effets systémiques sont considérables pour l'institution scolaire francophone catholique, principalement à Montréal, tant en termes de gestion qu'en termes de transformation des mentalités du personnel scolaire. Le souci pour l'éducation à la diversité religieuse émerge, et la différenciation entre Montréal et « le reste de la province » à cet égard s'accentue de façon accélérée.

Les dispositions légales concernant l'enseignement religieux catholique font place à certains assouplissements concernant l'obligation pour les élèves de suivre de tels cours. Ainsi, jusqu'au début des années 1980, l'enseignement religieux catholique était obligatoire pour les élèves du primaire. En 1re et 2e secondaire, les élèves ne souhaitant pas suivre le cours d'enseignement religieux catholique pouvaient en être exemptés sur demande en vertu des articles 14 et 15 du règlement du Comité catholique du Conseil supérieur de l'éducation[6]. En 3e secondaire, l'école pouvait offrir le choix entre un enseignement religieux catholique et un enseignement moral pourvu que celui-ci soit « attentif aux valeurs spirituelles et compatible avec une conception chrétienne de la vie, de l'homme et de l'univers »[7]. Entre 1974 et 1981, l'école pouvait aussi offrir aux élèves de 4e et 5e secondaire le choix entre l'enseignement religieux catholique, l'enseignement moral et l'enseignement religieux de type culturel. Cette troisième voie, rendue possible par l'article 12 du règlement du Comité catholique, n'était cependant pas proposée explicitement pour tenir compte de la diversité religieuse croissante en milieu scolaire mais davantage « dans le but de permettre des cheminements multiples accordés aux rythmes intérieurs et aux besoins religieux des adolescents »[8]. Cette troisième voie, qui a connu du succès à l'époque, a cependant été abandonnée pour diverses raisons, notamment d'ordre organisationnel.

Avec l'avènement des chartes des droits et libertés (1975 et 1982) se développe un souci accru pour le respect des libertés de conscience et de religion. En 1983, le régime d'exemption de l'enseignement religieux catholique est transformé en régime d'option entre l'enseignement moral et l'enseignement moral et religieux catholique, et ce, tout au long du primaire et du secondaire, grâce à l'adoption d'un décret de l'Assemblée nationale approuvant une modification au règlement du Comité catholique[9]. Les élèves non catholiques ou qui se déclarent sans religion s'inscrivent dès lors généralement en enseignement moral. C'est une forme de prise en compte de la diversité religieuse. Malgré des intentions louables, ce régime sera longtemps perçu comme un choix pour la majorité catholique mais ressenti comme une contrainte discriminatoire par les groupes minoritaires puisque le peu d'élèves inscrits en enseignement moral se sentiront exclus de la classe ou auront parfois peine à obtenir les services d'enseignement auquel ils ont droit.

Durant cette période, les programmes d'études en enseignement moral et en enseignement moral et religieux catholique n'abordent la question des grandes traditions religieuses qu'en 5e secondaire[10]. Il faudra attendre 1991 avant que le Comité catholique fasse de l'ouverture à la diversité religieuse un des apprentissages essentiels des programmes d'enseignement moral et religieux catholique tout au long du secondaire[11], puis, en 1994[12], pour l'ensemble du primaire. Certains seraient tentés de dire « trop peu, trop tard ! ».

Sur un autre plan, les commissions scolaires catholiques sont peu à peu confrontées à une nouvelle réalité, celle des demandes particulières (lieux de prière, port de signes religieux distinctifs, etc.) en provenance d'élèves d'appartenances religieuses diverses. Pour soutenir les milieux dans l'accueil et l'intégration de la population immigrante dans les écoles et la gestion de la diversité culturelle et religieuse dans le contexte des Chartes des droits et libertés de la personne, le ministère de l'Éducation crée une Direction des services aux communautés culturelles[13]. Le personnel de cette unité en vient rapidement à développer une expertise sur la gestion de la diversité religieuse « autre » que catholique et protestante. C'est au cours de cette période que se développera, dans la jurisprudence ontarienne[14] et au Québec[15], le concept *d'accommodement raisonnable*, que la Direction des services aux communautés culturelles explicitera dans ses sessions de formation auprès du personnel scolaire et qui se trouve toujours préconisé dans la *Politique d'intégration scolaire et d'éducation interculturelle*[16].

Bref, en milieu scolaire catholique, l'éducation à la diversité religieuse découle de la diversité culturelle grandissante et est affaire d'immigration, surtout à Montréal. Cela n'affecte cependant pas vraiment la confessionnalité scolaire ailleurs au Québec et ne suscite pas de grandes transformations dans les programmes d'études concernés. Ainsi, l'expertise sur la diversité religieuse se développe en parallèle de l'expertise sur la confessionnalité scolaire. La Direction de l'enseignement catholique conserve son mandat auprès de la population catholique, tandis que la préoccupation pour la gestion de la diversité religieuse est traitée par la Direction des services aux communautés culturelles, en concertation avec le ministère des Communautés culturelles et de l'Immigration[17].

Un mot, enfin, concernant les effets des orientations pastorales des évêques sur l'enseignement moral et religieux catholique au primaire. Les mutations importantes évoquées précédemment s'opèrent, notamment dans les milieux urbains, sur un fond de distanciation croissante de la population catholique à l'égard de la pratique religieuse et de l'institution ecclésiale. Consciente des « changements importants survenus au cours des dernières années dans la société et l'Église du Québec », l'Assemblée des évêques du Québec décide, en juin 1983[18], de retirer de l'école l'initiation sacramentelle des enfants pour en confier la charge aux paroisses.

Les enseignantes et enseignants du primaire sont alors diversement déstabilisés : certains éprouvent un malaise grandissant à devoir continuer de dispenser un enseignement rattaché à l'institution ecclésiale dont ils se dissocient et qui, croient-ils, mise toujours sur leur témoignage de foi même si les programmes d'études sont des programmes d'enseignement moral et religieux catholique qui se distancient de plus en plus de l'approche catéchétique. À l'opposé, le retrait de l'initiation sacramentelle fait perdre à d'autres enseignantes et enseignants ce qui donnait sens à leur enseignement et leur assurait le soutien de la communauté chrétienne. Double ébranlement, donc, au primaire, qui n'annonce pas l'ouverture à la diversité religieuse mais la fragilisation progressive d'un type d'enseignement scolaire confessionnel.

B) *Les modifications systémiques dans le réseau des commissions scolaires protestantes*

Du côté des commissions scolaires protestantes, durant cette période, on observe une diminution importante de la clientèle anglophone en raison, d'une part, de l'application de la Charte de la langue française, qui oblige les élèves immigrants à fréquenter l'école française et, d'autre part, de l'arrivée au pouvoir du Parti québécois indépendantiste, ce qui incite certains anglophones à quitter le Québec. Le secteur francophone de ces commissions scolaires augmente cependant et accueille notamment des élèves d'appartenance évangélique ou pentecôtiste. Surgissent alors des écoles publiques protestantes, peu nombreuses il faut le dire[19], mais éminemment confessionnelles quant à leur projet éducatif et à leur enseignement.

Quant aux programmes d'enseignement moral et religieux protestant, ils sont structurés en trois volets portant respectivement sur la Bible, la diversité religieuse et la formation personnelle et sociale. Les trois volets doivent être enseignés jusqu'en 3e secondaire, mais en 4e et 5e secondaire, le personnel enseignant peut choisir le ou les volets correspondant le mieux à la réalité socioreligieuse de la classe. Dans les faits, des enseignantes et enseignants se prévalent de cette disposition dès le début du secondaire. Règle générale, on peut cependant affirmer que l'enseignement sur les diverses traditions religieuses se donne dans la majorité des écoles protestantes. Fait à signaler cependant, cet enseignement n'aborde pas comme telle la question de la diversité au sein du protestantisme lui-même. Quant à la réalité du catholicisme, pourtant largement majoritaire au Québec, elle n'y est traitée qu'indirectement.

Pour sa part, le programme d'enseignement moral n'est offert en option que dans quelques écoles protestantes. En effet, les commissions scolaires protestantes ne croient pas devoir séparer les élèves, par souci de respect des libertés de conscience et de religion, puisque le programme qu'elles offrent ne se veut pas confessionnel, même s'il en porte le nom, et parce que le volet de formation personnelle et sociale du programme d'enseignement moral et religieux protestant tient lieu, selon elles, de formation morale. Par ailleurs, certains établissements scolaires, certes minoritaires mais nettement confessionnels, ne retiennent des programmes d'études protestants que le volet biblique qui seul leur convient. Enfin, quelques écoles du secteur protestant prennent la liberté de n'offrir aucune formation sur le plan moral ou religieux. Les pratiques sont donc multiples du côté protestant.

En somme, par rapport à la période précédente, on assiste ici à un revirement de situation et à un choc culturel certain dans les deux secteurs scolaires. La diversité religieuse émerge de diverses façons en terrain scolaire catholique, alors qu'en terrain protestant, traditionnellement non confessionnel et ouvert à la diversité religieuse, se démarquent quelques écoles nettement confessionnelles.

Troisième période : des temps nouveaux (1995 à nos jours)

Entre 1995 et aujourd'hui, les événements se précipitent en ce qui touche la confessionnalité scolaire, et par voie de conséquence, en ce qui regarde l'éducation à la diversité religieuse à l'école. On peut lire, en annexe, un document relatant le calendrier et le détail des événements qui ont mené à une mutation profonde du système scolaire au cours des dernières années. Mentionnons simplement que cette période mouvementée est jalonnée d'événements majeurs au regard de la question de la religion à l'école. Mise sur pied en 1995, la Commission des états généraux sur l'éducation dépose son rapport final en 1996. Dans celui-ci, les membres préconisent une déconfessionnalisation complète du système scolaire ; en 1997, l'obtention de l'amendement des paragraphes 1 à 4 de l'article 93 de la Constitution canadienne permet au Québec de se soustraire aux obligations confessionnelles contenues dans cet article ; en 1998, la création des commissions scolaires linguistiques a des effets multiples : les élèves de toutes cultures ou religions sont dorénavant regroupés dans les classes en fonction de la langue d'enseignement et chaque école doit offrir le choix entre l'enseignement moral et les enseignements religieux confessionnels, catholique ou protestant. La diversité religieuse s'inscrit donc structurellement dans le système scolaire.

En 1999, paraît le rapport *Laïcité et religions*[20] (couramment appelé « rapport Proulx », du nom de son président), rapport qui propose une pleine laïcisation des structures et la transformation des services confessionnels en milieu scolaire. Enfin, en juin 2000, le projet de loi 118 est adopté. Il met définitivement fin aux structures confessionnelles et instaure une solution de compromis quant aux services éducatifs relatifs à la religion à l'école[21]. Mais que peut-on dire globalement de ces nouveaux aménagements ?

Avec l'effondrement du système confessionnel, les enjeux entourant la prise en compte de la diversité religieuse surgissent de façon inédite et entraînent une recomposition, pour l'instant fragile, de la culture institutionnelle à l'égard de la religion à l'école. Il demeure qu'on peut véritablement parler d'un effondrement du système confessionnel. Malgré le maintien du choix pour un enseignement confessionnel, catholique ou protestant, au primaire et au premier cycle du secondaire, les structures confessionnelles sont disparues et, avec elles, les mécanismes de protection des droits accordés aux traditions catholiques et protestantes. Le temps d'enseignement religieux confessionnel est réduit de moitié et, au primaire, est assujetti à la décision des conseils d'établissements en tant que matière à temps non réparti dans le régime pédagogique[22]. Bien qu'inscrite dans la Loi sur l'instruction publique, cette offre de service devient donc de plus en plus tributaire de la perception que certains conseils d'établissement et certains administrateurs scolaires ont de l'importance et de l'avenir de ces enseignements dont l'organisation demeure complexe en raison des trois choix de cours possibles.

Mais le changement est plus fondamental. En 2000, sur la question de la religion à l'école, le ministre se voulait respectueux de la population, prenant notamment en compte la continuité historique et les particularités socioculturelles du Québec. Il s'agissait en somme de tourner la page sans déchirer le livre ! Le ministre écrivait dans le texte d'introduction à ses orientations : « En effet, nul au Québec ne souhaite que la religion soit un facteur de division entre les personnes, les groupes et les régions »[23]. Conscient des diverses sensibilités de la population au regard de la prise en compte de la dimension religieuse ou spirituelle de l'élève en milieu scolaire et de l'importance de clarifier le rôle de l'établissement scolaire à cet égard, le législateur a introduit certaines dispositions dans la Loi sur l'instruction publique qui fondent une *laïcité ouverte sur le fait religieux* à l'école publique québécoise. C'est le sens des articles de cette loi qui assignent à l'école publique la responsabilité de « faciliter le cheminement spirituel de l'élève afin de favoriser son épanouissement » (art. 36) dans le cadre d'un projet éducatif qui « doit respecter la liberté de conscience et de religion des élèves, des parents et des membres du personnel de l'école » (art. 37). C'est aussi en ce sens qu'est mis en place un service non confessionnel d'animation spirituelle et d'engagement communautaire[24], offert à tous les élèves, quelles que soient leurs convictions religieuses.

Depuis que ces décisions ont été prises en 2000, on observe qu'une transformation des mentalités s'est opérée quant à la question de la place de la religion à l'école. Malgré certaines tensions réelles, on peut dire que le changement s'est fait sans susciter d'affrontements. Personne, de façon réaliste, n'envisage aujourd'hui retourner vers un système scolaire public confessionnel.

Problématique contemporaine

L'équilibre n'est pas encore atteint quant à la nouvelle culture institutionnelle à instaurer. La profondeur et la portée des changements apportés ne sont pas également saisies : certaines équipes-écoles croient que rien n'a changé, puisqu'on a maintenu la possibilité d'enseignements confessionnels, alors que d'autres se sont empressées d'agir comme si l'école laïque les autorisait à écarter toute forme d'expression à caractère religieux de l'école[25].

La question d'une réelle prise en compte de l'éducation à la diversité religieuse en milieu scolaire public n'est pas encore résolue : un paradoxe demeure, et des questions se posent.

La possibilité d'un rapprochement significatif entre les élèves d'appartenance catholique, protestante et autres peut-elle se faire dans le contexte d'un choix de programmes d'études différenciés : enseignement moral et enseignements religieux confessionnels ? Que penser d'une offre d'enseignements confessionnels limitée aux seules traditions catholique et protestante, alors que le projet éducatif de l'école doit « respecter les libertés de conscience et de religion des élèves, des parents et du personnel scolaire » (LIP, art. 37) ? Comment faire en sorte d'instaurer, dans l'espace public qu'est l'école, une culture du vivre ensemble respectueuse de l'expression des convictions religieuses ou philosophiques individuelles et compatible avec le caractère laïque, commun, inclusif, ouvert et démocratique de l'école ? Quel rôle d'instruction et de socialisation assigner à l'école au regard de la prise en compte de la diversité religieuse ?

Sur le maintien du choix pour un enseignement religieux, catholique ou protestant, à l'école, une décision doit être prise dans le contexte du recours à la clause dérogatoire à la Charte canadienne des droits et libertés[26], clause venant à échéance en juin 2005 et qui est nécessaire au maintien de l'offre d'enseignements confessionnels à l'école primaire et secondaire. En mai 2005, le gouvernement du Québec a donc décidé de remplacer les enseignements confessionnels par un nouveau programme d'éthique et de culture religieuse, commun à tous les élèves du primaire et du secondaire, à partir de septembre 2008. Le recours à la clause dérogatoire sera maintenu pour cette seule période transitoire afin de permettre l'élaboration du nouveau programme d'études et d'assurer le perfectionnement du personnel enseignant.

Au-delà de cet enjeu, le temps ne serait-il pas venu d'aborder de façon neuve la question de la diversité religieuse avec une largeur de vue accrue en dissociant ce concept de la seule question des minorités ou de l'immigration et en y incluant les enjeux liés à la majorité catholique, avec sa propre diversité interne ? Cela aurait entre autres avantages de convaincre la majorité catholique que les choix d'orientation faits en milieu scolaire ne visent pas l'élimination de la culture chrétienne au Québec au profit de la prise en compte de traditions religieuses venues d'ailleurs. Elles traduisent plutôt l'intention de faire en sorte que, par une formation appropriée des élèves et par des pratiques de gestion renouvelées, les jeunes de diverses traditions puissent acquérir les connaissances et développer les attitudes nécessaires à un vivre ensemble exempt de préjugés, dans le respect des convictions de chacune et de chacun.

Dans un système scolaire déconfessionnalisé, où les chartes des droits et libertés sont reconnues, l'attention portée aux héritages socioreligieux d'ici doit être repensée à nouveaux frais. La formation offerte aux élèves devrait se faire sur la base de l'ouverture à l'autre, fut-il juif, musulman, catholique, protestant, bouddhiste ou autre, avec ou sans appartenance religieuse. Il ne s'agit pour personne de se renier soi-même pour faire place à l'autre. Il s'agit pour tous et toutes de se connaître et de se reconnaître mutuellement. Il y a là un défi éducatif majeur à relever pour mener à une juste prise en compte de la diversité religieuse comme étant l'affaire de tous et de toutes.

C'est donc à une recomposition, encore fragile, de la culture institutionnelle que nous assistons au regard de l'éducation à la diversité religieuse, dans un contexte de responsabilisation renouvelée du système scolaire à cet égard. Libéré de ce que d'aucuns ont appelé le « carcan confessionnel », perçu comme imposé de l'extérieur et trop souvent subi comme un « mal nécessaire », le système scolaire doit maintenant assumer pleinement et librement sa part essentielle dans l'éducation à la diversité religieuse, cette dernière constituant un fait de société porteur de défis pour la démocratie.

Il nous faut résolument aller au bout du pari que le Québec a pris d'instaurer une laïcité ouverte à l'école publique. Ce type de laïcité reconnaît une place à la religion et aux religions. Elle le fait dans le respect des chartes des droits et libertés et de la mission d'instruction et de socialisation de l'école québécoise. La laïcité étant sensible aux mutations sociales actuelles et aux besoins de formation des jeunes, il nous faut, plus que jamais, tenir la route en inventant le chemin.

Notes

1. Il y aurait lieu de procéder à l'analyse des textes officiels, notamment ceux du ministère de l'Éducation, des comités confessionnels (catholique et protestant), du Conseil supérieur de l'éducation, ceux de l'Assemblée des évêques du Québec et ceux de la Table de concertation protestante sur l'éducation, pour mieux mesurer l'étendue des réflexions faites sur la prise en compte de l'éducation à la diversité religieuse dans le système scolaire québécois au cours des dernières décennies.
2. Pour diverses raisons, certaines communautés juives n'ont pu profiter de cette situation et ont mis sur pied des écoles privées. Voir à ce sujet: Joe King, *Les juifs de Montréal. Trois siècles de parcours exceptionnels*, [traduit de l'anglais par Pierre Anctil], Outremont, Éditions Carte Blanche, 2002, p. 122-128.
3. Sami Maalouf, « L'enseignement protestant au Québec : son histoire et ses défis », dans Raymond Brodeur et Gilles Routhier, *L'enseignement religieux : questions actuelles*, Ottawa, Novalis/Université Saint-Paul, 1996, p. 77.
4. Conseil supérieur de l'éducation, Comité protestant, *Les valeurs éducatives protestantes*, Québec, 1992, p. 6.
5. R. Brodeur et G. Routhier, 1996, p. 79.

6. Conseil supérieur de l'éducation, Comité catholique, *Règlement du Comité catholique du Conseil supérieur de l'éducation. Texte et notes explicatives*, juin Québec, 1974, p. 9.
7. *Ibid.*, p. 8.
8. *Ibid.*
9. Gouvernement du Québec, *Gazette officielle du Québec*, n° 28, 115e année, 29 juin 1983. Décret 1177-83, 8 juin 1983. Ce règlement sera d'application obligatoire dans toutes les écoles à compter du 1er septembre 1985.
10. Ministère de l'éducation, Direction de l'enseignement catholique, *Le phénomène religieux. Document d'appoint*, Québec, 1990.
11. Conseil supérieur de l'éducation, Comité catholique, *L'enseignement moral et religieux catholique au secondaire. Pour un enseignement mieux adapté aux jeunes et aux contextes actuels*, Avis au ministre de l'Éducation Québec, juin 1991.
12. Conseil supérieur de l'éducation, Comité catholique, *L'enseignement moral et religieux catholique au primaire. Pour un enseignement mieux adapté aux jeunes et aux contextes actuels*, Avis au ministre de l'Éducation, Québec, avril 1994.
13. Cette instance faisait suite au « Bureau de coordination de l'accueil des enfants d'immigrants » instauré au début des années 1970 pour conseiller les commissions scolaires quant à la mise en œuvre de mesures d'accueil, présider à l'élaboration de programmes appropriés, assurer l'animation pédagogique et établir des contacts avec les parents immigrants par l'entremise d'un service d'interprètes. Voir ministère de l'Éducation, Direction de la coordination des réseaux, Direction des services aux communautés culturelles, *Le point sur les services d'accueil et de francisation de l'école publique québécoise. Pratiques actuelles et résultats des élèves*, Québec, 1996, p. 3.
14. Commission ontarienne des droits de la personne c. Simpsons Sears-Limited et autres [1985] 2 R.C.S. 536.
15. Voir notamment Commission des droits de la personne et des droits de la jeunesse, *Obligation pour les personnes professant la religion islamique d'assister à la prière rituelle le vendredi – Conflit avec un horaire de travail – Possibilité d'accommodement (Charte, articles 10, 16 et 20)*, décembre 1989. Voir aussi : Commission régionale de Chambly c. Bergevin [1994] 2 R.C.S. 525.

16. Ministère de l'Éducation, *Une école d'avenir. Politique d'intégration scolaire et d'éducation interculturelle*, Québec, 1998.
17. Remplacé, en 1996, par l'actuel ministère des Relations avec les citoyens et de l'Immigration.
18. Assemblée des évêques du Québec, *L'initiation sacramentelle des enfants. Orientations pastorales*, Montréal, 1er juin 1983.
19. Jusqu'à leur abolition, en juillet 2000, pas plus de onze de ces écoles n'avaient vu le jour.
20. Ministère de l'Éducation, *Laïcité et religions. Perspective nouvelle pour l'école québécoise*, Rapport du groupe de travail sur la place de la religion à l'école, Québec, 1999.
21. Pour le détail de ces transformations, voir <www.meq.gouv.qc.ca/affairesreligieuses>.
22. Voir <http://www.meq.gouv.qc.ca/legislat/Reglemen.htm#pps>.
23. Ministère de l'Éducation, *Dans les écoles publiques du Québec, une réponse à la diversité des attentes morales et religieuses*, Québec, 2002, p. 1.
24. Ministère de l'Éducation, *Pour approfondir sa vie intérieure et changer le monde. Le service d'animation spirituelle et d'engagement communautaire*, Cadre ministériel, Document de travail, Québec, mars 2001.
25. Dans certains milieux, des directions d'école ont fait « sortir les crucifix de l'école », sans aucune forme de consultation ou de concertation avec la population et les instances locales. Se sentant lésés, certains parents issus de la majorité catholique s'objecteront, par la suite, à toute forme d'accommodement raisonnable en faveur de minorités religieuses pour le port de signes religieux distinctifs à l'école.
26. Le privilège accordé aux traditions catholique et protestante pour un enseignement confessionnel à l'école contrevient en effet au droit à l'égalité de traitement par rapport aux autres groupes religieux.

Bibliographie

Assemblée des évêques du Québec, *L'initiation sacramentelle des enfants*. Orientations pastorales, Montréal, 1983.

Brodeur, Raymond et Gilles Routhier, *L'enseignement religieux : questions actuelles*, Ottawa, Novalis/Université Saint-Paul, 1996.

Comité sur les affaires religieuses, *Éduquer à la religion à l'école : enjeux actuels et piste d'avenir*, Avis au ministre de l'Éducation, Québec, 2004.

—, *La formation des maîtres dans le domaine du développement personnel : une crise symptomatique*, Avis au ministre de l'Éducation, Québec, 2003.

—, *Rites et symboles religieux à l'école. Défis éducatifs de la diversité*, Avis au ministre de l'Éducation, Québec, 2003.

Commission des droits de la personne et des droits de la jeunesse, *Obligation pour les personnes professant la religion islamique d'assister à la prière rituelle le vendredi – Conflit avec un horaire de travail – Possibilité d'accommodement* (Charte, articles 10, 16 et 20), Québec, 1989.

Conseil supérieur de l'éducation, Comité catholique, *L'enseignement moral et religieux catholique au primaire. Pour un enseignement mieux adapté aux jeunes et aux contextes actuels*, Avis au ministre de l'Éducation, Québec, 1994.

—, *L'enseignement moral et religieux catholique au secondaire. Pour un enseignement mieux adapté aux jeunes et aux contextes actuels*, Avis au ministre de l'Éducation, Québec, 1991.

—, *Règlement du Comité catholique du Conseil supérieur de l'éducation*. Texte et notes explicatives, Québec, 1974.

Conseil supérieur de l'éducation, Comité protestant, *Les valeurs éducatives protestantes*, Québec, 1992.

King, Joe, Les Juifs de Montréal. *Trois siècles de parcours exceptionnels*, Éditions Carte Blanche, Outremont, 2002.

Ministère de l'Éducation, *Programme de formation de l'école québécoise, enseignement secondaire, premier* cycle, Québec, 2004.

—, *Dans les écoles publiques du Québec, une réponse à la diversité des attentes morales et religieuses*, Québec, 2002.

—, *Pour approfondir sa vie intérieure et changer le monde. Le Service d'animation spirituelle et d'engagement communautaire, Cadre ministériel*, Document de travail, Québec, 2001.
—, *Programme de formation de l'école québécoise, éducation préscolaire, enseignement primaire*, Québec, 2001.
—, *Laïcité et religions. Perspective nouvelle pour l'école québécoise*, Rapport du groupe de travail sur la place de la religion à l'école, Québec, 1999.
—, *Une école d'avenir. Politique d'intégration scolaire et d'éducation interculturelle*, Québec, 1998.
Ministère de l'Éducation, Direction de la coordination des réseaux, Direction des services aux communautés culturelles, *Le point sur les services d'accueil et de francisation de l'école publique québécoise. Pratiques actuelles et résultats des élèves*, Québec, 1996.

Annexe
Déconfessionnalisation du système scolaire au Québec

Chronologie des principaux événements (1995-2003)

1995-1996 : tenue des états généraux sur l'éducation. Dans leur rapport final, la majorité des commissaires, sauf trois qui ont manifesté leur dissidence, préconisent la déconfessionnalisation complète du système scolaire, en ce qui regarde les structures et les services éducatifs.

1997 : après un essai infructueux de mise en place de commissions scolaires linguistiques qui respectent les dispositions confessionnelles de la Constitution canadienne, l'Assemblée nationale décide de réclamer du gouvernement fédéral l'amendement des paragraphes 1 à 4 de l'article 93 de la Constitution canadienne pour « déverrouiller » le système confessionnel scolaire.

1998 : le gouvernement procède à la mise en place des commissions scolaires linguistiques, francophones et anglophones, mais maintient les dispositions confessionnelles et met en place un groupe de travail, présidé par monsieur Jean-Pierre Proulx, chargé d'examiner l'ensemble de ces dispositions.

Printemps 1999 : le groupe de travail remet son rapport intitulé « Laïcité et religions. Perspective nouvelle pour l'école québécoise ». Ce rapport soulève les passions et polarise les réactions. Il y a les tenants de l'approche laïque, parmi lesquels certains vont jusqu'à préconiser qu'il n'y ait aucune place pour la religion à l'école. Il y a les tenants de l'approche « communautarienne », qui veulent accorder à d'autres groupes religieux les droits consentis aux catholiques et aux protestants dans le système scolaire ou d'autres encore qui préconisent simplement le maintien du statu quo.

Automne 1999 : la Commission de l'éducation de l'Assemblée nationale tient des audiences sur « la place de la religion à l'école », audiences parmi les plus importantes tenues dans l'histoire parlementaire au Québec (256 mémoires déposés et 60 heures d'audience).

Mai et juin 2000 : le ministre de l'Éducation fait connaître ses orientations sur la place de la religion à l'école, et le projet de loi 118 « modifiant diverses dispositions confessionnelles dans les lois de l'éducation » est adopté.

Juillet 2000 : les structures confessionnelles sont abolies ainsi que les règlements afférents. Le Secrétariat aux affaires religieuses est mis en place au sein du ministère de l'Éducation. Cette instance veille à la mise en place des changements législatifs adoptés.

Décembre 2000 : le Comité sur les affaires religieuses est créé en vue de conseiller le ministre de l'Éducation sur toute question touchant la place de la religion dans les écoles. Il a également pour mission de donner des avis sur les orientations que le système scolaire devrait prendre dans ce domaine et sur son adaptation à l'évolution socioreligieuse de la société québécoise. Ce comité exerce également des fonctions d'approbation des aspects confessionnels des programmes d'enseignement religieux pour lesquels il est tenu de tenir compte des avis des Églises concernées. Il donne enfin son avis sur les aspects religieux des programmes non confessionnels d'éthique et de culture religieuse. (Loi sur l'instruction publique, Art. 477.18.3)

Septembre 2001 : mise en place du Service d'animation spirituelle et d'engagement communautaire dans les écoles secondaires (en remplacement de l'animation pastorale catholique et de l'animation religieuse protestante).

Septembre 2002 : mise en place du Service d'animation spirituelle et d'engagement communautaire dans les écoles primaires. Cette même année, on procède, au primaire, à l'application des programmes d'études découlant de la réforme en éducation. Tout élève peut faire, dans chaque école publique, le choix entre un enseignement moral ou un enseignement moral et religieux, catholique ou protestant. Ces programmes d'études se démarquent davantage l'un par rapport à l'autre, et leur caractère confessionnel, catholique ou protestant, s'accentue en conséquence. Ils conservent cependant une perspective d'ouverture à la diversité religieuse, cependant plus explicite dans le programme d'enseignement moral et religieux protestant.

Septembre 2002 : le programme d'éthique et de culture religieuse, programme unique offert à tous les élèves de la quatrième année du secondaire devait être d'application obligatoire dans les écoles. Cette application a toutefois été reportée pour être compatible avec le calendrier d'implantation de la réforme des programmes d'études au secondaire.

Mars 2003 : en réponse à une demande du ministre, le Comité sur les affaires religieuses publie son premier avis ayant pour titre « Rites et symboles religieux à l'école. Défis éducatifs de la diversité ». On y explicite le modèle de laïcité de l'école québécoise qui se veut un modèle de laïcité « ouverte », situant l'exercice des droits et libertés fondamentales dans le cadre de balises conformes à la mission de l'école publique. Le Comité préconise une prise en compte de la diversité religieuse en milieu scolaire qui, en quelque sorte, exclut « l'exclusion » et met toutefois en garde contre l'envahissement de l'institution scolaire par la réalité religieuse.

Mai 2005 : le gouvernement du Québec annonce son intention de ne plus recourir aux clauses dérogatoires à la Charte canadienne des droits et libertés et à la Charte des droits et libertés de la personne du Québec, et de mettre en place un nouveau programme d'éthique et de culture religieuse, commun à tous les élèves du primaire et du secondaire.

Juin 2005 : le projet de loi 95 est adopté. Les dispositions de ce projet de loi font en sorte qu'à compter de septembre 2008, tous les élèves du primaire et du secondaire bénéficieront d'un même programme d'éthique et de culture religieuse. Les fonctions du Comité sur les affaires religieuses relatives à l'approbation des aspects confessionnels des programmes d'études seront alors abolies, ce dernier conservant la responsabilité de donner un avis au ministre sur les aspects religieux du programme d'éthique et de culture religieuse, après avoir consulté les personnes ou organismes intéressés. Afin de permettre aux élèves, de septembre 2005 à septembre 2008, de poursuivre leur parcours de formation, de voir à l'élaboration du programme d'éthique et de culture religieuse du primaire et du secondaire, et de veiller au perfectionnement du personnel enseignant, le projet de loi prévoit, enfin, que les clauses dérogatoires seront renouvelées pour une période limitée de trois ans, soit jusqu'en juillet 2008.

Chapitre 5

Réponses urbaines à la diversité religieuse : le cas de Toronto

Myer Siemiatycki

À BIEN Y PENSER, Toronto a traversé une véritable révolution tranquille dans les dernières décennies du XXe siècle[1], une révolution qui a transformé profondément son paysage religieux. La portée de ce changement peut être définie, grâce aux études réalisées au fil des ans sur la culture civique de Toronto par un certain nombre d'observateurs pénétrants. Je veux d'abord citer quelques auteurs pour donner une idée de la mutation religieuse subie par la métropole au XXe siècle.

En 1998, le chroniqueur des affaires municipales du *Globe and Mail* mesurait le chemin parcouru : « J'ai grandi dans une ville bien entretenue, prospère, une ville à l'esprit étroit, où le catholicisme mettait une note d'exotisme. Aujourd'hui, mes enfants grandissent dans la ville la plus cosmopolite au monde, et c'est pourtant la ville de mon enfance. »[2] Les catholiques constituent actuellement la plus importante confession religieuse de Toronto, et les religions non chrétiennes forment de loin les groupes religieux affichant la plus forte croissance. Pendant la plus grande partie de son histoire, Toronto a été surnommée « la Belfast du Canada » – un bastion britannique du protestantisme orangiste – ou encore « Toronto la pure ». Une mentalité fermée, quasi puritaine, a marqué la vie publique de la ville jusque tard au XXe siècle. L'historien D.C. Masters fait ressortir, par exemple, la conviction générale tenant pour dangereuse à la fois pour leur âme et pour leur position sociale la présence de citoyens dans les rues le dimanche, pour toute raison autre que l'assistance à un office religieux[3]. À Toronto, manifestement, la religion a exercé longtemps une influence effective sur les comportements publics.

De telles contraintes civiques irritaient certes les non-croyants mais également les adeptes d'autres confessions. Le jeune Ernest Hemingway, journaliste à l'emploi du *Toronto Daily Star* dans les années 1920, se sentait en prison à Toronto, qu'il tenait pour la « ville des églises », où « 85 % des détenus fréquentent une église protestante le dimanche »[4]. Deux décennies plus tard, l'écrivain britannique Wyndham Lewis décrivait Toronto comme « une glacière... le royaume du prêchi-prêcha... le bastion des loges orangistes »[5]. Toute agglomération humaine livrée à une hégémonie religieuse monolithique ne prête-t-elle pas le flanc aux railleries des sceptiques ?

Aujourd'hui, Toronto a pour devise « La diversité est notre force ». Il semble donc que le protestantisme dominant de jadis se soit montré beaucoup plus accueillant à l'égard des différences que ses critiques ont pu se l'imaginer. Toronto offre l'exemple fascinant d'une confession religieuse dominante qui permet l'aménagement d'un espace urbain pour d'autres confessions. J'aborderai dans cet exposé la réponse de Toronto au pluralisme religieux, en quatre volets. J'esquisserai d'abord un tableau statistique du paysage religieux de la ville, je soulignerai ensuite les politiques établies, en matière religieuse, par Toronto, d'une part, et par son conseil scolaire, d'autre part. Je conclurai en abordant une problématique épineuse qui concerne la construction des lieux de culte dans la métropole ontarienne.

La diversité religieuse à Toronto

La configuration actuelle de la diversité religieuse à Toronto tient d'abord et avant tout aux vagues d'immigration qu'a connues le Canada. Comme le rapportait *Le Quotidien*, l'organe de Statistique Canada, en 2003, « les changements survenus dans la composition religieuse au pays au cours des dernières décennies résultent principalement des sources changeantes d'immigration, lesquelles ont contribué à une plus grande diversité religieuse. » Les configurations d'établissement de ces immigrants ont tissé une diversité religieuse accentuée à Toronto.

La région métropolitaine de recensement de Toronto accueille 42 % de tous les nouveaux venus au Canada... soit plus, au total, que Vancouver, Montréal et Calgary réunies (Ville de Toronto, 2001). La majorité des nouveaux venus qui viennent vivre dans la région de Toronto s'installent dans la ville elle-même (élargie par la fusion récente) plutôt que dans les agglomérations de banlieue, une tendance assez singulière, en comparaison des mouvements enregistrés aux États-Unis, où 68 des 100 principales régions métropolitaines voient les immigrants préférer la banlieue à la ville-centre comme lieu d'habitation[6]. La ville de Toronto accueille 25 % de tous les nouveaux venus au Canada ; la moitié des 2,5 millions d'habitants de la ville sont nés à l'étranger (Ville de Toronto, 2001). Les grandes vagues d'immigration des années 1950 et 1960 en provenance de l'Italie, du Portugal et de la Grèce ont gonflé les populations catholique et orthodoxe chrétienne de la ville ; les afflux plus récents de ressortissants asiatiques, africains et moyen-orientaux ont par ailleurs haussé en particulier les contingents musulman, hindou, bouddhiste et sikh.

TABLEAU 1
Affiliation religieuse, 2001

	Catholiques	Protestants	Autres religions	Aucune religion
Canada	43 %	29 %	12 %	16 %
RMR Toronto	.34 %	24 %	25 %	17 %

Source : Statistique Canada, *Le Quotidien*, 13 mai 2003.

Trois caractéristiques ressortent du tableau des affiliations religieuses ci-dessus. Premièrement, le catholicisme forme, depuis quelques décennies, la principale confession religieuse à Toronto, ce qui marque un tournant historique dans cette ville traditionnellement protestante. Deuxièmement, le déclin du protestantisme se manifeste par une représentation plus faible à Toronto que dans l'ensemble du pays. Troisièmement – et nous tenons là peut-être la particularité la plus importante pour notre exposé – les religions non chrétiennes manifestent une présence bien supérieure proportionnellement à Toronto que dans l'ensemble du pays.

Le tableau 2 de la page suivante offre une ventilation des 10 plus importantes confessions religieuses actives parmi les 4,6 millions de résidents de la RMR de Toronto. La région a vu croître en son sein des communautés musulmane, hindoue, juive, bouddhiste et sikhe – de fait, cette croissance a été forte chez la plupart d'entre elles au cours de la dernière décennie. De 1991 à 2001, la communauté musulmane de la RMR de Toronto a connu une hausse de 140 %, pour atteindre un effectif de 254 110 adeptes ; la communauté hindoue a enregistré une augmentation de 112 % et comptait, en 2001, 191 305 personnes ; chez les bouddhistes, un accroissement de 101 % avait porté la communauté à 97 170 membres ; quant aux sikhs, leur communauté avait crû de 119 %, pour atteindre 90 590 membres.

Un peu plus de la moitié de la population musulmane de Toronto en 2001 avait immigré au Canada au cours de la décennie précédente. La proportion de nouveaux venus est importante également chez les hindous (1 sur 2), chez les bouddhistes (1 sur 2,5) et chez les sikhs (1 sur 3).

TABLEAU 2

Principales confessions religieuses, RMR de Toronto, 2001

Catholiques	1 576 255	33,9
Protestants	1 131 055	24,3
Aucune appartenance religieuse	784 695	16,9
Musulmans	254 110	5,5
Hindous	191 300	4,1
Orthodoxes chrétiens	181 315	3,9
Juifs	164 510	3,5
Chrétiens, autres[7]	160 420	3,4
Bouddhistes	97 165	2,1
Sikhs	90 590	1,9

Source : Statistique Canada, *Le Quotidien*, 13 mai 2003.

Donc, en général, les groupes religieux autres que judéo-chrétiens croissent rapidement à Toronto, ils comprennent une proportion importante de nouveaux venus au Canada, et leur âge moyen est inférieur à celui des confessions religieuses plus établies de la métropole. L'âge moyen des musulmans est de 28,5 ans ; celui des sikhs, de 29,6 ans ; celui des hindous, de 31,9 ans. Par comparaison, l'âge moyen des anglicans est de 43,8 ans ; celui des adeptes de l'Église unie, de 43,5 ans ; celui des juifs, de 40 ans et celui des catholiques, de 35,7 ans. Les groupes religieux associés à l'immigration récente comprennent beaucoup plus d'enfants dans leur pyramide d'âges. Comme nous le verrons, les écoles doivent maintenant faire face aux exigences de la diversité.

Toronto n'est pas une ville abritant des lieux saints, sauf peut-être des cimetières autochtones. Pourtant, elle peut aujourd'hui se considérer comme l'un des grands centres religieux du monde. Peu de villes au monde comptent tant de religions professées dans leur population.

Le tissu urbain

Les politiques et les programmes de toutes les administrations publiques canadiennes ont des incidences sur les groupes religieux. Sur le plan fédéral, par exemple, la Charte canadienne des droits et libertés soutient la liberté de religion, tandis que la Loi sur l'enregistrement des organismes de bienveillance appuie les impératifs financiers des congrégations religieuses. Sur la scène provinciale, les codes des droits de la personne assurent généralement une protection contre la discrimination pour des motifs religieux ; dans certaines provinces, les lois sur l'éducation peuvent assurer un soutien financier à des écoles confessionnelles.

L'influence des administrations municipales n'est pas moins – en fait, on peut se demander si elle n'est pas plus – importante. La diversité religieuse est un phénomène urbain. Et plus une ville est grande, plus vaste est son éventail d'appartenances confessionnelles. Les administrations municipales ont à répondre immédiatement, directement, aux besoins de la vie courante. Comme le faisait remarquer Brian Ray, « les villes se distinguent par leur rôle d'intendance des activités quotidiennes, un rôle prosaïque, certes, mais essentiel à l'inclusion socioéconomique de leurs résidents »[8]. Du zonage aux loisirs, des services policiers aux écoles, des services sociaux aux bibliothèques publiques, les administrations municipales font sentir leur présence dans les espaces où se vit et se négocie l'inclusion sociale au quotidien[9]. Les administrations urbaines œuvrent donc sur la ligne de front du façonnement des facteurs d'appartenance et des identités confessionnelles au Canada. Où construira-t-on un temple ? Peut-on offrir des périodes de natation séparées pour hommes et femmes dans les piscines municipales ? Quelle attitude adopter à l'égard des crimes motivés par la haine ? Quels rites religieux faut-il reconnaître dans les écoles publiques ? Les maisons civiles pour personnes âgées connaissent-elles les différents rites religieux associés à la maladie et la mort ? La collection de livres pour enfants que possèdent les bibliothèques municipales reflètent-elles les symboles et traditions de différentes confessions ? Toutes ces questions doivent être tranchées par des administrations municipales. Examinons de près les réponses données par le conseil municipal et le conseil scolaire de Toronto à la diversité religieuse de la ville.

La diversité torontoise vue de l'Hôtel de Ville

L'administration municipale de Toronto est intervenue souvent de manière proactive à l'égard de questions de diversité, d'équité et d'inclusion. Il est donc d'autant plus frappant de constater une véritable aversion, chez les élus municipaux, pour le mot « religion », dans la formulation des nombreux énoncés, l'annonce des multiples initiatives concernant la diversité.

Toronto s'est dotée d'un corpus impressionnant de politiques, de programmes et de postes consacrés à la promotion des droits de la personne et à l'inclusion sociale, notamment : des politiques sur les droits de la personne, la lutte contre la discrimination et l'élimination de la haine, des initiatives sur l'équité en matière d'emploi, un plan d'action sur l'accès communautaire et l'équité, un plan d'action pour l'élimination du racisme et de la discrimination, un cadre stratégique municipal sur l'immigration et l'établissement des nouveaux venus, un programme de subventions municipales en matière d'accès et d'équité, un programme de récompenses en matière d'accès, d'équité et de droits de la personne, une division de l'accès et de l'équité au sein de l'administration municipale, un réseau de neuf comités consultatifs municipaux sur l'identité collective, un poste de « porte-parole de la diversité » au sein du conseil municipal.

Comme nous l'avons déjà mentionné, la devise de la ville est : « La diversité est notre force. »

Rappelons que la ville de Toronto est la plus grande municipalité canadienne, qu'elle compte environ 2,5 millions d'habitants et qu'elle s'est agrandie sous le coup d'une fusion forcée en 1998. Les élus municipaux d'une telle métropole ont certes plein de crises et de problèmes sur les bras. Il est donc tout à fait significatif que l'administration municipale, dans la foulée des compressions budgétaires et des restructurations récentes, ait épargné du couperet ses engagements en matière de diversité. Elle a même accru le soutien accordé à de telles initiatives au cours des dernières années ! Pourtant, les politiques et les programmes mentionnés passent sous silence les dossiers concernant l'identité et les questions religieuses. Voici quatre exemples d'une telle occultation :

1. Dans le plan d'action de la Ville de Toronto pour l'élimination du racisme et de la discrimination, adopté en avril 2003, aucun des 20 repères énumérés de la discrimination et de l'inégalité à Toronto ne concerne l'identité religieuse. Les auteurs du document en résument l'objet en précisant que ce plan reconnaît l'influence croisée de facteurs multiples, tels que la race, le sexe, les handicaps, l'orientation sexuelle, l'iden-

tité sexuelle et le lieu d'origine, dans la discrimination à l'égard des personnes et des collectivités. Ces motifs de vulnérabilité sont énoncés fréquemment dans le document. Étant donné l'escalade récente des crimes motivés par la haine contre des musulmans et des juifs de Toronto, il est surprenant de ne pas voir figurer la religion parmi les identités à risque.

2. Par ailleurs, toute étude sur l'établissement des immigrants à Toronto devrait normalement aborder les réalités religieuses. Après tout, la plupart des immigrants appartiennent à des minorités religieuses. Pour bon nombre de nouveaux venus, le lien avec un groupe religieux de Toronto forme une part importante de leur identité et de leur réseau de soutien. Or, un cadre de politique de 45 pages sur l'immigration et l'établissement des nouveaux venus, adopté par le conseil municipal de Toronto en avril 2001, ne fait aucune mention de la religion ni des groupes religieux.
3. Le groupe de travail de la Ville de Toronto sur l'accès communautaire et l'équité a tenu de vastes consultations en 1998 et a fait entériner son rapport l'année suivante. Le groupe de travail a axé son étude sur 16 dossiers, dont celui des « questions ethnoculturelles et confessionnelles ». La religion n'a pas été jugée propre à constituer une catégorie à part, mais s'y trouve subsumée sous la catégorie « ethnoculturelle ». Bien sûr, les recommandations du rapport au conseil municipal en matière de diversité ne font aucune mention de la religion ou de la foi. Le rapport souligne, dans un de ses engagements importants : « Tous les résidents ont droit à des services et à des programmes municipaux tenant compte de l'appartenance ethnique et du sexe, ajustés aux besoins des personnes handicapées, adaptés sur le plan culturel et linguistique, et dotés de ressources suffisantes pour assurer un accès et des résultats équitables. » Fait à noter, ces recommandations

passent sous silence la prestation équitable de services en fonction de l'appartenance religieuse.

4. Enfin, pour concrétiser son engagement en faveur de l'inclusion sociale, la Ville de Toronto a créé cinq groupes consultatifs communautaires et cinq groupes de travail chargés d'aviser le conseil municipal au sujet des politiques et des programmes intéressant leur secteur. Là encore, la religion ne figure pas dans les catégories représentées par les comités, soit : les questions touchant les autochtones, les personnes handicapées, la condition féminine, les gais, les lesbiennes et les transgenres, les relations raciales et ethniques, l'immigration et les réfugiés, l'élimination des activités motivées par la haine, l'équité linguistique et l'alphabétisme, et enfin l'équité en matière d'emploi.

Manifestement, dans la désignation des paramètres ou des facteurs croisés de l'identité et de la différence au sein de la population diversifiée de Toronto, les autorités évitent toute référence à la religion. Je dois reconnaître que la religion n'est pas tout à fait absente des thématiques et des mesures abordées par les autorités municipales. Le rapport de 38 pages du groupe de travail sur l'accès communautaire et l'équité, publié en 1998, contient deux paragraphes consacrés aux préoccupations des groupes religieux à l'égard des activités motivées par la haine et de l'utilisation des terrains. La ville a adopté une politique sur le respect des pratiques religieuses à l'intention de son propre personnel. Et plus récemment, soit en juillet 2003, le porte-parole municipal de la diversité a organisé une table ronde multiconfessionnelle pour aborder les préoccupations des groupes religieux concernant les services municipaux tels que le zonage, les soins aux personnes âgées et les traditions en matière de sépulture. Mais dans le contexte d'un engagement constant du conseil municipal de Toronto en matière de diversité, la religion apparaît comme un propos marginal chez les décideurs de l'hôtel de ville. Pourquoi cette occultation ? Je tenterai de l'expliquer un peu plus loin.

La perspective du Conseil scolaire

Le Toronto and District School Board (Conseil scolaire du Grand Toronto) est le conseil scolaire le plus important au Canada, encadrant plus de 300 000 élèves et 18 000 professeurs. Créé comme le Grand Toronto après une fusion imposée par le gouvernement provincial en 1998, le Conseil scolaire a adopté à l'égard des questions de diversité religieuse une approche plus directe que l'hôtel de ville. De fait, le Conseil scolaire a abordé plus explicitement la portée et les limites de l'intégration religieuse dans l'espace public que toute autre institution civile à Toronto. L'une des pièces majeures de cette orientation a été l'élaboration et l'adoption par le conseil, en 2000, d'un document intitulé : « Guidelines & Procedures for the Accommodation of Religious Requirements, Practices, and Observances » (Lignes directrices et procédures touchant le respect des exigences, pratiques et rites religieux). La clé de ce document stratégique est une disposition sur l'accueil des demandes d'ordre religieux formulées à l'égard du système scolaire public de Toronto.

Ces lignes directrices abordent sous divers angles – juridique, philosophique, procédural et éducationnel – l'intégration de la diversité religieuse dans le système public d'éducation. Le Conseil reconnaît d'emblée sa responsabilité juridique de conformité aux dispositions sur la liberté de religion de la Charte canadienne des droits et libertés et des dispositions sur l'interdiction de toute discrimination religieuse du Code des droits de la personne de l'Ontario. Par conséquent, le Conseil s'engage à respecter les différences religieuses chez les élèves et les professeurs, et à s'y adapter.

Sur un plan plus théorique, le Conseil affirme que les droits à la reconnaissance et à l'adaptation ne sauraient être absolus. Il cerne plusieurs limites importantes. Premièrement, l'adaptation à une identité religieuse ne doit pas brimer les élèves dans leurs droits, familles et employés non religieux au sein du système scolaire. Deuxièmement, le devoir d'adaptation ne s'impose pas s'il doit entraîner des difficultés excessives sur les plans du budget, de la santé et de la sécurité. Troisièmement, le Conseil ne s'adaptera pas à des valeurs et à des croyances religieuses qui vont à l'encontre de ses politiques établies. Fait intéressant à noter, le Conseil semble dire que les demandes tenant de la reconnaissance des identités religieuses seront abordées en regard des droits de la personne, dans la perspective d'une reconnaissance de toutes les différences, en fonction des ressources disponibles.

En matière de procédures, les lignes directrices établissent essentiellement un protocole axé sur l'instruction des plaintes pour assurer l'accueil des différences religieuses dans les écoles publiques. Ce n'est pas au conseil scolaire, aux directeurs et aux professeurs qu'il incombe en premier lieu de mettre en place des pratiques inclusives et respectueuses. Il incombe plutôt aux parties lésées de déposer des plaintes. Les lignes directrices énumèrent huit volets d'adaptation possibles :

- Observance des principaux jours saints et des grandes célébrations
- Exercices de début et de fin de journée à l'école
- Prière
- Exigences alimentaires
- Jeûnes
- Tenue vestimentaire à caractère religieux

- Exigences de modestie dans les périodes d'éducation physique
- Participation aux activités quotidiennes et au programme d'études

Les lignes directrices désignent de manière générale la gamme des mesures d'adaptation qui pourraient s'imposer à l'égard de chacun de ces volets. En ce qui concerne la prière, par exemple, le document porte que « les écoles doivent, dans toute la mesure du possible, favoriser la récitation des prières quotidiennes en fournissant des locaux appropriés à cette fin... Il peut être nécessaire de permettre à des personnes d'arriver en retard aux cours ou de quitter l'école avant l'heure du départ prévue, pour des raisons religieuses. Pour certaines confessions, le temps de prière change avec les saisons. » (Conseil scolaire du Grand Toronto, 2000).

Enfin, à titre d'instrument pédagogique, les lignes directrices avisent les écoles quant aux diverses façons dont elles doivent élargir les pratiques traditionnelles afin de faire place aux différences religieuses. Une fiche d'information sur chaque religion accompagne le document. Elle porte sur les croyances, les rites et les traditions de différentes confessions religieuses et les dispositions nécessaires à leur accueil, si une demande est formulée en ce sens.

En fin de compte, c'est en réponse à des requêtes ou à des plaintes déposées par des élèves, des parents ou des employés que les demandes d'ajustement sont agréées par les professeurs et directeurs des écoles. Le protocole établi pour le traitement des questions de diversité religieuse dans les écoles a des incidences à la fois habilitantes et débilitantes. Les modalités de correction fondées sur le dépôt de plaintes accusent certaines lacunes, notamment lorsqu'un grand nombre d'adeptes de confessions religieuses minoritaires sont des immigrants récents, qui connaissent mal les politiques du Conseil scolaire, ne maîtrisent pas l'anglais et disposent de peu de temps pour faire valoir leurs préoccupations à travers les rouages du système scolaire. Par ailleurs, l'obligation de négocier des modalités d'adaptation et d'appartenance à l'école peut constituer un exercice de citoyenneté urbaine pour toutes les parties intéressées, forcées de discuter et de renégocier une adaptation aux besoins religieux.

Une comparaison des approches

Il serait intéressant de vérifier auprès des divers groupes religieux s'ils se sentent mieux servis par la Ville de Toronto ou le Conseil scolaire du Grand Toronto. Mais cette préoccupation déborde le propos de mon exposé. Il apparaît toutefois manifestement que le Conseil scolaire a fait de la diversité religieuse un élément de son programme d'action, plus explicitement que l'hôtel de ville. Pourquoi cet écart ?

Dans le domaine de l'éducation publique, tant le conseil scolaire que les groupes religieux ont intérêt à engager un dialogue. Les inscriptions dans le système scolaire public déclinent en Ontario. Les enfants des foyers d'immigrants forment actuellement un segment disproportionné de la population d'âge scolaire, et, comme nous l'avons vu, un grand nombre de ces enfants appartiennent à des confessions non chrétiennes. Quand ils arrivent à Toronto, ils ont trois choix : ils peuvent s'inscrire gratuitement dans le système public, ils peuvent fréquenter les écoles séparées (catholiques) – considérées comme plus rigoureuses, plus disciplinées –, qui offrent un enseignement gratuit également, ou encore, ils peuvent opter pour l'école privée (séculière ou religieuse), et leurs parents doivent alors payer le plein prix pour leurs études. Le Conseil scolaire du Grand Toronto, pour des motifs pragmatiques et théoriques à la fois, veut être perçu comme attentif à la diversité religieuse. Certes, il doit attirer et conserver un effectif étudiant à sa taille. L'accueil des différences religieuses peut favoriser cet objectif. Mais sur le plan théorique, le Conseil scolaire du Grand Toronto tient l'éducation publique pour la sphère la plus importante où puissent se déployer l'inclusion sociale et une citoyenneté respectueuse. En prenant acte des différences religieuses dans ses programmes d'enseignement et ses orientations, le Conseil embrasse ces principes. Enfin, les parents, les groupes confessionnels et les élèves eux-mêmes actualisent constamment la question religieuse dans les ordres du jour du Conseil scolaire. Ils estiment pouvoir compter que le système d'éducation publique respectera leur identité religieuse. L'approche adoptée par le Conseil scolaire du Grand Toronto mise en fait sur une communication directe entre l'école, les parents et les élèves – et non sur des rapports avec les organisations religieuses officielles et leurs leaders, une approche qui s'inscrit dans la perspective globale de l'engagement des parents dans l'éducation.

Par contre, divers facteurs semblent écarter tout engagement direct des politiciens locaux et des cadres supérieurs en matière religieuse.

Premièrement, les dirigeants politiques pratiquent sans doute une séparation absolue du civil et du religieux. Toute promotion des revendications posées à l'État par les confessions religieuses est perçue comme un brandon de discorde risquant de miner l'autorité et la souveraineté de l'État. Les dirigeants politiques tiennent sans doute la religion pour une affaire de conscience personnelle, qui doit s'exprimer dans la sphère privée et non dans les couloirs de l'administration publique.

Deuxièmement, relativement à certains dilemmes stratégiques, l'État privilégie le recours à des comités représentatifs et à des exercices de consultation, où il compte dialoguer avec les adeptes de différentes traditions et avec des leaders au sein de diverses confessions religieuses. À l'hôtel de ville, contrairement au conseil scolaire, le dialogue sur des questions religieuses ne se déploie pas sur le plan personnel, mais interpelle plutôt officiellement les institutions et les leaders des confessions religieuses. Or, aucune religion n'est monolithique. Des divergences – voire des conflits – se profilent entre des mouvements et des leaders au sein de toute grande confession religieuse. Les dirigeants politiques répugnent sans doute à prendre le risque de choisir les leaders et les tendances qui représenteront tel ou tel mouvement religieux au sein des comités ou des groupes de travail.

Troisièmement, le mandat de service global de l'administration municipale peut en soi constituer un facteur déterminant. Contrairement au conseil scolaire, l'hôtel de ville constitue une administration chargée de fonctions multiples, dont certaines – notamment celles qui concernent l'infrastructure matérielle et les services des équipements publics – ont peu rapport à l'identité religieuse. Chez les politiciens qui se préoccupent du transport en commun, du traitement des déchets, de la qualité de l'eau et des parcs, la participation des groupes religieux dans les décisions locales ne semble pas bien importante. Ajoutez à cela l'exemption de l'impôt foncier dont jouissent les organismes religieux et les lieux de culte, un facteur qui éloigne davantage les confessions religieuses des préoccupations de bon nombre de politiciens municipaux.

Enfin, dans la mesure où elles sont mobilisées politiquement, les institutions religieuses elles-mêmes tendent à graviter autour de la scène fédérale, et non municipale. Bon nombre de groupes religieux cherchent à exercer une influence sur l'administration fédérale, en effet, parce qu'elle a compétence en matière d'immigration, de politique extérieure, de statut fiscal des œuvres de bienfaisance et de mariage. Pour toutes ces raisons, une ville progressiste comme Toronto – déterminée à favoriser une diversité inclusive – désigne rarement la religion à titre de paramètre des différences entre les segments de population ou de motif d'infléchir les politiques publiques. La religion, comme nous le verrons dans notre dernière section, n'occupe une place centrale dans l'arène municipale que si les groupes confessionnels la mettent au centre du débat public, généralement à l'occasion de controverses concernant la construction de lieux de culte.

Un espace urbain marqué par les identités religieuses

En dernier ressort, ce sont les groupes religieux eux-mêmes qui affirmeront les droits de la foi religieuse sur l'espace urbain. L'expérience récente des projets de construction de mosquées dans la région de Toronto traduit les tensions et les surprises associées au changement en matière religieuse sur la scène publique. Mon collègue Engin Isin, de l'Université York, et moi avons réalisé une étude sur *l'aménagement d'espaces pour des mosquées* à titre d'exercice de citoyenneté urbaine chez une minorité religieuse[10]. Au cours des années 1990, dans la région métropolitaine de Toronto, les autorités municipales ont déterminé que les conflits concernant l'utilisation de terrains représentaient les cas de discorde les plus fréquents entre les municipalités et les groupes d'immigrants. Les démarches visant la construction de mosquées ont été de loin le facteur de controverse le plus fréquent.

Généralement, les projets de construction exigeaient une autorisation de dézonage de la part des conseils municipaux, qui souvent refusaient leur approbation, sous la pression considérable des quartiers en cause.

Ces disputes soulevaient les passions. Un opposant affirmait : « Nous ne voulons pas voir s'ériger un minaret ou une coupole dans notre voisinage. Érigez un minaret ou une coupole, et nous aurons dans notre quartier un pôle d'attraction pour toute leur communauté. » Pour ce résident, la mosquée revêtait manifestement une connotation négative. Par contre, un partisan de la mosquée y voyait un symbolisme plus positif: « L'érection d'une coupole ou d'un minaret manifesterait que la ville de York [où le conflit s'est produit en 1996, et qui fait maintenant partie de Toronto] est un endroit tolérant, multiculturel, un endroit où nous sommes tous les bienvenus et où nous pouvons contribuer à la vie culturelle et économique de la région »[11]. Ailleurs dans la région de Toronto, même après avoir réussi en fin de compte à faire construire une mosquée, en dépit d'une opposition locale tenace, le président d'une congrégation déplorait « la pratique de doubles normes qui empêche les musulmans d'avoir le même accès aux libertés religieuses que les autres confessions »[12].

Tout projet de construction d'une mosquée dans le Toronto des années 1990 s'avérait donc plus téméraire qu'un simple projet ordinaire d'érection d'un lieu de culte. Il revêtait les caractères complexes de reconstruction d'une identité et d'appartenance à l'une des villes les plus diversifiées du monde. Il déclenchait, par conséquent, ce que Leonie Sandercock définit comme des luttes acharnées pour l'espace : « Qui est véritablement chez lui, et quels droits peut défendre le citoyen, dans les nouvelles cités planétaires[13] ? » De fait, les conflits à propos de la construction de lieux de culte éclatent régulièrement dans les villes d'immigration, partout en Europe et en Amérique du Nord. Les plans de construction des groupes confessionnels minoritaires traduisent la place centrale de la religion dans la définition de leur identité ; ces groupes cherchent à inscrire leur identité dans l'espace public ; et invariablement, ils doivent se soumettre aux longs processus ouverts de la planification liée à l'exploitation de l'espace urbain. La religion définit donc de multiples façons l'engagement civil de bon nombre de nouveaux venus. Le premier « droit à la ville » que revendiquent les minorités religieuses prend souvent la forme d'un lieu de prière et de rencontre.

Huit des vingt-quatre mosquées qui ont été l'objet de notre enquête dans la région de Toronto nous ont signalé avoir eu affaire à une résistance coriace à leurs plans de construction ou d'agrandissement. Il convient de signaler que les huit mosquées ont fini par être construites ou agrandies. Dans la plupart des cas, il a fallu accepter de réduire le projet original, parfois aux fins d'aménager un espace de stationnement plus grand, le stationnement constituant un motif d'objection récurrent[14].

À Toronto, le terrain de la négociation de la diversité religieuse dans l'espace public peut paraître bien prosaïque… Combien de places de stationnement une mosquée doit-elle offrir ? À quelle hauteur peut s'élever le minaret ? Est-ce qu'une « journée hot dog » convient pour la levée de fonds à l'école ? Peut-on laisser les élèves porter des pantalons en molleton dans les cours d'éducation physique, au lieu des shorts ? Autant de considérations qui peuvent sembler triviales, mais qui définissent la place de la religion dans le domaine public. Et parfois l'issue de ces débats a de quoi surprendre même les sceptiques. Voici un exemple typique : cette mosquée mentionnée il y a un moment, dont le symbolisme avait déclenché un tollé. Un planificateur à la retraite, vivant dans le quartier, s'opposait à sa construction qu'il jugeait inappropriée pour le site choisi. Pourtant, il ne pouvait s'empêcher d'apprécier l'esthétique d'une rénovation qui transformerait une vieille église en une mosquée. Il a été forcé de louer l'architecte qui avait conçu « une belle structure » qui transformerait une église « ordinaire » en un « idiome culturel différent ». De manière plus éloquente, il a décrit la rénovation proposée de cette église insignifiante du début du XXe siècle comme « une grande avancée culturelle depuis un simple idiome protestant du passé vers une forme exotique, romantique, orientale »[15]. La réponse urbaine à la diversité religieuse s'exprime de multiples façons, y compris dans la construction d'édifices, dans l'élaboration de programmes d'études pour les écoles publiques et la conception des processus décisionnels publics. Toronto offre un espoir, celui d'une avancée culturelle et religieuse qui soit source de beauté urbaine.

Notes

1. Ce texte a été traduit de l'anglais par Pierrot Lambert.
2. John Barber, « Different colours, changing city », *Globe and Mail*, 20 février 1998, p. A8.
3. Cecil J. Houston et William J. Smyth, *The Sash Canada Wore : A Historical Geography of the Orange Order in Canada*, Toronto, University of Toronto Press, 1980, p. 15-7.
4. James T. Lemon, *Toronto Since 1918 : An Illustrated History*, Toronto, Lorimer, 1985, p. 57.
5. Robert Fulford, *Accidental City : The Transformation of Toronto*, Toronto, Macfarlane, Walter and Ross, 1995, p. 2.
6. Brian Ray, « The Role of Cities in Immigrant Integration », *Migration Information Source*, Washington, Migration Policy Institute, 1er octobre 2003, p. 1.
7. Comprend les personnes ayant déclaré « chrétienne » de même que celles ayant indiqué « apostolique », « chrétienne re-née » et « évangélique ».
8. B. Ray, 2003, p. 2.
9. *Ibid.*, p. 3.
10. Engin F. Isin et Myer Siemiatycki, « Making Space for Mosques : Struggles for Urban Citizenship in Diasporic Toronto », dans Sherene H. Razack (dir.), *Race, Space and the Law : Unmapping a White Settler Society*, Toronto, Between the Lines Press, 2002.
11. *Ibid.*, p. 205-206.
12. *Ibid.*, p. 188.

13. Leonie Sandercock, *Towards Cosmopolis : Planning for Multicultural Cities*, New York, Wiley, 1998, p. 3.
14. E. Isin et M. Siemiatycki, 2002, p. 195-206.
15. *Ibid.*, p. 206.

Bibliographie

Conseil scolaire du Grand Toronto, *Lignes directrices et procédures touchant le respect des exigences, pratiques et rites religieux*, 2000.

Fulford, Robert, *Accidental City : The Transformation of Toronto*, Toronto, Macfarlane, Walter and Ross, 1995.

Houston, Cecil J. et William J. Smyth, *The Sash Canada Wore : A Historical Geography of the Orange Order in Canada*, Toronto, University of Toronto Press, 1980.

Isin, Engin F. et Myer Siemiatycki, « Making Space for Mosques : Struggles for Urban Citizenship in Diasporic Toronto », dans Sherene H. Razack (dir.), *Race, Space and the Law : Unmapping a White Settler Society*, Toronto, Between the Lines Press, 2002.

Lemon, James T., *Toronto Since 1918 : An Illustrated History*, Toronto, Lorimer, 1985.

Ray, Brian, « The Role of Cities in Immigrant Integration », *Migration Information Source*, Washington, Migration Policy Institute, 1er octobre 2003.

Sandercock, Leonie, *Towards Cosmopolis : Planning for Multicultural Cities*, New York, Wiley, 1998.

Statistique Canada, *Recensement de la population : revenu des particuliers, des familles et des ménages ; religion*, 2001, <http://www.statcan.ca/Daily/Francais/030513/q030513a.htm>.

Ville de Toronto, *Sommaire d'une table ronde tenue au cours d'une rencontre au sommet avec des groupes multiconfessionnels, 17 juillet. Défenseur de la diversité*, 2003.

—, *Plan d'action pour l'élimination du racisme et de la discrimination*, 2003.

—, *Cadre de politique sur l'immigration et l'établissement des nouveaux venus, Toronto, Comité des services communautaires*, 2001.

—, *Diversity Our Strength, Access and Equity Our Goal. Report of the Task Force on Community Access and Equity* (La diversité fait notre force. Rapport du groupe de travail sur l'accès communautaire et l'équité), 1998.

CHAPITRE 6

Religion, santé et intervention

ALEX BATTAGLINI

J'AURAIS PU INTITULER CE CHAPITRE : « La place de la religion en santé publique », puisque par « santé », je fais surtout référence à la santé « publique », à l'institution elle-même, mais aussi à ses programmes de prévention et de promotion de la santé, à ses recherches, à sa mission et aux valeurs qui aujourd'hui guident ses actions.

Par « religion », très brièvement, je fais référence aux dimensions culturelles qui concernent des croyances et des valeurs auxquelles sont associées des pratiques partagées par des personnes qui adhèrent à une Église ou à une institution religieuse. Enfin, je distingue bien sûr de la religion les valeurs spirituelles qui ne sont pas la propriété exclusive des religions organisées, mais qui permettent aussi de donner un sens à la vie et d'offrir des règles de vie. En fait, c'est sous cet angle que j'en suis arrivé à m'intéresser à la religion, c'est-à-dire en m'intéressant à des aspects culturels dans mes recherches. Et ce sont d'ailleurs les personnes que j'ai rencontrées, intervenants et usagers des services sociaux et de santé, qui m'ont amené sur ce terrain. En somme, c'est surtout de manière indirecte que j'ai pu aborder des questions relatives à la religion, en traitant plus largement de la culture.

Je ne suis en rien un expert ni un spécialiste des questions religieuses. En tant que chercheur, je suis plutôt habitué à présenter des résultats de recherche. Toutefois, je vais ici m'interroger ou plutôt présenter des éléments de réflexion concernant la place de la religion en santé publique, une réflexion qui m'a amené à identifier trois paradoxes que je vous exposerai. Finalement, je conclurai en abordant brièvement certains enjeux pour la santé publique dans un contexte de pluralité culturelle et religieuse.

La place de la religion en santé publique

Le premier constat qu'on doit faire au sujet de la place accordée à la religion en santé publique est son absence presque totale, du moins à Montréal. Elle est absente de ses structures, absente de ses recherches, de ses écrits et de ses programmes. Cette situation est totalement différente aux États-Unis, où il existe de très nombreuses études reliant la santé publique et la religion. Certaines de ces études mettent en évidence les bienfaits de la religion sur la santé, d'autres en soulignent les méfaits et d'autres encore n'y voient aucun effet mesurable[1]. Mais ce qu'il m'importe de souligner ici est que l'absence d'intérêt envers la religion en santé publique au Québec, tant dans ses recherches que dans ses programmes, ne peut s'expliquer par l'absence de réalité religieuse à Montréal.

Je me dois de faire, à ce stade-ci, un bref détour historique. La santé publique a pendant longtemps été sous la responsabilité des communautés religieuses au Québec. Au XIXe siècle et au début du XXe, les principaux intervenants en ce domaine étaient issus de communautés religieuses. On parlait à cette époque d'hygiène publique et les actions étaient notamment orientées vers les plus pauvres afin de réduire la mortalité infantile, d'enrayer la tuberculose, de soutenir les personnes vieillissantes et les chômeurs[2]. Les communautés religieuses ont maintenu cette responsabilité jusqu'à ce que l'État prenne en charge le système public de santé vers les années 1960. À partir de ces années, donc, des groupes de professionnels ont graduellement remplacé les communautés religieuses pour donner naissance à ce qu'on appelait « la santé communautaire ». La laïcisation de la santé publique est passée par cette prise en charge de l'État (gratuité des soins, sécurité du revenu, accès aux services sociaux, etc.) et par l'attrait grandissant de la modernité[3].

Ainsi, graduellement, la religion est d'abord disparue des structures et des discours, puis n'a plus eu d'intérêt en tant que réalité sociale, tant dans le milieu de la santé que de la santé publique. La rationalité biomédicale, fondée sur un savoir épidémiologique, a définitivement pris la relève.

Toutefois, ce changement n'a pas tout chambardé. Dans certains cas, ce n'est que le vocabulaire qui a changé. Par exemple, dans les années 1920, *on intervenait auprès des plus pauvres pour des raisons de charité et de piété*. Aujourd'hui, on intervient encore auprès des plus pauvres, mais cette fois *en fonction d'indicateurs socioéconomiques, afin de réduire les inégalités sociales de la santé* (lesquelles permettent de constater que parmi les couches les plus pauvres de la société, on retrouve des habitudes de vie et de consommation (alcool, tabac, drogues, excès de poids, etc.) qui réduisent l'espérance de vie et où les taux de morbidité (cancer, diabète, etc.) sont les plus élevés[4].

Les discours ont certes changé, mais plusieurs références demeurent les mêmes. Dans d'autres cas, toutefois, le discours de santé publique diverge désormais du discours religieux, comme c'est le cas des campagnes de promotion visant à prévenir les maladies transmises sexuellement, en favorisant l'usage de condoms, ou encore, dans le cas de campagnes promotionnelles proposant une nouvelle vision de l'homosexualité, en sensibilisant les jeunes et les parents à la diversité des orientations sexuelles.

Que la santé et la maladie ne soient plus sous la responsabilité de communautés religieuses, cela va de soi dans une société où la laïcisation des institutions jouit d'un certain consensus. On pourrait même dire qu'il s'agit d'un gain important qui permet une plus grande latitude des actions envisagées et envisageables. La laïcisation institutionnelle permet, en quelque sorte, d'aborder avec plus d'ouverture une réalité pluriethnique qui favorise le côtoiement d'une variété grandissante de croyances et de valeurs. Toutefois, ne pas tenir compte de la réalité religieuse dans nos analyses des déterminants de la santé peut être questionnable. En fait, au Québec, on peut dire que très peu de chercheurs se sont penchés sérieusement sur des questions reliant la religion et la santé. Il y a bien sûr les enquêtes de Santé Québec, et des études d'anthropologues, notamment celles de Gilles Bibeau[5], mais il n'en demeure pas moins qu'il s'agit d'une question peu explorée et surtout peu abordée en santé publique. Expliquer cette situation pourrait faire l'objet d'une autre étude. Ce que je tiens à souligner ici est que cette absence, peu importe l'explication qu'on lui accorde, soulève trois paradoxes.

Le premier relève du fait que la santé publique, aujourd'hui, fait des recherches, planifie et met en place des programmes un peu comme si les religions n'existaient pas. Pourtant, si on peut constater en effet un déclin de certaines pratiques religieuses, on assiste parallèlement à une diversification des pratiques et des croyances religieuses à Montréal. De fait, la pratique religieuse n'a jamais été aussi diversifiée qu'aujourd'hui, et cette diversité est largement accentuée par l'immigration à Montréal. Le recensement de 2001 a d'ailleurs permis de constater l'existence de plus de 94 religions dans la région montréalaise[6]. Bien que ces données nous informent surtout sur l'appartenance religieuse et non sur les degrés de pratique, l'*Enquête sociale et de santé 1998* de Santé Québec, de son côté, permet de constater que si la pratique dans le cadre de religions organisées a diminué considérablement, 65 % des Québécois accordent une grande importance à la vie spirituelle et 69 % considèrent que leurs valeurs spirituelles ont un effet positif sur leur état de santé physique et mentale[7].

Ce premier paradoxe en entraîne un second. La santé publique s'appuie très largement sur la notion de déterminants de la santé afin de comprendre et d'étudier les multiples influences qui agissent sur la santé et pour expliquer les variations de l'état de santé au sein de la population. Il s'agit des prédispositions biologiques, des habitudes de vie, de l'environnement physique, de l'environnement social et de l'organisation des services de santé. Or, on peut supposer que la religion joue un rôle important en ce qui a trait à l'environnement social et physique, qu'elle influence les habitudes de vie et aussi les modes d'utilisation des services sociaux et de santé.

En ce sens, la religion peut être considérée comme un des facteurs ayant un impact sur la santé en tant que croyance mais aussi, et surtout, en tant que régulateur de comportements. D'ailleurs, les auteurs de l'*Enquête sociale et de santé 1998*, dans un chapitre portant sur la spiritualité, observent que les personnes qui ont une appartenance religieuse ou qui accordent de l'importance à la vie spirituelle, ou encore qui disent fréquenter un lieu de culte ont un niveau moins élevé à l'indice de détresse, moins de pensées suicidaires, une plus faible consommation de tabac, une plus faible consommation d'alcool, une plus faible consommation de drogues, un meilleur soutien social[8]. Ces auteurs concluent finalement que la religion et les valeurs spirituelles peuvent être considérées comme un facteur de protection pour la santé.

D'autres ont tenté d'expliquer comment la religion peut influencer la santé et les risques de maladie. Jarvis et Northcott, dans leur étude, démontrent que l'espérance de vie, les taux de mortalité dus au cancer, aux maladies cardio-vasculaires ou au suicide varient considérablement selon l'engagement religieux. Selon ces derniers, la religion agit essentiellement de cinq façons[9]:

1. En proscrivant des comportements à risque pour la santé, tels que le tabagisme, la consommation d'alcool et de drogues, certaines habitudes liées à la sexualité, etc.
2. En prescrivant de saines habitudes de vie, alimentaires, ou encore d'hygiène physique. Par exemple, chez les musulmans, on prescrit une hygiène corporelle qui s'avère être une mesure préventive efficace contre bon nombre de microbes et de virus. On proscrit la consommation de porc, une interdiction qui avant protégeait des bactéries véhiculées par cette viande et qui, aujourd'hui, évite peut-être une surexposition aux antibiotiques qui font partie de leur diète quotidienne.
3. En offrant un soutien moral, émotif ou économique aux membres de la communauté. Par exemple, la fréquentation des lieux de culte est sans nul doute un lieu de rencontre qui permet de développer des réseaux de soutien.
4. En créant un climat de religiosité associé à un bien-être psychologique. La croyance en la vie éternelle, la confiance, l'espoir transmis par les dogmes et des pratiques reliées à la discipline mentale, telles que la méditation, sont susceptibles de prévenir des désordres liés à l'angoisse, à l'anxiété, voire au stress de la vie quotidienne.
5. En interdisant certains actes médicaux, tels que les transfusions sanguines chez les Témoins de Jéhovah, le recours à la chirurgie ou à la consommation de médicaments. Chez les Témoins de Jéhovah, l'interdit relatif à la transfusion sanguine

peut les avoir protégés, par exemple, des risques reliés au sang contaminé. Par contre, cet interdit peut être à la source de complications chirurgicales sérieuses.

Les effets de la religion sur la santé peuvent être positifs, mais peuvent aussi entraîner des difficultés ou même représenter des facteurs de risque pour la santé selon les circonstances, ce que nous avons pu constater dans le cadre d'une étude à laquelle j'ai participé auprès de parents et d'enfants d'origines culturelles différentes[10]. Plus concrètement, lorsque des programmes sont implantés, certaines difficultés sont observables en lien avec des pratiques ou des croyances religieuses. Dans le cadre de cette étude, donc, nous avons analysé les principaux conflits d'ordre culturel lors des interventions. Je ne retiens ici que ceux directement attribués à la religion par les répondants.

À titre d'exemple, certaines pratiques étaient perçues comme négatives pour la santé de la mère et de l'enfant. L'exemple le plus fréquemment mentionné était celui de mères musulmanes qui observaient le jeûne du ramadan alors qu'elles étaient enceintes ou après leur accouchement. Dans ce cas, afin d'avoir un lait maternel riche en nutriments et pouvoir allaiter adéquatement leur enfant, le ramadan est une pratique déconseillée. De fait, le Coran permet à ces femmes de remettre à plus tard leur jeûne justement pour leur permettre d'allaiter leur enfant ou encore d'avoir l'énergie nécessaire durant la période de relevailles, mais toutes ne se prévalent pas de ce droit ou tout simplement ne le connaissent pas. Par ailleurs, il est important de souligner que le jugement des intervenants à ce sujet est important, puisque l'allaitement maternel, aujourd'hui, est une priorité de santé publique. Dans cet exemple, la priorité religieuse de la mère est directement confrontée à celle de l'intervenant, qui est une priorité exclusive à la santé.

Un deuxième problème mentionné était celui des tabous. Certains sujets ne pouvaient être abordés à cause de croyances religieuses, ce qui est notamment le cas de thèmes relatifs à la sexualité ou encore à l'avortement. Dans le cadre d'activités auprès de parents, ce genre de situations pouvait prendre des proportions importantes dans la mesure où, étant dans une société pluraliste, la composition des groupes d'activités le sont aussi. Or, plusieurs personnes d'appartenance religieuse différente pouvaient être présentes simultanément, faisant en sorte que les tabous se multiplient et même se contredisent. Ces situations pouvaient devenir de véritables casse-tête pour les intervenants qui avaient aussi un programme à suivre.

D'autres difficultés étaient mentionnées par les répondants comme les fêtes religieuses, les rôles parentaux, les rapports hommes/femmes, la difficulté d'accéder à l'univers privé des participants, etc.

Quelques difficultés attribuées à la diversité religieuse lors d'interventions en soutien parental et stimulation infantile

- Pratiques religieuses aux conséquences négatives pour la mère et l'enfant ;
- fêtes religieuses ;
- circonstances gênantes pour les hommes ou les femmes ;
- rapport autoritaire de l'homme sur la femme ;
- habitudes de vie différentes ;
- rôle parental (implication insuffisante) ;
- difficultés d'accès à l'univers privé du client ;
- thèmes tabous ;
- résistance, perception d'ingérence et réticences[11].

Toutefois, ce qu'il est important de retenir de ces conflits est que l'intervenant est également porteur de valeurs, même si elles sont fondées sur des recherches et des données épidémiologiques. L'exemple du lait maternel est fort intéressant à ce sujet. Si, aujourd'hui, une des priorités est de favoriser l'allaitement maternel, il y a quelques années seulement, on recommandait l'allaitement mixte ou encore l'allaitement au biberon, et même les mères qui allaitaient au sein n'étaient pas nécessairement bien vues. Pourtant, tant à l'époque qu'aujourd'hui, ces pratiques de santé publique étaient soutenues par des données épidémiologiques et des arguments scientifiques. Cela dit, nous avons constaté que lorsque les mères avaient l'impression que l'intervenant faisait de l'ingérence en leur disant comment se comporter, l'intervention était vouée à l'échec. Les conflits de valeurs étaient souvent à la source de ce sentiment d'ingérence.

Ceci nous amène au troisième paradoxe, que je vais aborder très brièvement et de manière un peu farfelue. Bien que la religion soit aujourd'hui absente des analyses des déterminants de la santé et de ses pratiques, et que la santé publique soit une institution laïque, certains auteurs[12] sont d'avis qu'elle s'impose désormais elle-même comme une nouvelle religion séculière en ce sens qu'elle redéfinit le bien et le mal en fonction d'une valeur fondamentale située au-dessus des autres, c'est-à-dire la santé.

Ces auteurs vont jusqu'à supposer qu'au sein de cette religion séculière, le prêtre y serait remplacé par un professionnel de la santé publique qui initie les profanes aux secrets obscurs de l'épidémiologie, laquelle constitue la source du savoir à l'origine des programmes et des politiques de santé publique. Il existerait donc des péchés séculiers dans le cas d'exposition volontaire à des facteurs de risque comme la cigarette, par exemple, l'abus d'alcool, l'utilisation d'un vélo sans casque, etc[13].

Cette nouvelle morale permettrait de juger ceux qui ne font pas assez d'exercice ou qui, d'une manière ou d'une autre, limitent leur espérance de vie par des comportements à risque. Selon ces auteurs, donc, la nouvelle moralité médicale publique s'inscrit dans la logique de l'esprit judéo-chrétien, du péché, de la punition et de la rédemption possible, pour celui qui cesse de fumer par exemple.

Cette analogie est bien sûr exagérée et farfelue. La santé publique agit en fonction de réalités observables, de problèmes de santé concrets auxquels elle tente de proposer des solutions efficaces. Toutefois, cette analogie nous apprend certaines choses. La première est que les programmes de santé publique, bien que soutenus par une rationalité scientifique, véhiculent des valeurs qui peuvent entrer en conflit avec celles véhiculées au sein de la population. Deuxièmement, la santé publique agit en fonction d'impératifs de bienfaisance, ce qui la prédispose à des dérapages paternalistes, lesquels sont perceptibles dans des campagnes qui culpabilisent ceux et celles qui n'adoptent pas des comportements visant à réduire les risques pour leur santé[14].

En guise de conclusion, il ne faut pas penser que les programmes de santé publique sont totalement incohérents avec la réalité sociale et culturelle parce qu'on n'y tient pas compte des religions. Réduire les inégalités sociales de la santé, améliorer les habitudes de vie, réduire l'incidence des maladies transmises sexuellement, diminuer les taux de bébé de petit poids et prématurés, réduire la violence, améliorer la sécurité urbaine, prévenir les suicides, etc., sont des priorités qui reflètent une réalité sociale et des préoccupations présentes dans la société. Toutefois, c'est parfois dans la façon de faire et d'élaborer nos connaissances que la santé publique aurait à gagner en tenant davantage compte des croyances populaires, non seulement des croyances religieuses ou spirituelles mais des croyances en général qui sont à la source de nos comportements qui peuvent paraître irrationnels aux yeux d'une institution qui fait de la santé une valeur absolue.

Cela m'amène à cerner un premier enjeu, c'est-à-dire :

Tenir compte des croyances populaires dans la compréhension des facteurs qui influencent la santé. En écartant de ses structures et des ses préoccupations les facteurs religieux, la santé publique s'est également écartée d'une partie de la réalité sociale, si on considère l'importance accordée aux valeurs spirituelles et à la religion par la population québécoise. Mais comment réinsérer ces préoccupations ? Il est en effet difficile d'évaluer l'impact de la religion sur l'état de santé et, surtout, de distinguer les croyances de nature religieuse des croyances qui ne le sont pas. Mais, cela devrait à tout le moins nous inciter à nous pencher sur la question afin de mieux saisir, de manière générale, dans quelle mesure les croyances populaires peuvent influencer nos comportements et, par extension, notre santé. Une meilleure connaissance de ces facteurs permettrait en effet d'élaborer des programmes dont l'adéquation au niveau des valeurs serait plus grande, améliorant du même coup leur efficacité. Elle permettrait également de mieux soutenir les intervenants qui sont quotidiennement confrontés à cette diversité religieuse et culturelle.

Tirer profit de la richesse qu'apporte la diversité. La diversité culturelle et religieuse peut être une source de tensions, certes, mais aussi de richesse et d'apprentissage. Bien que la religion soit considérée par certains auteurs comme un facteur de protection, il serait mal venu d'imaginer les institutions de santé publique en faire la promotion. Toutefois, la religion est souvent le véhicule de pratiques et de traditions très valables pour la santé. Les pratiques associées au bouddhisme, comme la méditation ; à l'hindouisme, comme le yoga ; ou encore des approches différentes de la maladie et du corps, comme c'est le cas de la médecine chinoise, constituent un savoir qui peut enrichir les pratiques de santé publique. Bref, il s'agit là d'une source de connaissances qui mérite d'être prise en considération.

Finalement, mieux analyser les valeurs véhiculées par les programmes élaborés en santé publique. Les programmes de santé publique font l'objet de nombreuses évaluations (formatives, d'efficacité, sommatives, etc.) mais trop peu s'attardent aux valeurs qu'elles véhiculent et à leur adéquation avec celles présentes au sein de la population. Ce type d'évaluation n'est pas nécessaire dans tous les cas, mais permettrait de relativiser l'im-portance absolue accordée à la santé et de mieux saisir les raisons qui motivent certains comportements jugés irrationnels parce que ne favorisant pas un meilleur état de santé, bref sortirait d'une logique strictement biomédicale.

Notes

1. Harold G. Koenig, Michael E. McCullough et David B. Larson, *Handbook of religion and health*, New York, Oxford University Press, 2001.
2. Clermont Bégin et al., *Le système de santé au Québec. Organisation, acteurs et enjeux*, PUL, 2003.
3. Par modernité, à l'instar de Moisan, j'entends l'importance croissante des aspects techno-économiques en remplacement d'une explication divine de la nature, les aspects juridico-politiques qui façonnent désormais la séparation du public et du privé et la disparition du religieux qui retourne l'individu à sa conscience. Voir Marie Moisan, *Diversité culturelle et religieuse : recherche sur les enjeux pour les femmes*, Recherche du Conseil du statut de la femme, gouvernement du Québec, 1997.
4. C. Bégin *et al.*, 2003.
5. Gilles Bibeau, *À la fois d'ici et d'ailleurs : les communautés culturelles du Québec dans leurs rapports aux services sociaux et aux services de santé. Commission d'enquête sur les services de santé et les services sociaux*,

Québec, Les Publications du Québec, 1987 ; G. Bibeau, avec la coll. de Colette Sabatier *et al.*, *La recherche en santé mentale et toxicomanie : spécificité de l'approche sociale et perspectives de développement*, Conseil québécois de la recherche sociale, 1988 ; G. Bibeau *et al.*, *La Santé mentale et ses visages : un Québec pluriethnique au quotidien*, Gaëtan Morin Éditeur, Boucherville, 1992.

6. Statistique Canada, *Recensement du Canada de 2001*, numéro 97F0022XCB01002 au catalogue, 17 juin 2003.
7. May Clarkson, Lucille Pica et Hébert Lacombe, « Spiritualité, religion et santé : une analyse exploratoire », dans Carole Daveluy (dir.), *Enquête sociale et de santé 1998*, collection La santé et le bien-être, Institut de la statistique du Québec, 2001, p. 603-625.
8. *Ibid.*, p. 618-619.
9. George K. Jarvis et Herbert C. Northcott, « Religion and Differences in Morbidity and Mortality », *Social Science and Medecine*, n° 25, 1987, p. 813-824.
10. Voir Alex Battaglini *et al.*, *Bilan des interventions en soutien parental et en stimulation infantile auprès de clientèles pluriethniques*, Direction de la santé publique de Montréal-Centre, 1997.
11. *Ibid.*
12. Raymond Massé et Jocelyne Saint-Arnaud, *Éthique et santé publique : enjeux, valeurs et normativité*, PUL, 2003 ; Alan R. Petersen et Deborah Lupton, *The New Public Health : Health and Self in the Age of Risk*, London/Thousand Oaks, Sage Publications, 1996.
13. R. Massé et J. Saint-Arnaud, 2003.
14. *Ibid.*

BIBLIOGRAPHIE

Battaglini, Alex, « Culture et santé », dans Gravel, Sylvie et Alex Battaglini (dir.), *Culture, Santé et ethnicité, vers une santé publique pluraliste*, Direction de la santé publique de Montréal-Centre, 2000, p. 57-74.

Battaglini, Alex, Fortin, Sylvie et al., *Bilan des interventions en soutien parental et en stimulation infantile auprès de clientèles pluriethniques*, Direction de la santé publique de Montréal-Centre, 1997.

Bégin, Clermont et al., *Le système de santé au Québec. Organisation, acteurs et enjeux*, PUL, 2003.

Bibeau, Gilles, *À la fois d'ici et d'ailleurs : les communautés culturelles du Québec dans leurs rapports aux services sociaux et aux services de santé. Commission d'enquête sur les services de santé et les services sociaux*, Québec, Les Publications du Québec, 1987.

Bibeau, Gilles avec la collaboration de Colette Sabatier *et al.*, *La recherche en santé mentale et toxicomanie : spécificité de l'approche sociale et perspectives de développement*, Conseil québécois de la recherche sociale, 1988.

Bibeau, Gilles *et al.*, *La Santé mentale et ses visages : un Québec pluriethnique au quotidien*, Gaëtan Morin Éditeur, Boucherville, 1992.

Clarkson, May, Pica, Lucille et Hébert Lacombe, « Spiritualité, religion et santé : une analyse exploratoire », dans Daveluy, Carole (dir.), *Enquête sociale et de santé 1998*, collection La santé et le bien-être, Institut de la statistique du Québec, 2001, p. 603-625.

Fainzang, Sylvie, « Cohérence, raison et paradoxe : l'anthropologie de la maladie aux prises avec la question de la rationalité », *Ethnologie comparée*, n° 3, automne 2001, p. 1-14.

—, « La maladie, un objet pour l'anthropologie sociale », *Ethnologie comparée*, n° 1, automne 2000, p. 1-11.

Hanson, Mark J., « Difference and the Delivery of Healthcare. The Religious Difference in Clinical Healthcare », *Cambridge Quarterly of Healthcare Ethics*, n° 7, 1998, p. 57-67.

Jarvis, George K. et Herbert C. Northcott, « Religion and Differences in Morbidity and Mortality », *Social Science and Medecine*, n° 25, 1987, p. 813-824.

Koenig, Harold G., McCullough, Michael E. et David B. Larson, *Handbook of religion and health*, New York, Oxford University Press, 2001.

Massé, Raymond et Jocelyne Saint-Arnaud, *Éthique et santé publique, enjeux, valeurs et normativité*, PUL, 2003.

Massé, Raymond, « Les mirages de la rationalité des savoirs ethnomédicaux », *Anthropologies et Sociétés*, vol. 21, n° 1, 1997, p. 53-72.

Moisan, Marie, *Diversité culturelle et religieuse : recherche sur les enjeux pour les femmes*, Recherche du Conseil du statut de la femme, gouvernement du Québec, 1997.

Petersen, Alan R. et Deborah Lupton, *The New Public Health : Health and Self in the Age of Risk*, London/Thousand Oaks, Sage Publications, 1996.

Statistique Canada, *Recensement du Canada de 2001*, numéro 97F0022XCB01002 au catalogue, 17 juin 2003.

Vandecreek, Larry, « Should Physicians Discuss Spiritual Concerns with Patients ? », *Journal of Religion and Health*, vol. 38, n° 3, automne 1999, p. 193-201.

Chapitre 7

Religion, pastorale et soins spirituels en milieu de santé

Gilbert Gariépy

Voici, énoncés brièvement, quelques enjeux reliés à la complexité des relations entre les sciences de la santé, la religion, et les soins pastoraux ou spirituels en milieu de santé. Mes remarques sont fondées sur une expérience personnelle et professionnelle dans les milieux de santé où j'ai œuvré pendant plus de trente ans. Il est opportun aussi de situer mes remarques dans le contexte institutionnel de mon travail, qui est le centre hospitalier le plus important du Manitoba. On y trouve réunis, depuis 30 ans, cinq hôpitaux qui autrefois jouissaient d'une gestion autonome, à savoir : un hôpital général, un hôpital pour enfants, un centre psychiatrique, un centre de réhabilitation et un centre hospitalier spécialisé dans la santé des femmes. Le centre comporte aujourd'hui plus de 7 000 employés à temps plein ou à temps partiel, chiffre qui inclut aussi les étudiants et les bénévoles. Je travaille dans ce centre depuis plus de 10 ans, surtout en tant que responsable de la formation des animateurs en soins spirituels.

Quelques précisions terminologiques

De prime abord, j'estime qu'il est utile de distinguer « religion », « pastorale », « spiritualité » et « culture. » Ces distinctions sont extrêmement pertinentes dans mon milieu de travail et s'appliquent dans la plupart des milieux de santé. Il importe aussi de décrire les phénomènes de la *modernité* et de la *post-modernité* pour comprendre l'évolution récente de la société occidentale dans laquelle nous sommes insérés, et comment cette grille d'interprétation peut s'appliquer aux enjeux dont je veux traiter.

Par « religion », j'entends l'ensemble des croyances qui se réfèrent à une autorité divine qui se révèle aux êtres humains par la médiation d'une ou des personnes choisies à cet effet. La plupart du temps, ces révélations sont consignées dans des textes sacrés qui ont une grande importance pour aider les humains à se comprendre eux-mêmes dans leurs rapports avec cette divinité ; ces textes offrent aussi un sens à la vie, à la souffrance et à la mort de même qu'une éthique pour guider l'agir de la vie en famille et au sein de la société. Habituellement, les personnes qui appartiennent à un groupement religieux développent une spiritualité qui émane de leur croyance religieuse et qui est en harmonie avec celle-ci. C'est ce que nous avons connu en tant qu'animateurs de pastorale hospitalière depuis presque toujours, alors qu'une pastorale axée sur des données chrétiennes allait de soi. Cet état de choses est en pleine évolution, et ceci soulève de nouvelles questions qui nous engagent à chercher des solutions. En effet, dans nos sociétés occidentales, la religion, en tant que système normatif pour l'ensemble de la population, a subi des transformations profondes : son influence a beaucoup diminué. Ceci est particulièrement vrai en ce qui concerne les pays d'Europe et d'Amérique du Nord. De plus, un nombre grandissant de personnes affirme ne pas appartenir à un groupement ou à un système religieux. Cependant, plusieurs de ces personnes cherchent ailleurs et finissent par développer leur propre spiritualité ou par adhérer néanmoins à une discipline spirituelle quelconque. Ceci m'amène à décrire ce que j'entends par « spiritualité. »

Les termes « spirituel » et « spiritualité » évoquent, avant tout, une dimension qui n'émane pas du domaine de la matière ou du domaine physique. Dans son sens le plus large, la spiritualité est l'ensemble des principes qui, sans nécessairement se référer à une croyance religieuse, donnent un sens à la vie et à la mort, aussi bien qu'à l'éthique du comportement et des relations. Par exemple, une personne peut se dire athée ou agnostique tout en pratiquant une discipline spirituelle. Il y a quelques semaines, nous avons invité un médecin athée à venir nous enseigner comment entrer en relation d'aide spirituelle avec une personne qui se déclare athée ou agnostique. Dans son cas, il trouve le sens de son existence dans sa profession, sa famille, et ses collègues de travail. Cette rencontre a été extrêmement importante pour lui et pour nous, car sa perception de notre travail était que nous nous limitions aux personnes ayant des besoins spécifiquement religieux. Il était heureux d'apprendre que notre travail était beaucoup plus ample que cela, sans pour autant discréditer l'importance de la question religieuse. De notre côté, nous étions heureux de cette rencontre, qui a servi à élargir les horizons de ce médecin, d'autant plus qu'il occupe un poste important dans la haute administration de notre centre hospitalier. Donc, la spiritualité sous toutes ses formes peut devenir un terrain d'entente et de dialogue entre croyants et non-croyants, et cela, à l'échelle même de la planète.

De leur côté, certains bouddhistes pratiquent une discipline spirituelle rigoureuse sans croire en une divinité. On peut aussi parler d'une discipline spirituelle à l'intérieur d'une croyance religieuse. Par exemple, la spiritualité catholique peut comprendre une perspective plus spécifique comme la spiritualité dite « ignatienne » ou « franciscaine. » En somme, la spiritualité est une notion beaucoup plus vaste que la religion, bien qu'elle puisse inclure celle-ci.

Le terme « pastorale » se comprend assez facilement dans le contexte des religions juives et chrétiennes. Il y a quelques semaines, j'ai demandé à un rabbin si ce terme était assez ouvert pour qu'il s'y sente à l'aise. Sa réponse fut affirmative. Je lui ai donc demandé de m'aider à chercher des termes plus accueillants pour désigner et inclure également les religions autres que juive ou chrétienne. Les peuples autochtones, par exemple, ne s'identifient pas du tout avec ce vocable. La « pastorale » s'occupe surtout d'aider les personnes à cheminer dans leur foi, de préparer les fidèles à célébrer leur foi selon les rites et les sacrements qui marquent les étapes importantes de leur existence. C'est pourquoi on peut parler de « pastorale liturgique », de « pastorale sacramentelle » ou de « pastorale en milieu de santé. » Il s'agit donc d'accompagner les personnes qui se réfèrent à un contexte religieux, notamment judéo-chrétien, bien qu'il arrive souvent que ces personnes se disent non pratiquantes. Cela implique qu'elles ont une sorte de connexion, bien que floue, à une religion quelconque. Enfin, dans mon milieu de travail actuel nous ne nous servons plus de ce terme pour décrire notre activité professionnelle, car il ne reflète pas suffisamment la diversité culturelle, religieuse, et spirituelle de notre contexte social. En somme, l'expression « pastorale de la santé » se prête bien à la réalité judéo-chrétienne, puisqu'elle fait référence à des images bibliques dans lesquelles les communautés juives et chrétiennes se retrouvent assez facilement. Mais qu'en est-il des religions orientales et autochtones ? Qu'en est-il des mouvements spirituels qui ne s'identifient pas avec la réalité dite « pastorale » ? Dans les milieux séculiers, le terme « pastorale » ne correspond plus aux exigences du contexte pluraliste pour désigner l'activité des intervenants au niveau spirituel. Il a donc fallu éliminer ce terme de notre langage professionnel.

Il importe aussi de définir ce que j'entends par « culture ». Il s'agit de « l'ensemble des valeurs, des normes et des conventions qui conviennent à la plupart des citoyens dans une société particulière ». Donc, par définition, les normes d'une culture ne sont pas universelles. Ces normes sont développées et maintenues par des ententes entre les humains dans telle ou telle nation, ou dans tel groupe social. Par conséquent, la culture a toujours une dimension sociale particulière. Elle s'occupe des valeurs du domaine temporel ou matériel, et elle voit au maintien de ces valeurs en vue du bien commun. La culture est donc un accomplissement humain, quoiqu'elle puisse comporter des éléments religieux plus ou moins importants ou dominants. On n'a qu'à se référer aux changements apportés, dans la société québécoise, par la Révolution tranquille des années 1960 et au phénomène de la sécularisation qui s'est produit depuis ce temps. On peut penser aussi à la religion musulmane, qui représente toujours une force plus ou moins grande dans plusieurs pays alors que c'est de moins en moins le cas de la religion dans les pays de souche chrétienne. Enfin, la culture se distingue de la « nature » en ce que cette dernière est héritée, déterminante et universelle à l'espèce humaine[1].

Enfin, pour nous aider à comprendre l'évolution du rôle des intervenants dans les milieux de santé, il importe également de décrire les phénomènes de la *modernité* de la *postmodernité*. Par « modernité », j'entends l'ensemble des principes universels qui ont influencé ou dominé nos sociétés occidentales durant plusieurs siècles jusque dans les années 1960. Les institutions religieuses et sociales de la modernité jouissaient d'une autorité et d'une influence décisive sur la vie des individus et des sociétés. Les principes universels et objectifs étaient considérés comme valables pour toutes les sociétés et pour toutes les cultures. La vérité, telle que conçue par les « modernes », était immuable et atteignable. L'unité de pensée et d'agir était assez facilement réalisable si l'on suivait l'ensemble de la population et les normes proposées. Les certitudes de la modernité ont donc produit des sociétés assez homogènes et unifiées. Par contre, la modernité a donné lieu à certains abus de pouvoir. Par exemple, elle a facilité le racisme et l'oppression, en présumant que les valeurs de la société dominante étaient supérieures à celles des minorités.

Par ailleurs, depuis les années 1960, le phénomène de la postmodernité continue de « déconstruire » les certitudes de la modernité en professant un certain scepticisme quant aux normes universelles et objectives, et à la prétention de pouvoir atteindre ou posséder la vérité une fois pour toutes. Dans la perspective postmoderne, la vérité devient plus facilement celle que l'on se construit soi-même, souvent sans référence à des normes universelles. Ceci donne lieu au subjectivisme et au doute (scepticisme) très répandus dans nos sociétés, particulièrement à l'égard de l'autorité hiérarchique[2]. Contrairement à certains éléments de la modernité, la postmodernité encourage et célèbre le pluralisme et la diversité ; en ce sens, elle les proclame comme valeurs universelles.

La distinction entre ces termes illustre déjà la complexité des relations qui existent entre culture, religion, spiritualité, et leur implication pour les milieux de santé. Les phénomènes de la modernité et de la postmodernité, de leur côté, expliquent bien le scepticisme religieux, la baisse de la pratique religieuse et l'émergence d'une multitude de pratiques spirituelles qui conduisent à un pluralisme et à une diversité de pensée et d'agir que l'on n'a jamais connue auparavant.

Religion, intervention spirituelle, et sciences de la santé : un terrain fertile pour la recherche

D'une façon générale, je considère que la religion et la science médicale se sont souvent regardées avec une certaine méfiance. Ici, je ne parle pas tant des individus ; je parle plutôt de ces disciplines en tant que telles. Ceci est sans doute dû à leurs approches radicalement différentes. L'une est axée sur des données de foi doctrinales et morales qui ont leur origine dans des croyances culturelles ou sur l'autorité de textes sacrés qui échappent à la méthode scientifique et qui, par définition, sont soustraits à la preuve au point de vue scientifique. De son côté, la méthode scientifique, telle qu'elle se définit dans le milieu de la santé, se caractérise par une approche qui se préoccupe de ce qui est mesurable, quantifiable, et qui peut se prouver selon des critères généralement acceptés dans les milieux des sciences de la santé.

Cette approche scientifique a déjà des conséquences très concrètes pour les intervenants en soins spirituels en milieu de santé, puisqu'il est très difficile de mesurer la valeur et l'efficacité d'une intervention sacramentelle ou spirituelle comme le voudrait ladite méthode scientifique. Bien que l'on puisse reconnaître les bienfaits d'une intervention spirituelle sur la santé des patients, il est très difficile de démontrer et de quantifier cette efficacité. Devant cet état de choses, les gouvernements et les gestionnaires de la santé sont facilement tentés d'accorder des ressources financières pour une nouvelle technologie médicale ou d'embaucher une nouvelle infirmière, plutôt que d'augmenter les effectifs en pastorale de la santé. C'est pourquoi les départements de soins spirituels ou religieux sont souvent les premiers à subir les contrecoups des restrictions fiscales. Ce fut notre expérience au début des années 1990 ; notre effectif a été sensiblement réduit depuis ce temps. Donc, un autre défi pour la recherche est la crédibilité professionnelle des intervenants en pastorale de la santé par rapport aux autres disciplines dites « scientifiques ».

En ce qui concerne la recherche, nous avons beaucoup de chemin à parcourir. Les organismes accordent des octrois pour la recherche scientifique aux personnes et aux groupes qui peuvent mesurer et quantifier les résultats de leurs études, surtout s'il s'agit d'améliorer les soins physiques ou psychiatriques. Bien qu'il y ait des débuts de recherche pour déterminer l'efficacité de l'intervention spirituelle, pastorale ou sacramentelle pour les malades, il reste beaucoup à faire. Des travaux en ce sens ont été conduits par plusieurs personnes aux États-Unis, dont le Docteur Randolph Byrd, William S. Harris, Élisabeth McSherry et d'autres[3]. Ces recherches ont apporté certains résultats probants au niveau de l'efficacité positive de la religion, de la prière et de l'intervention spirituelle pour la santé ou la convalescence de certains patients. Cependant, ces études ne font pas l'unanimité. Il suffit de mentionner le scepticisme de certains chercheurs qui remettent en question les recherches sur l'efficacité de la prière en affirmant qu'il est impossible d'exclure la possibilité que certains sujets de l'étude n'aient pas reçu les bienfaits de la prière faite par des individus ou des groupes non identifiés. Il est intéressant aussi de noter que les professionnels de la santé spirituelle ne sont habituellement pas les personnes qui s'engagent dans une telle recherche scientifique. Notre discipline, en tant que profession de la santé, est encore très jeune. Nous n'avons pas encore les moyens, les méthodes et les ressources pour nous engager sérieusement dans ce type de recherche.

Religion et sciences de la santé : un défi à relever

La médecine moderne, particulièrement en Occident, s'est développée surtout par une approche scientifique axée presque exclusivement sur le mécanisme et le fonctionnement du corps humain en tant que réalité physique. Je disais plus haut que 7 000 personnes sont associées à mon milieu de travail et que nous nous côtoyons presque tous les jours. Le fait que nous soyons moins de dix personnes pour effectuer notre travail spirituel en dit long sur l'importance du corps en médecine à l'exclusion des autres dimensions de la personne. Il n'y a donc aucune surprise à affirmer que la médecine en tant que telle n'accorde pas beaucoup d'importance au phénomène religieux. La preuve, c'est qu'elle ne fait habituellement pas référence au phénomène religieux ou spirituel, à moins qu'il s'agisse de croyances qui se trouvent en conflit avec certaines interventions médicales ou chirurgicales. On peut noter en passant que la psychiatrie a eu tendance à identifier la religion ou le délire religieux comme un symptôme, voire une cause de la maladie mentale. Voici donc, pour les spécialistes de la pastorale et des soins spirituels en milieu de santé, un autre défi à relever : chercher une manière pertinente d'entrer en dialogue avec la médecine scientifique ainsi qu'avec la psychiatrie. Bien que nous jouissions d'un soutien et d'un encouragement très réel de la part de plusieurs professionnels de la santé dans maintes institutions, le milieu de la santé est d'abord un terrain scientifique et donc, par définition, non religieux. Cela ne veut pas dire, cependant, que le milieu de la santé n'est pas un terrain éminemment spirituel, comme nous le verrons plus loin.

Les soins spirituels en milieu de santé : un service nécessaire

Au Canada, les statistiques démontrent que de moins en moins de personnes déclarent l'appartenance à un groupe religieux. Il n'en reste pas moins que, comme principe général, on peut dire que toute personne comporte ou possède une dimension spirituelle et, par conséquent, des besoins spirituels. J'entends par là que toute personne a soif de savoir le pourquoi de son existence, le but de la vie, de la souffrance, de la maladie et de la mort, des questions qui s'avèrent encore plus importantes en temps de crise existentielle.

En effet, toutes les religions du monde sont des systèmes de croyances qui « donnent les réponses » à ces questions ou qui, du moins, veulent proposer un sens aux questions de l'existence. Dans notre culture matérialiste, plutôt axée sur les valeurs de l'économie et du confort, les grandes questions de l'humanité sont souvent mises en veilleuse jusqu'au moment où nous faisons l'expérience d'une crise personnelle aiguë et sur laquelle nous n'avons aucun contrôle. Dans ce cas, les circonstances nous forcent à nous référer à une réalité ou à une transcendance qui dépasse nos limites personnelles ou encore à une réalité plus grande que soi et plus vaste que notre entourage immédiat.

Durant un temps de crise comme la maladie grave, les personnes qui s'identifient à une religion ou à une communauté de foi ont souvent recours aux soins réconfortants que celle-ci est en mesure de leur prodiguer. Cependant, comme on l'a déjà souligné, un nombre grandissant de personnes ne s'identifie aucunement à une communauté de foi ou une religion. Ces personnes ont tout de même besoin d'un accompagnement spirituel. Comment répondre à leurs attentes et leur offrir les soins dont elles ont besoin ? C'est un défi pour la préparation professionnelle des intervenants en pastorale.

La pastorale des soins de santé : une jeune profession qui émerge dans un contexte de pluralisme et de diversité

Historiquement, un grand nombre d'institutions de santé ont été fondées et gérées par diverses communautés religieuses. Évidemment, le soin spirituel a toujours fait partie des services offerts par ces institutions. Cependant, les intervenants dans ce domaine ne recevaient pas de formation spéciale pour faire ce travail. Ce n'est que depuis à peu près trente-cinq ans qu'on a commencé à développer des services de pastorale avec budgets, imputabilité, politiques de gestion, etc., selon les normes en vigueur pour toutes les autres professions de la santé. Les universités ont offert et continuent d'offrir des cours spécialisés en théologie ou en pastorale de la santé. Une association nationale, interconfessionnelle, et surtout chrétienne, a été formée dans le but de rassembler les intervenants en pastorale, d'établir des normes pour leur formation, de développer des cours scolaires et cliniques, afin d'assurer leur compétence en tant qu'intervenants spécialisés en soins de santé.

Aujourd'hui, le défi qui se présente à l'Association canadienne pour la pratique et l'éducation pastorales (ACPEP), c'est le développement de normes scolaires et cliniques afin d'accueillir des intervenants provenant de religions non chrétiennes. De plus, certaines personnes ne s'identifient aucunement à une communauté de foi, mais se disent appelées à offrir des soins spirituels dans les institutions publiques de la santé. Comment les accueillir si elles ne s'identifient à aucune communauté de foi pour faire ce travail ? Quel terrain commun pouvons-nous trouver pour les accueillir sans discrimination, alors qu'elles n'ont aucune imputabilité envers une communauté de foi ? Comment développer des normes de compétence qui seront ouvertes sans diminuer ou diluer les normes que nous avons déjà établies ? Ces défis sont très actuels, et nous devons les aborder.

La spiritualité autochtone : un exemple et un défi particulier

L'approche autochtone au niveau de la santé et de la relation au cosmos ne fait pas de distinction entre la matière et l'esprit. Dans le contexte des sciences de la santé, ceci comporte des défis particuliers à tous les niveaux. Les sciences médicales sont très spécialisées, et il en résulte un certain réductionnisme qui va tout à fait à l'encontre de la perspective harmonieuse de la spiritualité autochtone. Par exemple, la simple idée d'une chirurgie qui amputerait une partie du corps est tout à fait étrangère à la médecine et à la spiritualité traditionnelles des autochtones.

Il y a quelques années, notre centre hospitalier a été désigné comme centre de choix pour le Manitoba et le nord-ouest de l'Ontario. Nous avons cherché et embauché des personnes pouvant répondre aux besoins spirituels des autochtones, selon leur langue, leur culture et leurs traditions. Ceci a apporté une certaine satisfaction, mais il est à noter qu'il existe un pluralisme assez prononcé à l'intérieur même des communautés autochtones. Par exemple, les normes pour désigner un médecin traditionnel qui traite à la fois le corps et l'esprit varient d'une communauté à l'autre. De plus, les médecins autochtones sont formés surtout par l'entremise de la tradition orale. Cette approche est très différente de notre culture occidentale. L'éthique médicale autochtone constitue aussi un défi particulier pour la médecine moderne. Par exemple, lorsqu'il s'agit d'informer le patient de son état de santé, il ne faut même pas parler de la possibilité d'une « mauvaise nouvelle », car le simple fait de la mentionner peut faire en sorte que le malheur arrive[4] ! C'est dire que nous sommes à la recherche d'un terrain d'entente pour intégrer les spécialistes autochtones dans nos services de soins spirituels et nos services de santé.

L'ÉTHIQUE ET LES SOINS SPIRITUELS

En 1998, le Manitoba a promulgué la Loi sur les renseignements médicaux personnels (LRMP). Cette loi a pour but de protéger la confidentialité des renseignements médicaux de tous les citoyens de la province. Elle stipule que ces renseignements peuvent être communiqués uniquement aux personnes qui en ont besoin pour prodiguer des soins. En soi, l'intention est louable, mais l'interprétation de la Loi a comme conséquence de rendre difficile l'accès à l'information pour les personnes qui offrent certains services comme les soins spirituels. Ceci est d'autant plus complexe que la définition de la santé, telle que promulguée par cette loi manitobaine, exclut la dimension spirituelle. On n'y mentionne que les dimensions physique et psychique. Or, cette définition est plus étroite que celle de l'Organisation mondiale de la santé qui, elle, inclut la dimension spirituelle dans sa définition du bien-être de la personne.

Par contre, les professionnels qui s'occupent des soins spirituels en milieu de santé peuvent avoir accès à une liste de patients pour autant qu'ils fassent partie d'une équipe soignante. Dans ce cas, nous pouvons offrir nos services aux malades sans qu'ils en aient fait la demande au préalable. Cependant, à cause de notre petit nombre, il n'est pas toujours facile de pouvoir s'intégrer à une telle équipe ; les malades et leurs proches s'en trouvent perdants.

La Loi a des conséquences plus sérieuses pour les intervenants qui se présentent à l'hôpital pour visiter les patients qui appartiennent à leur propre groupe religieux. Ces personnes ne peuvent avoir accès à une liste, pas même un nom ou un numéro de chambre, à moins que le patient ait préalablement signé un document par lequel il autorise l'hôpital à inscrire son appartenance religieuse ainsi que son consentement à recevoir une visite.

Enfin, nous pensons que cet état de choses empêche les malades qui éprouvent un besoin réel et immédiat de soins spirituels de les recevoir dans les moments où ils en ont le plus besoin. En conséquence, plusieurs organismes religieux et professionnels forment actuellement des groupes de pression pour inciter le gouvernement provincial à redéfinir la santé afin d'y inclure la dimension spirituelle et de revoir la Loi sur les renseignements médicaux personnels pour faciliter l'accès des intervenants en soins spirituels auprès des malades.

Par ailleurs, les progrès techniques de la médecine ont nécessité la préparation et l'embauche de spécialistes en bioéthique dans plusieurs centres hospitaliers, particulièrement là où on offre des soins hautement spécialisés. Bien qu'on y trouve beaucoup de valeurs compatibles avec la religion et le spirituel, par exemple, au niveau de la dignité et de l'autonomie des personnes, cette discipline n'est plus ancrée dans nos traditions religieuses comme cela pouvait être le cas il y a à peine quelques années. En tant qu'intervenants en soins spirituels, il nous faut redéfinir notre identité et notre rôle dans le domaine de l'éthique de la vie et de la santé par rapport à cette récente évolution. Ceci comporte un défi particulièrement important, puisque jadis, on avait plus facilement recours aux intervenants religieux pour la consultation en éthique médicale.

Autres considérations d'ordre pratique

Nous sommes présentement à rénover notre chapelle pour qu'elle soit plus accueillante aux chrétiens, aux musulmans, aux juifs et aux autochtones, sans oublier cependant qu'il existe des différences et un certain pluralisme à l'intérieur de chacun des ces groupements religieux. Le défi est de trouver un terrain d'entente pour l'aménagement d'un nouvel « espace sacré »[5] pour satisfaire chacun de ces groupes, tout en appréciant et en célébrant leur diversité. Un projet concret comme celui-là nous fournit l'occasion d'entrer dans un dialogue interreligieux qui est engageant et sans précédent.

Parmi d'autres considérations, il nous faut aussi trouver des manières ouvertes de traiter les personnes qui se déclarent homosexuelles, tant au niveau des services spirituels à offrir selon leur situation et leurs besoins qu'au niveau de l'embauche de personnes homosexuelles dans nos services de soins spirituels. Ceci comporte un nouveau défi pour ces intervenants en pastorale qui n'acceptent pas l'homosexualité pour des raisons religieuses.

Les défis de l'intervention

En résumé, voici donc les défis auxquels nous avons à faire face en tant qu'intervenants en soins spirituels en milieu de santé :

- Trouver un terrain de dialogue avec la médecine moderne et scientifique alors qu'elle exclut la dimension religieuse et spirituelle dans son approche thérapeutique.
- Continuer la recherche pour mesurer l'efficacité, la valeur et l'influence positive de l'intervention religieuse, spirituelle et pastorale sur le bien-être et la santé en vue d'assurer nos gouvernements et nos gestionnaires de la santé que leur investissement dans nos services (et leur expansion) est non seulement pertinent mais nécessaire pour répondre à toutes les dimensions de la personne.
- Chercher comment répondre aux besoins spirituels d'un nombre toujours croissant de personnes hospitalisées qui n'ont aucun lien avec la religion, mais qui se trouvent dans une crise spirituelle intense.

- Chercher comment offrir des soins spirituels adéquats et efficaces sans faire référence à Dieu ou à la prière.
- Développer un langage accueillant et universel qui puisse satisfaire aux exigences de la diversité et du pluralisme que nous rencontrons chaque jour dans notre milieu de travail.
- Refléter le fait que nos services ne se limitent pas à la seule dimension religieuse comme le pensent beaucoup de fonctionnaires, de professionnels de la santé et d'usagers.
- Construire un lieu de culte, de méditation et de prière qui satisfasse les exigences de groupements religieux très disparates et dont les attentes peuvent être en conflit les unes avec les autres.
- Accueillir et embaucher des intervenants en soins spirituels qui n'ont ni lien ni imputabilité envers un groupement religieux.
- Trouver un terrain d'entente pour développer des normes de compétence professionnelle qui puissent satisfaire aux exigences du pluralisme et des minorités.
- Continuer de faire pression auprès de notre gouvernement provincial pour revoir la Loi sur les renseignements médicaux personnels et pour qu'il se penche sur une définition plus intégrale de la santé.
- Redéfinir notre rôle et nos compétences au niveau de la consultation bioéthique.
- Enfin, quelle structure, quelle attitude, quel genre de dialogue, faut-il entamer pour respecter, célébrer et contenir la richesse de toute cette diversité et de ce pluralisme, sans pour autant diluer ou compromettre nos propres croyances et nos normes professionnelles ?

En dépit des progrès réalisés depuis plusieurs années, les intervenants des soins spirituels dans la sphère publique rencontrent plusieurs défis. Certains de ces défis se comprennent bien à cause de la jeunesse relative de notre profession. Mais la plupart de ces défis se présentent à nous dans le contexte exigeant d'une diversité et d'un pluralisme jamais vus auparavant dans notre société déchristianisée et postmoderne. Heureusement que des recherches sérieuses commencent à démontrer l'efficacité de l'intervention pastorale et spirituelle, et son influence positive sur la santé. Par exemple, malgré les objections et le scepticisme de plusieurs, on a démontré que ces interventions pouvaient réduire la demande des médicaments contre la douleur, écourter le temps de l'hospitalisation, alléger les situations conflictuelles et contribuer à combler l'écart entre le milieu de la santé, et la vie et les choix personnels. Dans la société en général, on remarque aussi qu'il y a un intérêt croissant pour la dimension spirituelle de l'être humain et que bon nombre de personnes cherchent un sens à leur vie au-delà du confort matériel et de la consommation. Ceci augure bien pour l'avenir de notre profession. Les défis qui se présentent nous aideront à progresser davantage pour autant que nous les envisagions avec ouverture, courage et persévérance.

Notes

1. Helmut Richard Niebuhr, *Christ and Culture*, deuxième édition, San Francisco, HarperCollins, 2001, p. 32-40.
2. Lawrence E. Cahoone (dir.), *From Modernism to Postmodernism : An Anthology*, Cambridge, Blackwell, 1996.
3. Randolph C. Byrd, « Positive Therapeutic Effects of Intercessory Prayer in a Coronary Care Unit Population », *Southern Medical Journal*, n° 81, 1988, p. 826-829. Cette étude a été reprise par d'autres chercheurs, entre autres William S. Harris *et al.*, « A Ran-

domized, Controlled Trial of the Effects of Remote, Intercessory Prayer on Outcomes in Patients Admitted to the Coronary Care Unit », *Archives of Internal Medicine*, n° 159, 1999, p. 2273-2278 ; Elizabeth McSherry, « The Scientific Basis of Whole Person Medicine », *Journal of the American Scientific Affiliation*, 1983, vol. 35, n° 4 p. 217-224 ; H.G. Koenig *et al.*, « Does Religious Attendance Prolong Survival ? », *Journal of Gerontology : Medical Science*, vol. 54, n° 7, 1999, p. M370-M376 ; « The Relationship Between Religious Activities and Blood Pressure in Older Adults », *International Journal of Psychiatric Medicine*, vol. 28, n° 2, 1998, p. 189-213 ; « Religiosity and Remission of Depression in Medically Ill Older Patients », *American Journal of Psychiatry*, vol. 155, n° 4, avril 1998, p. 536-542.

4. Jonathan Ellerby *et al.*, « Bioethics for clinicians 18 : Aboriginal cultures », *Canadian Medical Association Journal*, n° 163, octobre 2000, p. 845-850.
5. Le terme « chapelle », jadis adapté dans les milieux institutionnels catholiques, est de moins en moins utilisé pour désigner notre lieu de culte, de méditation et de prière. Il ne convient plus à notre contexte pluraliste et à la diversité culturelle et religieuse.

Bibliographie

Byrd, Randolph C., « Positive Therapeutic Effects of Intercessory Prayer in a Coronary Care Unit Population », *Southern Medical Journal*, n° 81, 1988, p. 826-829.

Cahoone, Lawrence E. (dir.), *From Modernism to Postmodernism : An Anthology*, Cambridge, Blackwell, 1996.

Ellerby, Jonathan *et al.*, « Bioethics for clinicians 18 : Aboriginal cultures », *Canadian Medical Association Journal*, n° 163, octobre 2000, p. 845-850.

Harris, William S. *et al.*, « A Randomized, Controlled Trial of the Effects of Remote, Intercessory Prayer on Outcomes in Patients Admitted to the Coronary Care Unit », *Archives of Internal Medicine*, n° 159, 1999, p. 2273-2278.

Koenig, Harold G. *et al.*, « Does Religious Attendance Prolong Survival ? », *Journal of Gerontology : Medical Science*, vol. 54, nº 7, 1999, p. M370-M376.

Koenig, Harold G., « The Relationship Between Religious Activities and Blood Pressure in Older Adults », *International Journal of Psychiatric Medicine*, vol. 28, nº 2, 1998, p. 189-213.

—, « Religiosity and Remission of Depression in Medically Ill Older Patients », *American Journal of Psychiatry,* vol 155, nº 4, avril 1998, p. 536-542.

McSherry, Elizabeth, « The Scientific Basis of Whole Person Medicine », *Journal of the American Scientific Affiliation*, vol. 35, nº 4, 1983, p. 217-224.

Niebuhr, Richard H., *Christ and Culture*, deuxième édition, San Francisco, HarperCollins, 2001.

Chapitre 8

La spiritualité amérindienne sur la place publique: à la recherche d'un statut

Marie-Pierre Bousquet

Depuis la fin des années 1980, on a vu émerger chez les différents groupes amérindiens du Québec une forme de système religieux commun appelée, dans les communautés concernées, « spiritualité traditionnelle ». Ce qualificatif de *traditionnel* est l'objet de controverses au sein même de ces groupes, et il semble à la fois plus consensuel et plus approprié de caractériser cette spiritualité par sa qualité panindienne. Elle semble avoir acquis une certaine légitimité, non seulement par l'expansion qu'elle a prise depuis le début des années 1990 mais aussi parce qu'elle est maintenant intégrée à des programmes de santé, notamment en désintoxication, et à des programmes pénitentiaires dans tout le Canada[1], comme à La Macaza, au Québec. Elle prend également part aux rituels politiques et aux rassemblements en général, puisque de plus en plus, l'ouverture de toute réunion donne lieu à une cérémonie relevant de cette spiritualité. J'entends ici par « rituel politique » toute cérémonie à caractère religieux dont le déroulement est codifié et où le sacré est instrumentalisé dans le but de déterminer les règles d'un dialogue qui est de nature politique.

Dès le départ, il semble important de dire qu'elle ne se donne pas à voir comme une religion, si l'on s'accorde à reconnaître qu'une religion est un système qui associe des croyances et des pratiques mettant en œuvre ces croyances, dans une culture ou une civilisation donnée[2]. Comme l'avait noté Marcel Mauss[3] (1968), les phénomènes religieux sont plus ou moins agrégés en systèmes, et un système religieux n'est pas forcément une religion. On retiendra surtout, de façon pragmatique, que la religion est institutionnalisée dans une collectivité. Or, la spiritualité panindienne n'est *a priori* pas régie par un dispositif institutionnel et ne comprend pas de dogmes.

Pour savoir quelle place les pratiquants amérindiens de cette spiritualité désirent voir assigner à leur système religieux, je commencerai par retracer les prémices de ce mouvement et ses raisons sociales. Puis, j'analyserai les éléments symboliques et les dispositifs cérémoniels communs aux tenants de ce mouvement. Enfin, à la lumière des savoirs transmis par les aînés sur le chamanisme et sur l'héritage de la christianisation, j'étudierai les débats que suscitent, dans les communautés amérindiennes, l'adhésion ou la désapprobation envers ladite spiritualité. Cette recherche s'appuie sur un travail de terrain mené depuis 1996 auprès de bandes algonquines du Québec et par l'observation de fêtes et de rituels divers impliquant en général des Algonquins.

L'ÉMERGENCE DE LA SPIRITUALITÉ AMÉRINDIENNE

La naissance de la spiritualité traditionnelle est difficile à dater, puisque, comme son nom l'indique, elle veut s'inscrire dans une tradition continue. Or, le concept de tradition, qui dans le langage commun fait généralement référence à des pratiques culturelles héritées du passé et transmises de génération en génération pour continuer à se perpétuer dans le présent, a une validité fortement remise en question en sciences sociales. Depuis les travaux de Hobsbawm et Ranger[4], on sait que les pratiques présentées comme des « traditions ancestrales » sont souvent de facture récente et que puisque toute culture se nourrit de créativité et d'innovation, lesdites traditions sont parfois inventées de toutes pièces. Certains auteurs ont voulu contourner ce problème conceptuel. Ainsi, Harald Prins[5], qui étudie chez les Micmacs la « récupération » (*retrieval*) de la tente à sudation et « l'adoption » de la Danse du Soleil, utilise l'expression « néo-tradition », telle qu'elle fut énoncée par Morrison[6]. D'après Morrison, « the concept of neo-tradition implies a more gradual synthesis of old traditions and newer ideas – some of the latter being borrowed from outside sources, others being local reworkings adaptative to changing indigenous conditions »[7]. Mais contrairement à Morrison, qui qualifie les « néotraditions » de « douteuses » (*questionable*) si l'on peut prouver qu'elles sont des emprunts évidents ou des inventions, Prins insiste sur le fait qu'il ne faut pas porter de jugement de valeur sur ces pratiques. Celles-ci, même « nouvellement traditionnelles », ne sont que la manifestation de changements historiques et constituent des traits à part entière des peuples étudiés[8].

Le débat entre chercheurs a son importance, car il reflète le discrédit qu'un public, amérindien comme allochtone, peut accorder à ces pratiques tant qu'elles ne sont pas légitimées par une aura d'autorité. Nous en verrons plus loin les répercussions. Comme il est donc problématique de qualifier cette spiritualité de « traditionnelle », nous dirons plutôt que dans sa forme actuelle, elle correspond à ce que Wallace[9] a appelé un « mouvement de revitalisation », c'est-à-dire qu'elle met en place des valeurs, une vision du monde, des pratiques et des croyances communes, qui semblent avoir toujours existé dans le contexte culturel, mais qui sont des créations organisées. Mais nous postulons que toute création s'organise aussi autour de vieilles idées et de vieilles pratiques, remises au goût du jour pour donner sens dans le présent. À la lumière de ces points de vue, la spiritualité « traditionnelle » est apparue avec le développement du panindianisme, mouvement politique et identitaire intertribal qui a regroupé tous les Amérindiens autour d'une expérience commune de dépossession et de colonisation.

Si les chercheurs ont tendance à dater le panindianisme, accompagné d'un renouveau culturel, dans les années 1960, on sait que ses prémices remontent au début du xxe siècle. Certes, les nations amérindiennes ont toujours entretenu des relations entre elles, par les mariages et la prise de captifs, les conflits et les raids de pillage, les alliances et les échanges commerciaux. On pourrait donc dire qu'une conscience panindienne a toujours existé. Mais les réseaux panindiens n'ont acquis leur acception actuelle qu'à partir du moment où l'appellation « Amérindiens », créée par les colonisateurs, est devenue familière aux acteurs concernés. En effet, comme le montre Goulet en prenant l'exemple des Gwitch'ins, lesdits Amérindiens « ne prirent connaissance de leur nouveau statut que lorsque plus d'Européens que jamais s'installèrent sur leur territoire [...] » et, « comme bien d'autres autochtones avant eux, les Gwitch'ins devinrent rapidement familiers avec les nombreuses implications légales, politiques et économiques de leur statut d'"Indiens" »[10]. Pour ce groupe, cette familiarisation eut lieu à la fin des années 1930.

Au Québec, dès les années 1920 puis à la fin de la Seconde Guerre mondiale, des Iroquois, des Hurons-Wendats, des Algonquins, ont tenté de se rebeller contre l'influence des prêtres catholiques et contre l'autorité du gouvernement en valorisant, en particulier, une volonté de retour à des valeurs traditionnelles[11]. Les alliances politiques qui en résultèrent marquèrent l'apparition du panindianisme, que l'on date par l'émergence de groupes d'intérêt autochtones. L'année 1969 est considérée comme son tournant historique, quand les Amérindiens, regroupés en associations, firent retirer le Livre blanc proposé par le fédéral, qui offrait d'intégrer les Amérindiens à la société canadienne en abolissant la Loi sur les Indiens et en éteignant leurs droits. Ce mouvement de résistance, d'après Charest, « peut être considéré comme la première manifestation du *Red Power* au Canada »[12].

Précisons que nous différencions ici le panindianisme du traditionalisme. En effet, si le premier correspond à la montée spectaculaire des Amérindiens sur la scène publique pour protester contre les politiques qui les concernent et revaloriser leurs identités, le deuxième reflète le processus de colonisation ayant affecté les Amérindiens. La catégorie labile de « traditionalisme » fait référence aux diverses prises de position que les Amérindiens adoptèrent à l'égard des nouveaux venus, à leurs comportements, à leurs valeurs et à leurs pratiques. Comme l'explique Goulet, au sein de chaque communauté, ces différentes positions « s'échelonnent sur un continuum dont les extrémités sont représentées par des individus, des familles ou des groupes plus importants qui s'identifient comme traditionalistes ou progressistes »[13], les premiers n'adoptant pas les manières et les langues européennes. Au fil du temps et de la colonisation, le traditionalisme, catégorie en perpétuelle production selon les circonstances sociales et les différents choix posés par les individus au cours de leur vie, a pu et peut encore être défini par des paramètres divers. Ainsi, les mouvements religieux observés dès le XVIIIe siècle au Canada et aux États-Unis, comme celui né autour du « prophète » seneca Handsome Lake, ne seront pas ici rapprochés de la spiritualité qui sera décrite, car si cette dernière a des composantes « traditionalistes » qui pourraient offrir des perspectives comparatives, elle s'inscrit aussi dans des revendications d'« indianité » nées avec le XXe siècle.

Pour en revenir au Québec, c'est à partir de la fin des années 1980 que la spiritualité « traditionnelle », que j'appelle donc « spiritualité panindienne », a vraiment pénétré les communautés amérindiennes de la province, par l'entremise de personnes qui se nomment eux-mêmes des « thérapeutes spirituels » et qui sont en général engagés politiquement. Je reviendrai plus loin sur ces figures importantes. La fin des années 1980 est une période où des changements et des prises de conscience se sont accélérés chez les Amérindiens : le processus de sédentarisation était achevé partout au Québec, les anciens pensionnaires des écoles résidentielles indiennes commençaient à dénoncer les abus dont ils avaient été victimes de la part des prêtres, la pratique de la religion catholique s'est mise à baisser dans les réserves, et des procès ont débuté pour pédophilie à l'encontre de curés de paroisses amérindiennes. Également, les Amérindiens ont entrepris de muer en initiatives concrètes leur désir de se prendre en charge et de retrouver leur autonomie : d'une part, par une montée sur la scène politique, qui a fait des leaders amérindiens des interlocuteurs incontournables pour le gouvernement, avec un grand pouvoir de pression ; d'autre part, par un mouvement de restructuration sociale qui passe par un travail de thérapie collective et une vaste entreprise de sensibilisation à l'abus d'alcool et à la toxicomanie. En bref, la spiritualité panindienne a pris un essor croissant dans un contexte de début de restauration d'une fierté collective, de réhabilitation d'une identité gravement endommagée.

La formation d'un système de références communes

Le rejet de l'évangélisation, tenue pour responsable de l'effritement des codes moraux de conduite et plus globalement de l'ordre symbolique des cultures amérindiennes[14], et la volonté de remettre en vigueur des pratiques et des croyances tombées en désuétude expliquent en grande partie l'émergence d'une spiritualité panindienne. Toutefois, établir un simple lien de cause à effet ne suffirait pas pour comprendre les débats qu'elle suscite dans les communautés. En effet, l'inclinaison à diaboliser sans exception les missionnaires reviendrait à offrir une vision simpliste et caricaturale de phénomènes plus complexes. Tout d'abord, les missionnaires, au Québec, provenaient d'horizons théologiques variés et avaient agi à différentes époques : si la majorité étaient catholiques (jésuites, oblats de Marie immaculée, rédemptoristes, dominicains), d'autres étaient protestants (anglicans, méthodistes, presbytériens). Ensuite, les recherches menées sur l'ouest du Canada[15] et sur les États-Unis[16] tendraient à montrer que les pères catholiques auraient été en général plus enclins à adapter leur approche missionnaire de la culture de leurs « hôtes »[17] que les pasteurs protestants, ce qui peut, dans certains cas, être extrapolé au Québec (nous apporterons une nuance ci-dessous). En outre, les rivalités entre les Églises auraient eu plus tendance à raviver les croyances « païennes » qu'à aider à les éradiquer[18].

La personnalité du missionnaire local a eu également, et a toujours, une grande importance. On constate par exemple que de nos jours, la pratique catholique est en nette perte de vitesse chez les Algonquins, contrairement à ce qu'on pouvait observer dans les années 1980[19]. Mais au début des années 1990, l'emprisonnement de certains prêtres pour agressions sexuelles sur de jeunes Amérindiens a porté un coup sévère à la crédibilité des religieux. La pratique catholique dépend en fait en partie de la tolérance du curé local envers les demandes des Algonquins : remplacer les hosties par de la bannique, bénir les canots et les fusils avant de partir en forêt, accepter de ne jouer qu'un rôle subalterne lors des mariages et des enterrements, pour laisser plus de place aux personnes qui désirent s'exprimer. Certains curés, considérés comme particulièrement ouverts, ont laissé d'eux un très bon souvenir[20].

Enfin, comme le montrent Gagnon[21] et Armitage[22] pour les Innus, le système spirituel élaboré à partir du catholicisme et du chamanisme indique que pour les Amérindiens, les deux idéologies sont loin d'être incompatibles. Ainsi que le dit Gagnon, « si le ressentiment concernant les dispositifs disciplinaires mis en place par les missionnaires est encore vivant dans la tradition orale des Innus de la Basse-Côte-Nord, plusieurs aînés demeurent positifs face au rôle joué par la mission de Musquaro dans leur culture »[23], une assertion que les aînés algonquins rencontrés ont en général tendance à valider pour les missions qui les ont concernés. De même, l'adhésion à la spiritualité panindienne n'entraîne pas nécessairement un rejet de l'évangélisation. En fait, ce qui semble surtout remis en question depuis les années 1960, plus que le contenu des croyances chrétiennes, est le pouvoir temporel de l'Église, accusée d'avoir le plus souvent favorisé la domination des Blancs, la perte du mode de vie semi-nomade et de la langue[24].

Il faut ensuite analyser le système de références communes qui constitue le pilier de cette spiritualité et étudier les parcours de vie de ceux qui s'en réclament. Si ce système est fort complexe, on peut néanmoins en extraire les idées fondamentales. La vision du monde véhiculée par cette spiritualité est que les cultures autochtones d'Amérique seraient dépositaires de réponses sages aux questions que se pose notre monde troublé. La spiritualité panindienne annonce, à travers des prophéties, un changement d'ère imminent, où après des années de noirceur et de destruction de l'environnement, les êtres humains vivront un renouveau qui, selon les narrateurs, sera d'ordre positif ou négatif.

Les prophéties s'inscrivent dans un motif très ancien des traditions orales algonquiennes au Québec, le motif de la prédiction. Les prédictions annoncent, à diverses époques, des destructions graduelles des modes de vie, l'usurpation du territoire, la domination des Amérindiens qui ne peuvent plus assurer leur subsistance, des faits inexorables qui vont se produire et qui vont mettre fin à une époque. Elles apparaissent, selon Michel Izard, dans « une situation culturelle gravement altérée par l'intrusion brutale et angoissante de la domination blanche »[25]. Le plus souvent, l'agent qui énonce la prédiction est un vieillard ou un chaman, c'est-à-dire deux figures de sagesse et d'expérience, des personnes reconnues pour avoir des relations spéciales avec les esprits, qui à cause de leur statut auraient dû être écoutées et prises au sérieux. Pourtant, la personne douée d'un don de seconde vue n'est pas crue, ce qui explique l'absence de recours à la conjuration pour prévenir le désastre, car malgré l'habituelle réputation de fiabilité des augures, le discours prédictif semble contraire à la logique. En effet, par exemple, détruire la nature est insensé, puisque personne ne peut vivre sans en prendre soin. En outre, les étrangers qui sont responsables de ces changements sont par définition extérieurs aux systèmes de valeurs et de représentations des Amérindiens, ils ne peuvent faire l'objet de sanctions surnaturelles, ce qui rend irréversible le processus qu'ils engagent.

Mais les prédictions laissent aussi la possibilité d'entrevoir une évolution future. Ainsi, elles peuvent énoncer des prophéties, l'arrivée d'un monde meilleur, un élément qu'on retrouve dans les systèmes religieux autochtones à des époques très anciennes. La dialectique des prophéties actuelles s'inscrit ainsi dans des thèmes culturellement connus : nous étions forts avant, nous avons perdu notre puissance en oubliant nos anciens principes, en faillant aux esprits qui nous protégeaient, mais nous pouvons reconstruire l'ordre ancien. Les prophéties de la spiritualité panindienne peuvent donc être vues comme la réactualisation de mouvements réformateurs élaborés lors de périodes troublées. Reprenant l'analyse de Boudreau, il semble que les Amérindiens voient, dans la période actuelle, « des critiques profondes et sérieuses à l'égard de la culture euro-américaine et de sa conception de la terre et du politique »[26].

Le concept philosophique central est l'idée d'une relation à la terre, à une Terre-Mère. Je ne discuterai pas ici des débats qui entourent la genèse de ce concept[27]. Mais retenons que celui-ci englobe une forme de religion de la nature[28], où les plantes et les animaux seraient les frères et sœurs des êtres humains et une source d'énergie positive. Le pendant masculin de la Terre-Mère est le Créateur ou Père-Ciel, responsable de l'ordonnancement de l'univers selon les quatre points cardinaux, la terre et le ciel, le soleil et la lune. Pour leur rendre hommage, quatre cérémonies auxquelles peut assister un public non indien sont importantes : le lever du soleil, la cérémonie de la pipe (que l'on fume en cercle en la faisant passer dans le sens des aiguilles d'une montre), la tente de sudation (qui sert à se purifier et à avoir des visions) et le chant au tambour. Ces cérémonies sont accessibles par exemple lors des rassemblements dits spirituels qui ont lieu souvent l'été. J'ai précisé que ces cérémonies agréent un public non autochtone car, d'une part, les prosélytes de cette spiritualité ne cherchent pas à recruter des non-Amérindiens, d'autre part ces dispositifs rituels sont les seuls où se donne à voir publiquement la pratique de cette spiritualité. Certains objets sont sacrés : la pipe, le tambour, la roue de médecine, le capteur de rêves, s'ils sont fabriqués avec des matériaux naturels ; certains animaux et éléments naturels sont aussi sacrés : la plume d'aigle et l'aigle, le tabac, la sauge, le foin d'odeur. Les pratiquants de cette spiritualité ont aussi en commun des motifs emblématiques, comme le cercle, qui représente la vie, et le symbolisme des quatre couleurs jaune, rouge, blanc et noir[29]. Un système de valeurs est également standardisé : il promeut le respect, le partage, la sobriété. Ce dernier point est essentiel : ces valeurs véhiculent une image qui veut s'opposer au stéréotype négatif des Amérindiens alcooliques, dépendants et profiteurs. Comme le note Boudreau, « ce panindianisme culturel est également à valeur fonctionnelle, et il semble [...] procéder d'une volonté de résoudre un ensemble de pathologies sociales, qui vont de la violence à la toxicomanie et au suicide »[30].

Les propagateurs de cette spiritualité, les thérapeutes spirituels, ont déjà un nom qui retient l'attention. Ils ne se présentent pas comme chamans ni comme néochamans, et ne revendiquent pas non plus un statut semblable à celui de prêtres. Ils conduisent les cérémonies, mais, en fait, chaque personne amérindienne qui connaît la gestuelle et le déroulement des rituels peut agir comme eux. Leur enseignement va de pair avec un discours sur la fierté d'être Amérindiens. Leurs parcours de vie reflètent souvent la conception qu'ils ont de leur rôle social. En général, ils ont vécu pendant longtemps à la manière des Blancs, sans rien apprendre des traditions. Pendant cette période de leur existence, ils ont mené une vie chaotique, ne prenant pas soin de leur famille. Puis, après une prise de conscience, souvent après une désintoxication, ils ont suivi un apprentissage d'éléments culturels amérindiens divers pour combler la rupture entre ce qu'ils étaient et ce qu'ils pensaient devoir être, et aident maintenant les autres à guérir, dans le sens de retrouver leur identité. Certains thérapeutes ont des dons innés, comme celui de guérir, de pressentir les événements, de faire des voyages astraux, mais cette condition n'est pas essentielle. Ils peuvent être issus de n'importe laquelle des dix nations amérindiennes du Québec, avoir fait leur apprentissage dans la province ou n'importe où ailleurs en Amérique du Nord. Tous s'engagent, et les adeptes qu'ils font aussi, à témoigner de leur résolution à contrer les problèmes sociaux par un mode de vie sain. Cette ligne de vie est d'ailleurs devenue un nouveau modèle de réussite sociale.

Succès et controverses autour de cette spiritualité

La tentation est grande de ranger cette spiritualité dans la catégorie du nouvel âge. Encore faut-il qu'on puisse définir ce que recouvre cette appellation aux contours flous. Si l'on retient que le nouvel âge est en lien avec divers mouvements contestataires des années 1970, d'où est né un intérêt pour les conceptions et pratiques des sociétés traditionnelles[31], et l'idée que ce courant est caractérisé par l'annonce d'un changement d'ère, « dans un âge nouveau de prise de conscience spirituelle et planétaire, écologique et mystique »[32], alors la spiritualité pan-indienne a des tendances nouvel âge. Elle attire d'ailleurs les Occidentaux, qui forment une partie importante de l'auditoire des rassemblements spirituels[33].

Cet attrait des Blancs, qui, pour certains, adhèrent tellement à cette spiritualité qu'ils en adoptent des comportements d'identification aux Amérindiens, est un des premiers sujets de controverse que provoque cette religiosité. Les détracteurs de celle-ci ne veulent pas que leurs cultures deviennent des objets de folklore. Comme le montrent Miskimmin[34] et Aldred[35], les non-Indiens fondent leur appropriation de la spiritualité pan-indienne sur une vision romantique d'une « culture amérindienne » « authentique » et « ancestrale »[36]. Or, une telle vision est largement fantasmée, car non seulement il n'existe pas une culture amérindienne mais bien plusieurs, mais, également, elle fige les Amérindiens dans des stéréotypes atemporels qui n'existent que dans l'imagination des allochtones. La commercialisation de la spiritualité panindienne par des activistes blancs est dénoncée par les Amérindiens, qui y voient un manque total de respect envers eux[37]. Si l'on constate que la présence des non-Indiens est acceptée dans les cérémonies, elle ne l'est que dans la mesure où des Amérindiens en contrôlent la performance. D'après Miskimmin, que rejoignent mes observations, « respecting the integrity of native people and their spirituality does not mean that there can never be cross-cultural sharing. [...] Native people may invite a non-Indian to take part in a ceremony, but it will be on native terms »[38]. Les pratiquants amérindiens sont d'ailleurs conscients des dangers de dérive, car ils laissent filtrer qu'ils participent à des rituels et à des retraites qui ne sont ouverts qu'aux Amérindiens avertis.

Un autre aspect décrié est que cette spiritualité manierait des forces sans recourir à des praticiens aguerris, comme l'étaient les chamans. Bien que les thérapeutes spirituels se défendent d'être des chamans, ils peuvent être soupçonnés de revivifier des relations avec des esprits susceptibles d'être maléfiques. Cette crainte est souvent exprimée par des aînés, unilingues dans leur langue vernaculaire, nés et élevés dans des modes de vie semi-nomades où de nombreuses pratiques du chamanisme avaient déjà disparu ou étaient devenues clandestines. Ces aînés, éduqués dans un catholicisme omniprésent (ou l'anglicanisme pour les Cris), demeurent attachés à cette religion qu'ils considèrent comme faisant partie de la tradition et ne se montrent pas forcément favorables à la revitalisation de conceptions proches du chamanisme[39] qui peuvent être utilisées à des fins malveillantes. Or, les aînés sont réputés être les détenteurs des héritages culturels, ce qui leur confère une autorité qui est très valorisée.

En outre, un autre critère de refus de cette spiritualité est qu'elle ne serait pas vraiment traditionnelle. Elle fait appel à des éléments qui sont familiers à plusieurs traditions amérindiennes du Québec mais qui, réinterprétés, n'ont plus leur signifiant d'origine. Elle réunit aussi des éléments composites issus d'un vaste mélange de patrimoines culturels, avec une prédominance d'éléments venant des plaines des États-Unis, de l'Ouest canadien et de diverses cultures algonquiennes – ojibwa, crie d'Ontario –[40], ce qui fait dire au Québec par les détracteurs « cela ne vient pas de chez nous », « notre histoire orale n'en parle pas », « nos aînés ne pratiquaient pas ça ». Elle inclut également des éléments d'origine chrétienne, en un syncrétisme qui peut déplaire[41].

Enfin, les Amérindiens qui restent mitigés à l'égard de cette religiosité ont peur que celle-ci ne réifie une conception uniformisée et réductionniste d'une culture panindienne qui deviendrait la seule culture de référence. Ils veulent préserver leurs particularités locales et ne souhaitent pas se reconnaître dans un système de croyances qui pourrait se muer en un fondamentalisme[42]. En gros, ils allèguent que la spiritualité panindienne ne doit pas devenir une autre de ces religions figées et rigides[43] qui ont provoqué tant de conflits et de divisions dans les communautés. En outre, selon eux, pour savoir qui l'on est, on doit faire soi-même son propre travail d'introspection et d'expériences.

En contrepartie, la spiritualité panindienne est appréciée en ce qu'elle recompose un cadre identitaire positif : être Amérindien n'est plus un problème mais une valeur ajoutée. Dans les programmes de réinsertion et de santé, elle est devenue un outil thérapeutique efficace[44]. En politique, elle instaure une atmosphère favorisant le dialogue. Enfin, elle ne concentre pas le pouvoir rituel et les connaissances en une frange d'individus spécifiques, car, même si elle comporte des guides, tout le monde peut pratiquer chez soi des rituels comme le lever du soleil ou la fumigation. Elle permet donc de récupérer un contrôle sur un monde invisible que s'étaient approprié les missionnaires et plus largement une autonomie dans une situation de dépendance envers l'État.

Une pluralité dynamique

Les Amérindiens ne forment pas un tout uniforme. Des peuples différents, avec des traditions diverses, ont élaboré une spiritualité présentant des grandes idées relativement homogènes mais qui recèlent aussi des spécificités locales. L'analyse de la spiritualité panindienne, dont je n'ai exposé ici que les idées de base, offre des indices sur la façon dont les Amérindiens se perçoivent eux-mêmes et sur la position sociale qu'ils occupent dans une place publique définie par des contours historico-politiques. Ils ont été évangélisés pour que soient éradiquées leurs visions du monde, ils sont sous tutelle de l'État par la Loi sur les Indiens, ils vivent de graves difficultés sociales, mais ils veulent relever la tête pour que leur identité ne soit plus synonyme de stigmatisation. Dans un contexte de relations très politisées entre Amérindiens et allochtones, la spiritualité propose une autre alternative de dialogue, non plus sur le mode de la revendication et de la négociation mais sur le mode du consensus et de l'oubli des conflits. Tel un espace de médiation, elle permet à ceux qui s'en réclament de contester leur situation dans la société, envers eux-mêmes et envers les autres, pour retrouver un équilibre.

Si cette spiritualité est née dans un mouvement controversant l'ordre colonial établi, il peut paraître contradictoire que les gouvernements, fédéral et provinciaux, jouent un rôle dans sa diffusion. En effet, ces derniers encouragent sa propagation dans les programmes correctionnels et ils acceptent que toute discussion soit ouverte par des bénédictions et des appels au Grand Esprit, alors que leurs politiques, jusque dans les années 1950, ont porté atteinte à la liberté religieuse des autochtones. Ambivalence ou nouvelle ouverture d'esprit, la question ne peut être tranchée sans analyses approfondies, ce qui ouvre des pistes de recherche. Il semble toutefois qu'on puisse avancer, à l'instar de Zellerer, que « the challenge for government is to create policies which reflect its obligations to Native people and which recognize the inherent right of First Nations peoples to self-determination »[45].

La reconnaissance politique de la spiritualité panindienne est-elle un piège ? Certains Amérindiens y voient un progrès, d'autres une porte ouverte à l'interventionnisme de l'État. Il ne faut pas oublier que les Amérindiens font face à un pluralisme religieux, puisque le mouvement décrit ici coexiste avec le catholicisme, le protestantisme, le pentecôtisme et même l'athéisme. Ainsi, identifier les Amérindiens à la seule spiritualité panindienne serait une vision très réductrice de la réalité. De même, ce panindianisme spirituel se subdivise en plusieurs courants, qui ont chacun leurs particularités selon les réseaux d'individus à travers lesquels ils s'expriment. Certains réseaux sont ouverts à tous, en vertu de l'universalité de l'idéal de vie présenté. D'autres, radicaux, s'adressent à des cercles d'initiés. Faut-il donc trouver un statut à cette spiritualité sur la place publique ? Il appartient aux Amérindiens de trouver les réponses qui leur conviennent, dans l'espace critique qui leur est propre et qui, par les dissensions, les contradictions et les débats qui le parcourent, montre sa richesse et son dynamisme.

Notes

1. Voir Evelyn Zellerer, « Native Spirituality Behind Bars : A Policy Proposal », *Canadian Journal of Native Studies*, vol. 12, n° 2, 1992, p. 251-268 ; James B. Waldram, *The Way of the Pipe. Aboriginal Spirituality and Symbolic Healing in Canadian Prisons*, Peterborough (Ontario), Broadview Press, 1997a. ; J. B. Waldram, « The Reification of Aboriginal Culture in Canadian Prison Spirituality Programs », dans Marie Mauzé (dir.), *Present is Past, Some Uses of Tradition in Native Societies*, Lanham, New York, Oxford, University Press of America Inc., 1997b, p. 131-143.
2. Laurence Caillet et Raymond Jamous, « Religion et rituel », dans Martine Segalen (dir.), *Ethnologie, concepts et aires culturelles*, Paris, Armand Colin, 2001, p. 51.
3. Marcel Mauss, *Œuvres I, Les fonctions sociales du sacré*, Paris, Éditions de Minuit, 1968.
4. Eric Hobsbawm et Terence Ranger (dir.), *The Invention of Tradition*, Cambridge, Cambridge University Press, 1983.
5. Harald E. L. Prins, « Neo-traditions in Native Communities : Sweat Lodge and Sun Dance Among the Micmac Today », dans William Cowan (dir.), *Actes du vingt-cinquième congrès des Algonquinistes*, Ottawa, Carleton University, 1994, p. 383-394.
6. Alvin H. Morrison, « The Spirit of the Law versus the Storm Spirit : A Wabanaki Case », dans William Cowan (dir.), *Papers of the Thirteenth Algonquian Conference*, Ottawa, Carleton University, 1982, p. 179-191.
7. Cité dans H. Prins, 1994, p. 384.
8. *Ibid.*, p. 385.
9. Anthony Wallace, « Revitalization Movements », *American Anthropologist*, vol. 58, n° 2, 1956, p. 264-281.
10. Jean-Guy Goulet, « Cérémonies, prières et médias : perspectives autochtones », *Recherches amérindiennes au Québec*, vol. 30, n° 1, 2000, p. 60.
11. Serge Bouchard, *Mémoires d'un simple missionnaire. Le père Joseph-Étienne Guinard, o.m.i., 1864-1965*, Québec, ministère des Affaires culturelles, 1980, p. 211-212. Dans ces pages, le prêtre fait allusion au mouvement des Six-Nations, en 1924, qui revendiquait la souveraineté des Iroquois en prônant notamment un retour aux valeurs

et coutumes traditionnelles. Il parle aussi de 1944, année où, lors d'un rassemblement national à Ottawa, deux leaders, un Huron et un Algonquin, fondèrent le « gouvernement de la nation indienne de l'Amérique du Nord ».

12. Paul Charest, « La prise en charge donne-t-elle du pouvoir ? L'exemple des Atikamekw et des Montagnais », *Anthropologie et Sociétés*, vol. 16, nº 3, 1992, p. 58.
13. *Ibid.*, p. 61.
14. Le processus d'effritement du pacte symbolique des sociétés amérindiennes est illustré, pour les Algonquins, par un article de Jacques Leroux, 1995, sur la bande de Grand Lac Victoria. L'auteur montre notamment comment le travail de sape des croyances et l'interdiction de raconter les mythes par les missionnaires détruisirent les piliers de l'éthique algonquine. Les missionnaires s'arrogèrent aussi des rôles de chefs, ce qui, de pair avec la Loi sur les Indiens, mina l'équilibre politique algonquin et, de là, l'ordre social.
15. Sylvie Dussault, « L'homme à chapeau, le Grand Esprit et l'Anichénabé. Ojibwas et Jésuites au Canada-Ouest, 1843-1852 », *Recherches amérindiennes au Québec*, vol. 32, nº 1, 2002, p. 39-52.
16. Joëlle Rostkowski, *La conversion inachevée. Les Indiens et le christianisme*, Paris, Albin Michel, 1998.
17. S. Dussault, 2002, p. 50.
18. Bien que la question mérite d'être creusée, il semblerait que ce phénomène, en réaction à ces rivalités entre Églises, soit applicable à plusieurs cas observés au Québec, notamment chez les Mohawks et chez les Algonquins. L'étude de Reid (1999) sur Kahnawake le suggère en partie pour les Mohawks. De même, les mémoires du père Guinard, qui font état de ses récriminations à l'encontre des pasteurs protestants au fil des pages, mentionnent que Maniwaki fut un des premiers foyers d'adhésion au mouvement des Six-Nations, en 1924 (Bouchard, 1980, p. 211-212). Or, Maniwaki, au début du XXe siècle, comptait une église anglicane et une église presbytérienne, perçues comme des menaces par les Oblats, qui en combattirent les influences (*Ibid.*, p. 73-74).
19. Précisons toutefois que la plupart des Algonquins continuent de faire baptiser leurs enfants, de se marier et d'avoir des cérémonies de funérailles à l'église catholique. Mais en cas de deuxième union,

interdite par l'Église catholique tant que le conjoint est encore vivant, on peut choisir comme option de se marier chez les pentecôtistes ou simplement de vivre en concubinage.

20. Plusieurs prêtres se sont interrogés sur la nature de l'image qu'ils véhiculaient, agents d'invasion ou défenseurs de valeurs communes avec celles les Amérindiens. On retrouve ces préoccupations dans un article du père oblat Rémi Côté, missionnaire à Maniwaki dans les années 1960 : « Selon les Indiens, la religion et les prêtres ont servi de boucliers aux blancs pour mieux envahir ce nouveau pays. [...] Y aurait-il lieu de revaloriser certains symboles plus significatifs pour les Indiens ? [...] L'ornementation de nos églises a-t-elle quelques reflets qui plaisent aux Indiens ? Avons-nous la diplomatie d'interroger les Indiens sur ce qu'ils désireraient ? » (Rémi Côté, « Sommes-nous des imposteurs ? », *Kerygma*, vol. 1, nº 2, 1967, p. 70-71).
21. Denis Gagnon, « Les Innus de la Basse-Côte-Nord et la mission catholique de Musquaro (1800-1946) : contexte historique et tradition orale », *Recherches amérindiennes au Québec*, vol. 32, nº 2, 2002, p. 49-62.
22. Peter Armitage, « Religious Ideology Among the Innu of Eastern Quebec and Labrador », *Religiologiques*, nº 6, automne 1992, p. 64-110.
23. D. Gagnon, 2002, p. 59.
24. La présence des missionnaires au sein des communautés amérindiennes était en effet encouragée par le ministère des Affaires indiennes, qui avait tendance à traiter avec eux comme intermédiaires politiques plutôt qu'avec les chefs (Gélinas, 2002). De même, les missionnaires ont joué un rôle important dans la sédentarisation, perçue comme un « progrès civilisateur » par la pensée occidentale, et c'est à eux que fut confié l'enseignement scolaire en français ou en anglais.
25. Michel Izard, « Prophétisme », dans Pierre Bonte et Michel Izard, *Dictionnaire de l'ethnologie et de l'anthropologie*, Paris, Quadrige/PUF, 2000, p. 604 ; Leroux analyse dans un de ses articles (1992) un récit de ce genre que lui fit une aînée algonquine, Mani Michel, en 1989. Il y relève trois thèmes : les envahisseurs, l'ère des désastres pour les Algonquins, la terre à l'abandon. Il montre que Mani Michel mêle dans son récit des événements lointains (l'arrivée des

Blancs au Canada) et des événements récents (la colonisation de la région et la scolarisation des enfants) sans établir de différence dans sa façon de conter. Son récit donne ainsi du sens à des épisodes historiques et à la situation actuelle.

26. François Boudreau, « Identité, politique et spiritualité. Entretiens avec quelques leaders ojibwas du nord du lac Huron », *Recherches amérindiennes au Québec*, vol. 30, n° 1, 2000, p. 81.
27. Gill, 1990, sur le sujet. Cet auteur montre comment ce concept est né d'une mythologie construite par des Occidentaux, notamment par des anthropologues du XIXe siècle, à partir d'une histoire contée par un Indien de la nation sahaptin, Smohalla.
28. Catherine Albanese, *Nature Religion in America : From the Algonkian Indians to the New Age*, Chicago et London, University of Chicago Press, 1990.
29. Zellerer, 1992, p. 254. Des auteurs amérindiens ont aussi décrit dans des publications les concepts philosophiques, les symboles, la gestuelle et les cérémonies de cette spiritualité. Citons par exemple trois Sioux, Archie Fire Lame Deer (1995), Ed McGaa (1990) et White Bird (1989).
30. F. Boudreau, 2000, p. 73.
31. Françoise Champion, « La "nébuleuse mystique-ésotérique" : une décomposition du religieux entre humanisme revisité, magique, psychologique », dans Jean-Baptiste Martin et François Laplantine (dir.), *Le défi magique, vol. I : Ésotérisme, occultisme, spiritisme*, Lyon, Presses Universitaires de Lyon, 1994, p. 316.
32. Jean Vernette, *Le New Age*, Paris, PUF, 1992, p. 5.
33. Les auteurs qui étudient la réappropriation de la spiritualité panindienne par les Blancs inscrivent tous cette tendance dans le mouvement nouvel âge, sans définir celui-ci mais plutôt en cherchant à le caractériser. Aldred dit ainsi que le nouvel âge « is a term that is applied to a heterogeneous collection of philosophies and practices » et que « Native American Spirituality is among the most popular interests » (2000, p. 330). Miskimmin soulève aussi que « the New Age movement [...] has sparked a new interest in traditional native spirituality » (1996, p. 205). Notons que si l'influence des Amérindiens sur les Blancs, au point de vue spirituel, est bien documentée, l'inverse l'est très peu, alors qu'il y a tout lieu de supposer que ce phénomène est à double sens.

34. Susanne Miskimmin, « The New Age Movement's Appropriation of Native Spirituality : Some Political Implications for the Algonquian Nation », dans David H. Pentland (dir.), *Papers of the Twenty-Seventh Algonquian Conference*, Winnipeg, University of Manitoba, 1996, p. 205-211.
35. Lisa Aldred, « Plastic Shamans and Astrosurf Sun Dances. New Age Commercialization of Native American Spirituality », *American Indian Quarterly*, vol. 24, n° 3, été 2000, p. 329-352.
36. De nombreux auteurs ont analysé l'attrait qu'ont exercé et qu'exercent les Amérindiens sur les Blancs, en Amérique du Nord et en Europe. Pour information, citons l'ouvrage collectif dirigé par James Clifton (1994) et l'article de Rayna Green (1988).
37. L. Aldred, 2000, p. 335.
38. S. Miskimmin, 1996, p. 210.
39. Il est délicat de définir le chamanisme, mais nous pouvons dégager certaines caractéristiques. Il s'agit d'un système religieux dont le spécialiste, le chaman, « remplit le rôle d'intermédiaire entre les hommes et les esprits » (De Sales, 2000, p. 132). Bien qu'on le retrouve dans des sociétés très diverses, nous en retiendrons ce que met en valeur Hamayon pour les sociétés de chasseurs, peu nombreuses, sans État, à idéologie égalitaire, vivant en dépendance directe de la nature, puisque les peuples algonquiens du Québec formaient de telles sociétés. Le chamanisme y est fondé sur « une certaine conception de l'échange associant les hommes et l'ensemble formé par la nature pourvoyeuse de gibier, doublée d'un monde surnaturel peuplé d'esprits et donneur de vie » (De Sales, 2000, p. 133).
40. Beverley Cavanagh, Michael Sam Cronk et Franziska Von Rosen, « Vivre ses traditions. Fêtes intertribales chez les Amérindiens de l'est du Canada », *Recherches amérindiennes au Québec*, vol. 18, n° 4, 1988, p. 5-21 ; F. Boudreau, 2000.
41. D'après mes observations, dans les rassemblements spirituels, il n'est pas rare que les dirigeants de cérémonies incluent, à leur discrétion, des séquences rituelles qui ressemblent à l'Eucharistie catholique ou au baptême.
42. Waldram explique d'ailleurs que les programmes pénitentiaires véhiculent un « fondamentalisme panindien » (1997b, p. 142).

43. Il peut arriver que des thérapeutes spirituels imposent une gestuelle et une apparence très codifiées (par exemple imposer une jupe longue – ou au moins un pantalon – et une absence de maquillage pour les femmes), ou qu'ils aient un discours opposant de façon binaire l'indianité et l'occidentalité. Ce genre d'attitude, en tout cas chez les Algonquins du Québec, rencontre alors de fortes critiques, en vertu de l'idée que chacun est libre de se comporter comme il l'entend, de croire en ce qu'il veut, et que pour guérir les blessures du passé, il faut d'abord se réconcilier avec les Euro-canadiens.
44. E. Zellerer, 1992 ; J. B. Waldram, 1997a ; J. B. Waldram, 1997b.
45. E. Zellerer, 1992, p. 253.

Bibliographie

Albanese, Catherine, *Nature Religion in America : From the Algonkian Indians to the New Age*, Chicago et London, University of Chicago Press, 1990.

Aldred, Lisa, « Plastic Shamans and Astrosurf Sun Dances. New Age Commercialization of Native American Spirituality », *American Indian Quarterly*, vol. 24, n° 3, été 2000, p. 329-352.

Armitage, Peter, « Religious Ideology Among the Innu of Eastern Quebec and Labrador », *Religiologiques*, n° 6, automne 1992, p. 64-110.

Bouchard, Serge, *Mémoires d'un simple missionnaire. Le père Joseph-Étienne Guinard, o.m.i., 1864-1965*, Québec, ministère des Affaires culturelles, 1980.

Boudreau, François, « Identité, politique et spiritualité. Entretiens avec quelques leaders ojibwas du nord du lac Huron », *Recherches amérindiennes au Québec*, vol. 30, n° 1, 2000, p. 71-85.

Caillet, Laurence et Raymond Jamous, « Religion et rituel », dans Segalen, Martine (dir.), *Ethnologie, concepts et aires culturelles*, Paris, Armand Colin, 2001, p. 47-69.

Cavanagh, Beverley, Cronk, Michael Sam et Franziska Von Rosen, « Vivre ses traditions. Fêtes intertribales chez les Amérindiens de l'est du Canada », *Recherches amérindiennes au Québec*, vol. 18, n° 4, 1988, p. 5-21.

Champion, Françoise, « La "nébuleuse mystique-ésotérique" : une décomposition du religieux entre humanisme revisité, magique, psychologique », dans Martin, Jean-Baptiste et François Laplantine (dir.), *Le défi magique, vol. I : Ésotérisme, occultisme, spiritisme*, Lyon, Presses Universitaires de Lyon, 1994, p. 315-326.

Charest, Paul, « La prise en charge donne-t-elle du pouvoir ? L'exemple des Atikamekw et des Montagnais », *Anthropologie et Sociétés*, vol. 16, n° 3, 1992, p. 55-76.

Clifton, James (dir.), *The Invented Indian : Cultural Fictions and Government Policies*, New Brunswick (États-Unis) et London (Royaume-Uni), Transaction Publishers, 1994.

Côté, Rémi, « Sommes-nous des imposteurs ? », *Kerygma*, vol. 1, n° 2, 1967, p. 69-71.

De Sales, Anne, « Chamanisme », dans Bonte, Pierre et Michel Izard, *Dictionnaire de l'ethnologie et de l'anthropologie*, Paris, Quadrige/PUF, 2000, p. 132-134.

Dussault, Sylvie, « L'homme à chapeau, le Grand Esprit et l'Anichénabé. Ojibwas et jésuites au Canada-Ouest, 1843-1852 », *Recherches amérindiennes au Québec*, vol. 32, n° 1, 2002, p. 39-52.

Gagnon, Denis, « Les Innus de la Basse-Côte-Nord et la mission catholique de Musquaro (1800-1946) : contexte historique et tradition orale », *Recherches amérindiennes au Québec*, vol. 32, n° 2, 2002, p. 49-62.

Gélinas, Claude, « La création des réserves atikamekw (1895-1950) ou quand l'Indien était vraiment un Indien », *Recherches amérindiennes au Québec*, vol. 32, nº 2, 2002, p. 35-48.

Gill, Sam, « Mother Earth : An American Myth », dans Clifton, James (dir.), *The Invented Indian : Cultural Fictions and Government Policies*, New Brunswick (États-Unis) et London (Royaume-Uni), Transaction Publishers, 1990, p. 129-143.

Goulet, Jean-Guy, « Cérémonies, prières et médias : perspectives autochtones », *Recherches amérindiennes au Québec*, vol. 30, nº 1, 2000, p. 59-70.

Green, Rayna, « The Tribe Called Wannabee : Playing Indian in America and Europe », *Folklore*, vol. 99, nº 1, 1988, p. 30-55.

Hamayon, Roberte, « Chamanisme », dans *Encyclopaedia Universalis*, Paris, 2002, p. 275-278.

—, « Shamanism in Siberia : From Partnership in Supernature to Counter-power in Society », dans Thomas, Nicholas et Caroline Humphrey (dir.), *Shamanism, History, and the State*, Ann Arbor, The University of Michigan Press, 1994.

Hobsbawm, Eric, et Terence Ranger (dir.), *The Invention of Tradition*, Cambridge, Cambridge University Press, 1983.

Izard, Michel, « Prophétisme », dans Bonte, Pierre et Michel Izard, *Dictionnaire de l'ethnologie et de l'anthropologie*, Paris, Quadrige/PUF, 2000, p. 603-605.

Lame Deer Archie Fire (avec la collab. de Richard Erdoes), *Le cercle sacré, mémoires d'un homme-médecine sioux*, Paris, Albin Michel, 1995.

Leroux, Jacques, « Le tambour d'Edmond », *Recherches amérindiennes au Québec*, vol. 22, nº 2-3, 1992, p. 30-43.

—, « Les métamorphoses du pacte dans une communauté algonquine », *Recherches amérindiennes au Québec*, vol. 25, nº 1, 1995, p. 51-69.

Mauss, Marcel, *Œuvres I, Les fonctions sociales du sacré*, Paris, Éditions de Minuit, 1968.

Mc Gaa, Ed (Eagle Man), *Mother Earth Spirituality, Native American Paths to Healing Ourselves and Our World*, San Francisco, HarperCollins Publishers, 1990.

Miskimmin, Susanne, « The New Age Movement's Appropriation of Native Spirituality : Some Political Implications for the Algonquian Nation », dans Pentland, David H. (dir.), *Papers of the Twenty-Seventh Algonquian Conference*, Winnipeg, University of Manitoba, 1996, p. 205-211.

Morrison, Alvin H., « The Spirit of the Law versus the Storm Spirit : A Wabanaki Case », dans Cowan, William (dir.), *Papers of the Thirteenth Algonquian Conference*, Ottawa, Carleton University, 1982, p. 179-191.

Prins, Harald E. L., « Neo-traditions in Native Communities : Sweat Lodge and Sun Dance Among the Micmac Today », dans Cowan, William (dir.), *Actes du vingt-cinquième congrès des Algonquinistes*, Ottawa, Carleton University, 1994, p. 383-394.

Reid, Gerald F., « "Un malaise qui est encore présent". Les origines du traditionalisme et de la division chez les Kanien'kehaka de Kahnawake au xxe siècle », *Recherches amérindiennes au Québec*, vol. 19, n° 2, 1999, p. 37-49.

Rostkowski, Joëlle, *La conversion inachevée. Les Indiens et le christianisme*, Paris, Albin Michel, 1998.

Vernette, Jean, *Le New Age*, Paris, PUF, 1992.

Waldram, James B., *The Way of the Pipe. Aboriginal Spirituality and Symbolic Healing in Canadian Prisons*, Peterborough (Ontario), Broadview Press, 1997a.

—, « The Reification of Aboriginal Culture in Canadian Prison Spirituality Programs », dans Mauzé, Marie (dir.), *Present is Past, Some Uses of Tradition in Native Societies*, Lanham, New

York, Oxford, University Press of America Inc., 1997b, p. 131-143.

Wallace, Anthony, « Revitalization Movements », *American Anthropologist*, vol. 58, n° 2, 1956, p. 264-281.

White Bird, *Indien par le sang, Américain par la loi. L'itinéraire d'un jeune Sioux d'aujourd'hui*, Paris, Éditions Balland, 1989.

Zellerer, Evelyn, « Native Spirituality Behind Bars : A Policy Proposal », *Canadian Journal of Native Studies*, vol. 12, n° 2, 1992, p. 251-268.

Troisième partie

Dialogue interreligieux, défis professionnels et culturels

CHAPITRE 9

Vers une étude critique appliquée de la religion[1]

PATRICE BRODEUR

TOUT L'INDIQUE : le temps des débats idéologiques concernant l'étude critique de la religion est révolu. Il faut désormais que les experts en cette discipline entreprennent d'établir la relation entre l'étude critique de la religion et ses modes d'application sur le terrain, relation qui s'exprime dans l'appellation « étude critique appliquée de la religion ». L'application dont il s'agit doit passer par une double approche dans laquelle théorie et pratique se complètent mutuellement. Côté théorie, nous devons élaborer des bases solides en commençant par la comparer avec les autres disciplines qui ont développé une branche dite « appliquée ». Côté mise en pratique, il s'agit d'abord de définir les multiples espaces qui se retrouvent à l'intersection du public et du religieux afin de pouvoir ensuite mettre sur pied des agendas spécifiques à chacun de ces domaines d'application.

On peut donc se demander pourquoi il ne s'est pas encore développé une relation concrète entre le concept de « l'étude critique de la religion », débattu depuis plus d'un siècle, et celui de « l'étude critique appliquée de la religion », un concept nouveau qui vise à rapatrier tous les domaines connexes à la pertinence sociale de l'étude critique de la religion. Cette question n'est pas inutile, si l'on considère la longue liste retrouvée dans l'index de la célèbre *Encyclopaedia Britannica*[2] des diverses disciplines scolaires qui, nombreuses depuis des décennies, ont développé une branche «appliquée». Quelles sont les dynamiques sociales et intellectuelles qui ont influencé la discipline scolaire de l'étude critique de la religion de telle façon qu'aucune branche dite «appliquée» n'ait vu le jour jusqu'à présent? À cet égard, il est important de comparer avec d'autres disciplines scolaires qui ont déjà développé une branche dite «appliquée» ce qui constitue la première partie de cet article.

En deuxième lieu, je propose une première définition de «l'étude critique appliquée de la religion» en rapport avec ces différents usages directs et connexes déjà établis sur le terrain. Puis, afin de donner un exemple concret, je développerai le domaine du dialogue interreligieux, où la pertinence sociale de l'étude critique de la religion s'impose. Enfin, en guise de conclusion, je proposerai une esquisse pour une intégration de l'étude critique et de l'étude critique appliquée de la religion.

Les concepts de la «religion» et de «l'étude critique de la religion» comme disciplines scolaires

Il ne sera jamais possible d'arriver à un consensus non seulement sur la définition du mot «religion» mais aussi sur le nom à donner à notre propre discipline scolaire. Il y a dix ans, Waardenburg avait émis l'hypothèse que notre discipline est non seulement reconnaissable par cette pluralité de définitions mais enrichie par celle-ci[3]. Il estime en outre qu'il faut dépasser la vision occidentale de la religion, à l'instar de Winston King:

> So many definitions of religion have been framed in the West over the years that even a partial listing would be impractical. With varying success they have all struggled to avoid, on the one hand, the Scylla of hard, sharp, particularistic definition and, on the other hand, the Charybdis of meaningless generalities. Predictably, Western-derived definitions have tended to

> emphasize the sharp distinction between the religious and non-religious dimensions of culture and sometimes have equated religion with beliefs, particularly belief in a supreme being. Obviously such definitions exclude many primitive and Asian religions, if we still wish to use the term. [...] [In fact], the very attempt to define religion, to find some distinctive or possibly unique essence or set of qualities that distinguish the "religious" from the remainder of human life, is primarily a Western concern[4].

Nous émergeons de cette impasse dichotomique réductrice, qui fut longtemps normative en Occident, avec l'aide des courants d'interprétation postmodernes. Par exemple, le chercheur en littérature comparée Thomas Beebee démontre l'inéluctable réalité de la coexistence de multiples définitions d'un même genre littéraire[5]. Par analogie entre genres littéraires, concepts intellectuels et disciplines scolaires, je déduis la même conclusion : il existe une instabilité inhérente à toute forme de discours issu de taxinomie visant à « mettre de l'ordre » dans les exemples épars retrouvés dans la nature de nos sociétés humaines tout au long de son histoire. Il est donc nécessaire d'admettre tout d'abord qu'il est inutile de se débattre en Don Quichotte contre le moulin des productions intarissables de définitions du concept de la « religion ». Cette production reflète une source saine d'adaptation d'un concept aux besoins de chaque chercheur : dans la mesure où on accepte cette subjectivité et on ne cherche pas à imposer la définition au-delà de son contexte d'utilité explicative ou à généraliser à outrance, la multiplicité des définitions demeure source de vitalité disciplinaire et interdisciplinaire. De plus, le même raisonnement vaut pour nos définitions explicites ou implicites pour ce qui constitue une « discipline » scolaire. C'est donc dans ce contexte de fluidité définitionnelle que j'entreprends la seconde partie de ma démarche : comprendre les sens possibles du concept de « l'étude critique appliquée de la religion » en rendant visible la généalogie comparée d'une tendance répandue dans les sciences occidentales mais encore absente du domaine de l'étude critique de la religion.

Comparaison avec d'autres disciplines dites « appliquées »

La question du rapport entre l'étude d'un phénomène et l'application des résultats d'une telle étude n'est pas récente. En fait, il est important d'établir la généalogie de la distinction qui s'est développée au courant du XIXe siècle entre sciences soi-disant « pures » et sciences soi-disant « appliquées ». Je me concentre sur quelques exemples utiles qui illustrent le bien-fondé de l'élaboration d'une sous-discipline de « l'étude critique appliquée de la religion ».

Au début des années 1980, une branche de la linguistique, la sociolinguistique, a perçu le besoin de développer une dimension appliquée. David Crystal remarque qu'il existe trois catégories de chercheurs en sociolinguistique : ceux qui évitent de s'impliquer dans toute forme d'activité qui ne soit pas strictement scolaire ; ceux qui participent volontiers à des activités dans le domaine public parce qu'ils croient qu'il en va de leur responsabilité en tant que bons citoyens et qu'il est désirable que leur expertise soit employée à des fins pratiques ou plus immédiates ; enfin, il y a ceux qui, à mi-chemin entre les deux positions précédentes, se sont aventurés avec méfiance sur un terrain public, du fait d'un manque de précision qui existe entre l'expertise et ses modes possibles d'application. Crystal en déduit la conclusion suivante :

> I believe that there have now been sufficient moves in these various directions to permit a clearer analysis of the subject-matter

> of sociolinguistics than has hitherto been possible or desirable; and that the distinction between "general" and "applied", which has proved so useful in other fields, might prove to be a realistic and fruitful model in the present case also. The general field is well-represented by the several textbooks and monographs; but there has been no corresponding attempt to bring together the various topics that could be construed as applications; in effect, to address the question, "What problems can sociolinguistics help to solve?". [...] It might be that there are parallels in the way sociolinguists have approached these topics, such that the problems encountered in one area might be illuminated by the findings of another. It might be that a systematic consideration of what is involved in "applying" sociolinguistics might bring to light neglected topics which could usefully be studied along such lines. At the very least, I would hope that the juxtaposition of topics will lead to the discovery of correspondences in approach which are theoretically or methodologically interesting. And if the existence of a field of applied sociolinguistics can be usefully demonstrated, it may thereby provide a perspective within which the concerns of the general field can be more coherently defined[6].

Je crois que ces derniers points sont pertinents au développement d'une étude critique appliquée de la religion, qu'il s'agisse du transfert de connaissances acquises dans un domaine à un autre encore inexploré, de la mise en regard des différents champs de recherche afin de faire ressortir les correspondances entre eux, de la définition elle-même d'un nouveau champ appliqué qui apporte ainsi une contribution à la définition du champ en général.

Les besoins d'un champ appliqué sont aussi bien identifiés dans le livre *Applied Anthropology in America*. Dans la préface de la deuxième édition, les auteurs résument les développements de la discipline depuis 1930 :

> The generational succession has been accompanied by increased specialization within the field of applied anthropology, greater emphasis on the need for specific professional training and qualifications for careers in applied settings, and wider acceptance and recognition of anthropologists who pursue careers outside of museums and academic departments. In addition, considerable attention is being given to the theory and ethics of practice, the development of long-term data bases, cross-cultural analysis of change programs, the accumulation of data based on applied work, and the ways in which anthropologists can contribute more effectively to public policy. These emphases have been incipient in modern applied anthropology ever since its early beginnings. But, during the past decade, the seminal contributions of our forbears along these lines have come to unprecedented fruition[7].

Cet important développement de l'anthropologie appliquée se manifeste dans la multiplication des sous-branches : l'anthropologie du développement, l'anthropologie médicale, l'anthropologie des évaluations de la recherche scientifique, l'étude des politiques gouvernementales, etc. Et il semble que l'éthique appliquée a connu le même essor :

> Perhaps the most striking development in the study of ethics during the second half of the 20th century has been the growing interest among philosophers in applied ethics – *i.e.* the application of normative theories to practical moral problems. Such moral issues as racial and sexual equality, human rights, and justice have become prominent, as have questions about the value of human life raised by controversies over abortion and euthanasia. Related to the latter are the ethical implications of various developments in medicine and the biological sciences,

> as for example, in vitro fertilization, sperm banks, and gene manipulation. This field of applied ethics, known as bioethics, frequently requires the cooperative efforts of philosophers, physicians, scientists, lawyers, and theologians[8].

La liste des questions traitées est révélatrice de l'état de la culture contemporaine : l'égalité raciale et sexuelle, les droits humains, la justice, la valeur de la vie humaine telle que la mettent à l'épreuve les controverses au sujet de l'avortement et de l'euthanasie, toutes ces questions qui touchent à la vie et au vivant. On constate facilement que dans ces champs, il existe des chevauchements importants qu'il faudrait approfondir entre l'éthique appliquée et l'étude critique appliquée de la religion.

Notons que la religion occupe une place dans l'éthique appliquée, dont il faudrait tenir compte dans l'élaboration d'un champ d'étude critique appliquée de la religion. Un autre principe devrait orienter cette élaboration, celui de la circulation entre théorie et applications. Taylor met au jour les dichotomies et les clivages qu'ont développés au fil du temps les milieux scolaires :

> it is necessary to call into question many of the foundational principles upon which, as we have discovered, colleges and universities have rested for more than two hundred years: Lower faculty/Higher faculties; Useless/Useful; Unprofitable/Profitable; Pure/Applied; Intrinsic value/Extrinsic value; Nonprofit/for-profit; Education/Entertainment; Education/Business; University/Marketplace; Ivorty tower/Real world. When the walls separating these hierarchies become permeable screens, everything changes. While undeniable risks are involved in such changes, the greater risk lies in resisting change. Education is too important to remain confined within the walls where many people would like to keep it. Colleges and universities are not, and should not be, autonomous institutions devoted to the cultivation of useless knowledge. To survive in a rapidly changing

> and increasingly competitive environment, it is necessary for educators and educational institutions to find ways to adapt.[...] The responsibility of educators is to prepare students for life and work in a world changing at warp speed by creatively shaping new educational spaces[9].

Je retiens, de ces observations faites par Taylor, que l'interdisciplinarité doit se mettre en place au même moment où la situation de réseautage apparaît comme plus complexe que ne le laissaient croire les dichotomies traditionnelles. Si elle veut se tailler une place dans la communauté scientifique, l'étude critique appliquée de la religion devra contribuer également à l'évolution des répartitions classiques.

Vers une étude critique appliquée de la religion

Premièrement, nous devons expliquer pourquoi nous ne retenons pas plutôt l'expression de « religion appliquée ». Nous estimons ce concept redondant, puisque toute religion est de par sa nature une réalité appliquée dans la vie courante de ses adhérents. Par ailleurs, il arrive de retrouver l'expression « *applied religion* », en rapport avec le champ de théologie pastorale, surtout en milieu catholique romain anglophone. Son sens nous paraît à cet égard trop étroit pour qu'il puisse se confondre avec ce que nous considérons être « l'étude critique appliquée de la religion ».

Dans un second temps, il faut admettre que la question du rapport entre l'étude critique de la religion et sa pertinence sociale n'est pas récente. Il existe des équivalences qui ont été débattues sans jamais qu'aucune d'entre elles ne prenne le dessus et ne s'impose comme catégorie suffisamment générale et utile pour qu'elle puisse assumer sa place à côté du trône de l'étude critique de la religion. Par exemple, on parle en milieu catholique romain de l'importance de la pastorale comme domaine privilégié d'application de la théologie et de la morale chrétienne. Vue de l'intérieur de la religion chrétienne en général, cette dimension est essentielle. Vue de l'intérieur des programmes de formation théologique en particulier (séminaires, départements de théologie, etc.), la pastorale n'arrive jamais à rattraper les avancées scientifiques de la théologie et de la morale. Pourrait-il s'agir en fait d'une reproduction millénaire d'une culture religieuse dont la hiérarchie interne favorise les idées et les croyances (l'articulation de la foi) aux dépens de leur application dans les actions courantes (la pastorale) ? Peut-on voir ici les traces d'une sensibilité néoplatonicienne, divisant, pour les opposer, le corps et l'âme, et qui aurait survécu non seulement par l'intermédiaire de la religion chrétienne occidentale mais plus récemment, lors du développement de l'étude critique de la religion issue des universités et des cadres théologiques chrétiens européens ? Ceci expliquerait en partie pourquoi ne s'est jamais développé au sein de la discipline scolaire des sciences religieuses le besoin d'incorporer une « application » de l'étude critique de la religion.

Une autre raison peut-être plus importante serait tout simplement le désir, de la part des chercheurs universitaires, dès le XIXe siècle et jusqu'à présent, de se dissocier des institutions religieuses ou, à tout le moins, de leur autorité afin de s'assurer la liberté intellectuelle nécessaire à la recherche de la connaissance sans peur des répercussions immédiates que pourraient causer leurs résultats. De plus, cette distanciation fut nécessaire afin de créer des institutions scolaires au sein même du monde universitaire en pleine expansion, surtout à partir des années 1960. Ce jeu de force quant au contrôle du monde religieux a mis en opposition, pendant déjà plus d'un siècle et demi, les chercheurs enracinés dans un discours scientifique (perçu comme changeant constamment vers le « meilleur » ou soumis à l'idée de progrès) et les autorités religieuses enracinées dans leur propre discours religieux perçu comme immuable parce que sacré ou comme l'idée de la vérité divine, surtout dans les traditions abrahamiques). Il est donc normal que se soit développé un antagonisme entre ces deux pôles. Bien plus, les sciences des religions devaient affirmer leur objectivité et leur distance à l'égard d'un engagement quelconque pour mieux s'opposer aux cadres confessionnels et cléricaux. Aussi n'ont-elles pas naturellement envisagé de dimension « appliquée ». Mais dès lors qu'en ce nouveau millénaire, chaque pôle, tant par sa rationalité respective que par sa réalité matérielle, se retrouve suffisamment bien ancré pour ne pas voir en l'autre une menace constante à sa propre existence, un nouveau rapport de force s'instaure, et une nouvelle dynamique d'interaction devient opératoire : l'antagonisme fait place à la coopération, la codépendance (par jeu d'opposition aveugle) passe à l'interdépendance. Une nouvelle ère s'ouvre ainsi dans les relations entre les experts de l'étude critique de la religion et les adhérents des discours religieux les plus divers. Et du dedans des sciences de la religion, on s'ouvre à une perspective plus appliquée.

C'est précisément à cette nouvelle jonction que peut s'instaurer un nouveau rapport de force plus constructif. Cette nécessité vient également du fait qu'un troisième groupe de constituants a émergé depuis au moins une décennie : les chercheurs d'information pratique sur les adhérents des discours religieux. Qu'ils soient bureaucrates, politiciens, juges, éducateurs, gens d'affaires, volontaires, chercheurs spirituels ou autres, ces chercheurs ont besoin de renseignements pertinents (statistiques, descriptions, personnes contacts, etc.) afin de mieux pouvoir comprendre et servir, chacun à sa façon, une clientèle dont un pourcentage plus ou moins élevé inclut les adhérents des discours religieux. Cette troisième catégorie de constituants est devenue visible surtout dans les sociétés à caractère multiculturel et sécularisé, quoiqu'elle existe aussi ailleurs. Il est désormais possible de concevoir, surtout dans nos sociétés dites « postmodernes », un triangle entre : 1) experts en étude critique de la religion ; 2) pratiquants de discours religieux (théologiens et membres engagés de groupes religieux) ; et 3) chercheurs civils d'information sur les pratiquants de discours religieux. L'émergence de cette troisième catégorie nécessite l'articulation de théories et de méthodes spécifiques à une étude critique appliquée de la religion afin de gérer les défis tant fondamentaux qu'institutionnels qu'un tel espace nouveau requiert.

Ayant fait un survol de ce qui existe déjà en matière d'application ainsi que de ce nouvel espace triangulaire experts-civils-religieux, il est maintenant possible de passer en troisième lieu à la définition du concept de « l'étude critique appliquée de la religion » que je propose, avec toutes les limites philosophiques mentionnées auparavant :

L'étude critique appliquée de la religion se définit comme « une branche de l'étude critique de la religion qui se concentre sur la pertinence sociale de l'étude critique de la religion et sur son application concrète dans une multitude de domaines où interagissent les trois éléments constituants suivants : 1) experts en étude critique de la religion ; 2) pratiquants de discours religieux ; et 3) chercheurs civils d'information sur les pratiquants de discours religieux. »

Plus précisément, en ce qui concerne ce triangle multisectoriel, cette définition d'une nouvelle sous-discipline de l'étude critique de la religion exige qu'une théorie et des méthodes particulières soient développés pour comprendre la façon dont s'articule ce triangle dans divers domaines, tels que les interstices entre le religieux et le politique, l'éducation, le droit, la santé, les médias, l'économie, l'environnement, et, entre autres, toutes les relations interidentitaires. Pour nous aider à mieux comprendre les enjeux de cette définition ainsi qu'une théorie et des méthodes qui doivent éventuellement en découler, je propose un examen rapide d'un élément commun à tous ces domaines : le dialogue interreligieux. Cet exemple permettra de présenter deux balises pour le développement subséquent d'une théorie de « l'étude critique appliquée de la religion ». Quant au développement d'une théorie solide et des méthodes qui en découlent, elles devront aussi attendre leur articulation dans une publication ultérieure.

Le dialogue interreligieux comme domaine privilégié de l'étude critique appliquée de la religion

Le dialogue interreligieux est non seulement un domaine en soi de l'étude critique appliquée de la religion, mais il est aussi une source méthodologique d'application dans tous les autres domaines, puisqu'il inclut toutes les activités qui se définissent comme dialogue dans le champ du religieux. Dans la première moitié du XXe siècle, surtout en Occident, on parlait d'œcuménisme, donc d'une forme chrétienne d'un dialogue intrareligieux (qui vise l'unité au sein d'une même tradition religieuse). Ces efforts œcuméniques existent toujours, surtout au sein du Conseil œcuménique des Églises basé à Genève et fondé en 1948. À la suite de Vatican II en particulier (1965), et surtout depuis la célébration du centenaire du Parlement des religions du monde, à Chicago (1893-1993), on parle plutôt d'interreligieux. Les activités menées sous cette appellation peuvent être bilatérales (comme le dialogue judéo-chrétien, par exemple, qui est le plus développé des dialogues bilatéraux), trilatérales (comme le dialogue abrahamique) ou multilatérales (comme les dialogues qui s'intéressent à tous les grands problèmes contemporains, de l'environnement au SIDA). Quel que soit leur format, ces activités forment un domaine important de l'étude critique appliquée de la religion parce qu'elles ont en commun de promouvoir un dialogue sur une base d'identités religieuses, que l'accent soit sur ces mêmes religions ou sur un sujet d'intérêt commun. Un grand nombre des leaders de ce mouvement interreligieux ont su jumeler leur expertise en étude critique de la religion avec leur désir d'appliquer aux problèmes contemporains leur connaissance particulière, souvent à la lumière de leurs propres identités et institutions religieuses.

Le dialogue interreligieux est également une source méthodologique d'application dans tous les autres domaines de l'étude critique appliquée de la religion. Par exemple, les modes de communication spécifiques au dialogue interreligieux s'appliquent à tous les interstices qui relient le religieux à n'importe quel autre domaine humain, comme le politique, l'éducation, le droit, la santé, les médias, l'économie, l'environnement, etc.[10] Le dialogue interreligieux doit être considéré comme un processus d'interaction inéluctable à toutes les applications sociales de l'étude critique de la religion, surtout dans les sociétés dites « multiculturelles », d'où son importance dans tous les domaines de l'étude critique appliquée de la religion. De plus, il convient de prendre note des différentes formes d'application du dialogue interreligieux lui-même. J'en présente une variété d'exemples afin de démontrer l'ubiquité de sa présence dans une variété de domaines généraux, et de son importance pour une intégration plus sereine du civil et du religieux, allant ainsi au-delà des lumières et pénombres d'une modernité dépassée.

La dernière moitié du XXe siècle a vu une explosion, surtout en Amérique du Nord, du nombre et de la variété des rencontres interreligieuses. Selon une analyse récente d'Elizabeth Varro, on retrouve dans les villes jumelles de St-Paul et Minneapolis au Minnesota six organisations interreligieuses distinctes, chacune avec une mission bien précise[11]. Christopher Coble, lors d'une analyse des activités interreligieuses dans la région de Boston en 1995, développa une taxinomie de l'interreligieux qui comprenait plusieurs catégories différentes : académique, professionnelle, interinstitutionnelle, hospitalière, scolaire, de justice sociale, féministe, politique, expérientielle, etc.[12].

Ces exemples reflètent des développements à long terme. À court terme, il y a également des efforts interreligieux qui surviennent à la suite de diverses crises, ce que Jean-René Milot a judicieusement appelé la « *crisis knowledge* »[13]. C'est ce qui s'est passé à la suite des attentats terroristes du 11 septembre 2001. Par exemple, la communauté musulmane de New London au Connecticut m'a demandé dès le surlendemain du 11 septembre si j'étais prêt à animer une rencontre portes ouvertes du Centre islamique de New London. Cette rencontre a eu lieu le 16 septembre 2001 au Garde Arts Theater de New London, CT, É-U. Plus de deux cents personnes sont venues dialoguer ensemble durant deux heures intenses, suivies d'un repas à la fortune du pot offert par la communauté musulmane. Cet effort a été repris un mois et demi plus tard avec une rencontre deux fois plus grande et plus longue, dans le même théâtre, sur le thème « *Religions and Violence* ». Cette fois-là tous les médias et des représentants religieux des quatre religions locales y ont participé. La forte présence du public a démontré non seulement le grand besoin de comprendre, d'où la pertinence de l'expression « *crisis knowledge* », mais aussi le grand écart qui divise les adhérents religieux entre eux, donc une grande difficulté à se comprendre les uns les autres dans le respect de ses différences.

L'idée moderne du dialogue interreligieux qui commença comme une exception radicale lors du Parlement des religions, à Chicago, en 1893[14], est passée graduellement au cours du xxe siècle de la périphérie au centre, avec la requête spéciale du président Bush qui décréta le vendredi 14 septembre 2001 journée nationale de deuil. Cette journée fut marquée par des célébrations interreligieuses partout à travers les États-Unis. L'interreligieux est donc devenu, aux États-Unis, *la* façon de gérer l'espace civil cérémoniel, que ce soit dans une petite ville comme New London ou une mégapole comme New York, où le Yankee Stadium fut rempli pour l'occasion d'une panoplie de dignitaires religieux, dont plusieurs imams. Ces différentes célébrations interreligieuses du 14 septembre 2001, solidifiées un an plus tard par toutes les commémorations interreligieuses du 11 septembre 2002 non seulement aux États-Unis mais dans bien des pays à travers le monde, marquent le passage de l'interreligieux de la périphérie au centre de la vie publique, un événement particulièrement important pour toutes les sociétés qui ont géré le religieux, historiquement, à partir de lunettes construites sous l'influence du siècle des Lumières.

Cette gestion exige maintenant de prendre au sérieux le triangle experts-religieux-civils. Premièrement, ces trois groupes de constituants se chevauchent selon les endroits et les participants, les individus pouvant porter plus d'un chapeau identitaire à la fois. Deuxièmement, le rapport de force entre ces trois groupes dépend de plusieurs facteurs, tels que l'organisation, la géographie, le leadership, et la subvention de la ou des rencontres. Par exemple, lorsque le gouvernement norvégien cherche un partenaire organisationnel afin de maximiser les capacités infrastructurelles et les ressources morales et humaines des communautés religieuses pour mettre fin à la guerre en Bosnie-Herzégovine dans le début des années 1990, il se tourne vers une organisation non gouvernementale à caractère interreligieux qui a une double expertise en dialogue interreligieux et en résolution de conflits. Lorsque la fondation Bill and Melanie Gates cherche à financer un projet viable pour faire face à la crise du SIDA en Afrique, elle privilégie une approche interorganisationnelle, dont une des composantes est un organisme interreligieux. Enfin, lorsque le Vatican désire souligner l'importance de la prière pour la paix relativement aux grands problèmes mondiaux (1987, 1997), lui aussi s'allie à une organisation interreligieuse pour la préparation de tels événements[15]. Ces trois exemples reflètent la situation à une échelle internationale où différents pôles du triangle prennent l'initiative à tour de rôle, en s'appuyant quand même les uns sur les autres pour arriver aux résultats escomptés. Il en va de même aux échelles régionale, nationale et locale. Le triangle experts-religieux-civils s'étend et se solidifie de plus en plus, réinventant le rapport de force entre les trois constituants, transformant lentement le paradigme de la compétition à celui de la coopération. Bien sûr, il existe toujours des milieux résistant à tous ces changements. On retrouve des fondamentalistes et extrémistes parmi les trois constituants (et non seulement parmi les adhérents de discours religieux !), comme les gens qui s'identifient à un groupe ou l'autre d'une façon exclusive et qui ne peuvent envisager la possibilité, et encore moins les moyens, d'une coopération, pour des raisons souvent plus psychologiques que philosophiques.

Troisièmement, la gestion du triangle experts-religieux-civils requiert une reconnaissance non seulement des rapports de force respectifs entre les uns et les autres mais aussi le respect de l'intégrité identitaire et de l'organisation interne de chacun, tant au niveau de l'individu qu'à celui de l'organisation. Cette ouverture à l'autre dans sa différence et le désir de trouver des modes de coopération uniques à l'interaction particulière de chaque instance coopérative représente en soi la source d'une nouvelle culture globale, certains parlent de spiritualité transpersonnelle, sans laquelle la survie de notre espèce humaine sur terre demeure difficilement envisageable. Ces transformations ne sont pas sans causer chez d'autres des peurs quant aux menaces d'érosion progressive de leur identité propre, souvent perçue comme pouvant mieux survivre en vase clos. Entre ces deux pôles d'ouverture et de clôture, il faut souvent savoir éviter les grandes discussions philosophiques et gérer les besoins immédiats du dialogue interreligieux à l'échelle d'implication où chacun se trouve déjà imbriqué. Cerner les lieux exacts du chevauchement des besoins respectifs et élaborer des plans d'application concrets demeure donc deux balises importantes dans l'élaboration d'une théorie et de méthodes concrètes pour l'établissement d'une étude critique appliquée de la religion.

Vers une intégration de l'étude critique et de l'étude critique appliquée de la religion

L'histoire de l'étude critique de la religion s'écrit depuis quelques décennies de fil en aiguille[16]. Mais rares sont les références aux dimensions d'application du savoir produit par nos experts. De plus en plus, nous sommes appelés à servir des demandes de toutes sortes qui demeurent mal acheminées ou auxquelles on répond mal, en partie parce qu'aucun d'entre nous n'a l'expertise exacte sur tous ces domaines variés, et rarement même sûr un seul, puisque ces sujets ne font pas partie de la formation universitaire officielle. De plus, il est difficile d'y consacrer du temps afin d'arriver à des réponses de qualité, puisque ces domaines ne sont souvent pas pris au sérieux dans l'élaboration des critères de la production universitaire. On aura remédié à cette lacune seulement lorsque la sous-discipline de l'étude critique appliquée de la religion sera reconnue sur la place publique de l'étude critique de la religion.

Afin d'arriver à cette reconnaissance, il faut qu'une sous-discipline puisse non seulement développer ses propres théories et méthodes, comme cet article tente de le faire, mais aussi démontrer son utilité à la fois scientifique et sociale. Religion et éducation forment un seul domaine où se profile une intégration de l'étude critique et de l'étude critique appliquée de la religion. Il y a eu des études universitaires sérieuses sur l'enseignement de la religion à l'école primaire et à l'école secondaire dans le cadre de débats politiques importants dans plusieurs sociétés occidentales, comme au Québec. Il est grand temps qu'autour des suggestions de politiques qui sont ressorties de ces études s'organise également un lobbying pour s'assurer que l'expertise puisse se transformer en résultats concrets dans la société. Car de l'enseignement des valeurs aux notions de base des religions, il est maintenant clair que nos sociétés aux populations multiculturelles exigent un enseignement des religions à partir d'un point de vue critique, surtout lorsqu'on a affaire à une double résistance à la fois laïque et religieuse de part et d'autre. Parvenir à implanter un enseignement critique de la religion à l'école, par exemple, est un moyen pratique de démontrer l'utilité sociale de l'étude critique appliquée de la religion.

Ce scénario se reproduit dans plusieurs domaines : le droit, qui prône une ouverture aux différences culturelles et religieuses ; des entreprises qui veulent favoriser l'épanouissement spirituel de leurs travailleurs tout en évitant le prosélytisme au travail ; des instances politiques qui désirent attirer des votes, ce qui requiert en retour des démonstrations de connaissances et de sensibilités spécifiques à chaque communauté religieuse, etc. Toutes ces demandes arrivent à un moment dans l'histoire des institutions universitaires où les frontières s'effondrent et où les valeurs d'éducation et de vie intellectuelle sont souvent manipulées par des forces idéologiques en vogue et courantes dans nos sociétés actuelles, comme le néolibéralisme.

Devant tous ces défis, il faut s'organiser. Si les experts en étude critique de la religion ne peuvent répondre individuellement à tous les besoins qui ressortent des applications multiples de notre savoir collectif, il importe que nous formions, un peu comme autrefois, une corporation ou un groupe restreint d'experts afin que chacun puisse, à tour de rôle, assumer une part de la tâche dont l'urgence s'impose. Diverses stratégies sont à envisager : acheminer à bon escient les demandes faites ; en prenant un certain recul, valoriser les recherches et les enjeux qui ressortent de ces situations concrètes ; enfin, se donner une voix collective et une présence au sein des interactions menées en partenariat dans la société pluraliste.

Notes

1. Cet article est une version modifiée de l'article suivant : « Pour faire place à l'étude critique appliquée de la religion », *Religiologiques*, vol. 29, printemps 2004, p. 61-78.
2. *Encyclopaedia Britannica*, 15e édition, Index vol. A-K, 1995, p. 109.
3. Jacques Waardenburg, *Des Dieux qui se rapprochent : Une introduction systématique à la science des religions*, Paris, Labor et Fides, 1993, p. 8.
4. Winston King, *Encyclopedia of Religion*, vol. 12, New York, MacMillan, 1986, p. 282-283. L'auteur a défini « religion » comme étant « the organization of life around the depth dimensions of experience – varied in form, completeness and clarity in accordance with the environing culture » (p. 282).
5. Thomas Beebee, *The Idealogy of Genre : A Comparative Study of Generic Instability*, University Park, Pennsylvania State University Press, 1994.

6. David Crystal, dans une préface du mois d'octobre 1983, à Peter Trudgill (dir.), *Applied Sociolinguistics*, Londres, Academic Press, 1984, p. vii-viii.
7. Elizabeth M. Eddy et William L. Partridge (dir.), *Applied Anthropology in America*, 2e édition, New York, Columbia University Press, 1987, p. xi-xii.
8. Applied ethics », *Encyclopaedia Britannica*, « vol. 4, 1995, p. 579.
9. Mark Taylor, *The Moment of Complexity : Emerging Network Culture*, Chicago, University of Chicago Press, 2001, p. 268-269.
10. Un exemple méthodologique utile se trouve inséré dans : Patrice Brodeur, « Description of the "Guidelines for Interfaith Celebrations" », *Journal of Ecumenical Studies*, vol. 34, nº 4, automne 1997, p. 551-572. La page 560 est particulièrement indispensable à tout processus de communication dialogique inhérent à tous les domaines de l'étude critique appliquée de la religion.
11. Elizabeth Varro, « Mapping the Interfaith Landscape in Minnesota », communication orale dans le cadre d'un séminaire organisé par le *Pluralism Project* à l'Université Harvard le 23 octobre 2001.
12. Christopher Coble présenta cette information lors d'une communication intitulée : « Discovering and Encountering Each Other : The Work of Interfaith Councils and Networks in the Greater Boston Area », (voir p. 2-3) dans le cadre d'une conférence régionale de la American Academy of Religion (New England Maritime Region) au Harvard Divinity School, le 29 mars 1996. Il est intéressant de noter que par la suite, Christopher Coble laissa de côté ses études doctorales en religions pour travailler directement dans le monde des *foundations* américaines, ou certaines *foundations* religieuses jouent un rôle important dans la recherche à caractère religieux.
13. Jean-René Milot a utilisé l'expression « *crisis knowledge* » lors de sa communication « Les médias à l'heure de l'Islam et un spécialiste à l'heure des médias », dans le cadre de l'ACFAS tenue à l'Université Laval à Québec, le 15 mai 2002.
14. Richard H. Seager, *The World's Parliament of Religions : The East/West Encounter, Chicago, 1893*, Bloomington, Indiana University Press, 1995.

15. Dans ces trois cas, il s'agit de la Conférence mondiale des religions pour la paix ou World Conference on Religion and Peace, dont le siège social est en face des Nations-Unies, à New York.
16. Eric Sharpe, *Understanding Religion*, New York, St. Martin's Press, 1983 ; Walter Capps, *Religious Studies : the Making of a Discipline*, Minneapolis, Fortress Press, 1995 ; J. Waardenburg, 1993.

Bibliographie

Beebee, Thomas, *The Ideology of Genre : A Comparative Study of Generic Instability*, University Park, Pennsylvania State University Press, 1994.

Brodeur, Patrice, « Description of the "Guidelines for Interfaith Celebrations" », *Journal of Ecumenical Studies*, vol. 34, nº 4, automne 1997, p. 551-572.

—, « Pour faire place à l'étude critique appliquée de la religion », *Religiologiques*, vol. 29, printemps 2004, p. 61-78.

Capps, Walter, *Religious Studies : the Making of a Discipline*, Minneapolis, Fortress Press, 1995.

Crystal, David, « Préface », dans Trudgill, Peter (dir.), *Applied Sociolinguistics*, Londres, Academic Press, 1984, p. vii-viii.

Eddy, Elizabeth M. et William L. Partridge (dir.), *Applied Anthropology in America*, deuxième édition, New York, Columbia University Press, 1987.

Encyclopaedia Britannica, 15e édition, 1995.

King, Winston, *Encyclopedia of Religion*, vol. 12, New York, MacMillan, 1986.

Seager, Richard H., *The World's Parliament of Religions : The East/West Encounter, Chicago, 1893*, Bloomington, Indiana University Press, 1995.

Sharpe, Eric, *Understanding Religion*, New York, St. Martin's Press, 1983.

Taylor, Mark, *The Moment of Complexity: Emerging Network Culture*, Chicago, The University of Chicago Press, 2001.

Waardenburg, Jacques, *Des Dieux qui se rapprochent: Une introduction systématique à la science des religions*, Paris, Labor et Fides, 1993.

CHAPITRE 10

Le dialogue interreligieux : médiation pour la paix ?

JEAN-MARC AVELINE

CE QUE JE ME PROPOSE D'EXPOSER pour contribuer à la présente réflexion tient en deux temps. Tout d'abord, j'expliquerai quel est « le lieu d'où je parle », à savoir l'Institut catholique de la Méditerranée, qui a été récemment créé à Marseille, ville plurireligieuse s'il en est, pour donner toute son ampleur au projet de l'Institut de sciences et théologie des religions, existant quant à lui depuis 1992, en le dotant, notamment, d'un Observatoire Méditerranée-Europe pour la paix.

Dans un second temps, je tâcherai de vous livrer quelques réflexions plus fondamentales sur les enjeux du dialogue interreligieux pour la paix et sur les difficultés concrètes d'interventions ou de médiations au sein de la diversité culturelle et religieuse.

L'EXPÉRIENCE DE L'INSTITUT CATHOLIQUE DE LA MÉDITERRANÉE À MARSEILLE

Historiquement et culturellement tournée vers la Méditerranée, marquée par des vagues d'immigrations successives, la ville de Marseille, qui compte actuellement environ 800 000 habitants[1], est composée d'une mosaïque de communautés culturelles, dont l'identité est souvent constituée et entretenue par le facteur religieux, la religion jouant, comme partout ailleurs, un rôle d'identification sociale très important, surtout pour les minorités.

On estime que vivent aujourd'hui à Marseille environ 160 000 *musulmans*, originaires essentiellement du Maghreb, de la Tunisie, du Maroc et surtout d'Algérie, mais aussi des Comores, du Sénégal et de la Turquie. Par ailleurs, une communauté *juive* est établie à Marseille depuis l'époque romaine. Son nombre, évalué actuellement à quelque 80 000 personnes, s'est accru par l'arrivée massive de juifs d'Afrique du Nord dans les années 1960. C'est maintenant la deuxième communauté juive de France après Paris[2]. On compte également à Marseille plusieurs milliers de *bouddhistes*, en provenance du sud-est asiatique, essentiellement de l'ancienne Indochine française. Ces diverses communautés bouddhistes, dont la vietnamienne est la plus active, disposent de plusieurs pagodes.

La communauté *chrétienne* apparaît elle aussi très diversifiée. Les *catholiques romains* sont certes de loin les plus nombreux[3], mais il faut également signaler la présence d'une forte communauté *arménienne*, d'environ 80 000 membres, dont 90 % appartiennent à l'Église apostolique arménienne, rattachée au Saint-Siège d'Etchmiadzine. La ville compte également environ 10 000 *orthodoxes*, relevant soit du patriarcat de Constantinople, soit de l'Église russe hors frontières[4]. Les *protestants*, au nombre d'environ 20 000, dont 10 000 pour la seule Église réformée de France, jouent également un rôle non négligeable dans la vie de la cité[5]. Il existe aussi à Marseille une implantation libanaise forte, avec une communauté *maronite* et une communauté *grecque catholique*.

Forte de ces richesses culturelles variées, Marseille se reconnaît aujourd'hui une identité au fondement de laquelle se trouve le métissage, la rencontre des cultures. En conséquence, pour le dialogue interreligieux comme pour le dialogue œcuménique, cette ville est un véritable laboratoire, qui s'apparente à certaines cités du Proche-Orient, par exemple Beyrouth, à une différence près cependant : Marseille est plongée dans le climat de la *laïcité* française et, même si les communautés religieuses occupent une place importante dans la vie de la cité, il reste que *l'indifférence religieuse*, voire *l'athéisme militant*, y sont également très présents. Toutefois, la laïcité républicaine œuvre, depuis bientôt 10 ans, par le biais de l'association « Marseille-Espérance », pour favoriser les contacts et les discussions entre les responsables des communautés religieuses de la ville[6].

L'Institut de sciences et de théologie des religions

En 1991, l'Église catholique de Marseille, réunie en Synode, a exprimé son désir de s'engager davantage dans le dialogue interreligieux, prenant acte des exigences de la situation de pluralité que je viens de décrire. C'est pour accompagner cet engagement qu'a été fondé, en octobre 1992, l'Institut de sciences et de théologie des religions (ISTR), rattaché à l'Université catholique de Lyon par l'Institut Saint-Jean. Créé à l'initiative de l'Église catholique, l'ISTR accueille surtout des chrétiens, la présence de juifs et de musulmans étant cependant régulière, avec une augmentation du côté musulman depuis quelques années. Il accueille également des personnes n'appartenant à aucune religion, mais intéressées par les parcours proposés, pour des raisons qui peuvent être professionnelles ou familiales.

L'ISTR est composé de quatre départements :

- Un Département d'études interreligieuses, acheminant des étudiants vers un certificat et un diplôme en sciences et théologie des religions[7], à travers un programme comprenant trois sections : 1) une section de *connaissance des grandes religions* ; 2) une section d'analyse du *phénomène religieux* par les diverses sciences humaines et sociales, ainsi qu'une présentation des critiques philosophiques de la religion par la modernité et l'athéisme ; 3) une section de *théologie chrétienne* entièrement orientée vers la problématique de la pluralité des religions et du dialogue interreligieux ;

- un Département de licence en théologie (baccalauréat canonique) ;
- un Département de formation permanente ;
- un Département de recherche, qui publie, à raison de deux nu-méros par an, la revue *Chemins de dialogue*, revue théologique et pastorale sur le dialogue interreligieux[8]. Cinq colloques internationaux ont déjà été organisés par notre institut, tous publiés dans *Chemins de dialogue*.

Perspectives

Au cours de l'année universitaire 2001-2002, l'Institut Saint-Jean est devenu l'Institut catholique de la Méditerranée, cette nouvelle appellation traduisant la volonté de donner à ce pôle universitaire catholique, rattaché à l'Université catholique de Lyon, une orientation plus nettement méditerranéenne. À l'issue du colloque Dialogue et vérité, qui marquait solennellement les 10 ans de l'ISTR, a été créé un Observatoire Méditerranée-Europe pour la paix, placé sous la présidence d'honneur du cardinal Etchegaray, ancien archevêque de Marseille.

Grâce à son Observatoire, l'Institut catholique de la Méditerranée entend apporter sur les terrains social, culturel, économique et politique une contribution universitaire faite de formations, d'expertises et de recherches. J'aimerais ajouter, pour terminer cette brève présentation, que nous travaillons depuis deux ans en convention avec l'Institut d'études politiques d'Aix-en-Provence, pour la réalisation d'une option du DESS (Diplôme d'études supérieures spécialisées) en Management interculturel et médiation religieuse. En outre, nous allons cette année inaugurer une nouvelle coopération, cette fois-ci avec la Faculté de médecine de Marseille, pour la création d'un Certificat d'études universitaires sur le thème : « Éthique biomédicale et science des religions ».

Toutes ces relations assurent une certaine reconnaissance scolaire des services que notre institut, sans perdre son ancrage ecclésial, peut apporter à l'enseignement supérieur laïc de notre région. Elles contribuent aussi à l'inscrire dans un réseau euro-méditerranéen de partenariats. À ce jour, nous sommes liés par une convention avec la Faculté de sciences religieuses de l'Université Saint-Joseph de Beyrouth, et des relations existent, depuis maintenant trois ans, avec l'Église du Maroc, notamment avec le Centre culturel La Source, à Rabat.

Je suis persuadé que de tels échanges peuvent être très importants pour la reconnaissance des racines méditerranéennes de l'Europe et pour la prise en compte des ressources du patrimoine culturel de la Méditerranée. Cela s'avère plus que jamais nécessaire à l'heure où l'Europe tourne sous nos yeux une page décisive de son histoire. Partout, la cause de la paix est fragile et précaire. Partout, le lien entre politique et religion demande à être examiné à nouveaux frais. Et partout, l'on comprend l'importance du fait qu'existe à Marseille, sur la façade méditerranéenne de la France, une institution au service de la paix par le dialogue interculturel et interreligieux.

C'est dans cette perspective que je voudrais aborder brièvement, et à partir de l'expérience que je viens de décrire, quelques réflexions plus générales sur la place des religions dans l'espace public.

Les religions dans l'espace public

Souvenons-nous (ce n'est pas si loin) des grandes espérances qui accompagnaient les festivités de l'an 2000, du moins en Occident. On entrevoyait alors un changement de siècle annonciateur de paix et de prospérité. Comme si l'entrée dans le xxie siècle allait permettre de « tourner la page » d'un xxe siècle douloureux, celui des deux guerres mondiales et de leurs millions de morts, celui de la Shoah, du Goulag et de tant d'autres massacres. Comme si les dernières années du xxe siècle, avec la chute du mur de Berlin en 1989, la fin de la guerre froide et l'arrêt de la guerre civile libanaise, avec les progrès de la science et l'évolution des techniques, en particulier de communication, avaient fait naître de grands espoirs de prospérité et de paix, et suscité une solide confiance en l'avancée de la démocratie.

Puis il y eut le 11 septembre 2001 : cette tragédie a brutalement rappelé à des Occidentaux plus ou moins assoupis que de nombreux conflits continuaient d'ensanglanter la planète et que « tout n'allait pas pour le mieux dans le meilleur des mondes ». Au-delà de la profonde compassion à l'égard des milliers de victimes innocentes, au-delà de la juste colère à l'égard des auteurs de ces actes, s'est développé en de multiples lieux un effort d'analyse et de réflexion, une réelle « prise de conscience » de l'avertissement que constituait cette tragédie à l'égard des fausses évidences sur lesquelles se reposait trop facilement l'Occident.

Une première tentative d'interprétation de ces événements a été celle d'une confirmation de la fameuse thèse de Samuel Huntington, prédisant qu'après le « choc des nationalités » qui avait caractérisé le xixe siècle et le « choc des idéologies » au xxe siècle, un « choc des civilisations » marquerait le xxie siècle, choc d'autant plus violent qu'il verrait s'affronter des cultures et des religions. Je voudrais m'inscrire en faux contre cette thèse, non seulement d'un point de vue intellectuel, mais surtout à cause de l'expérience que nous vivons, que ce soit à Marseille ou ailleurs, expérience qui est porteuse d'une autre vision, d'une autre volonté : celle du respect, de l'échange et du dialogue.

Néanmoins, de sérieuses questions se posent. Dans un discours prononcé le 17 octobre 2001, lors de la 31e session de la Conférence générale de l'UNESCO, Jacques Chirac, président de la République française, formulait ainsi certaines de ces questions :

> Sommes-nous restés fidèles à nos propres cultures et aux valeurs qui les sous-tendent ? L'Occident n'a-t-il pas donné le sentiment d'imposer une culture dominante, essentiellement matérialiste, vécue comme agressive puisque la plus grande partie de l'humanité l'observe, la côtoie sans y avoir accès ? Est-ce que certains de nos grands débats culturels ne sont pas parfois apparus comme des débats de nantis, ethnocentrés, qui laissaient de côté les réalités sociales et spirituelles de ce qui n'était pas l'Occident ? Jusqu'où une civilisation peut-elle vouloir exporter ses valeurs ?

Et il ajoutait :

> La réponse à cela, [...] c'est le dialogue des cultures, gage de paix alors que le destin des peuples se mêle comme jamais. (Mais) un dialogue revivifié, renouvelé, réinventé, et partout en prise réellement sur le monde tel qu'il est.

C'est pour tenter de caractériser ce « monde tel qu'il est » dans sa diversité, et pour réfléchir sur la place des religions et de la religion dans l'espace public d'un monde sécularisé, que je voudrais faire trois séries de remarques : la première sur le lien entre *fondamentalisme religieux* et *crise de la modernité* (je m'inspirerai ici des travaux de Jürgen Habermas) ; la deuxième sur l'avenir à mes yeux incertain, bien qu'indispensable, du *dialogue interreligieux* ; la troisième sur les nouveaux visages de *la tentation d'idolâtrie* et l'importance de *la médiation des mémoires*.

Le fondamentalisme religieux et la crise de la modernité

Lorsque le 14 octobre 2001, les libraires allemands ont décerné au philosophe et sociologue Jürgen Habermas le Prix de la Paix, celui-ci répondit aux discours officiels par une réflexion intitulée : « Foi et savoir »[9]. Non pas que la religion fût devenue l'un des thèmes favoris d'Habermas. Toutefois, dans ces circonstances bien particulières, un mois après les événements tragiques de Manhattan et Washington, Habermas entreprit d'envisager l'horizon de la paix en invitant à réfléchir sur l'instrumentalisation fondamentaliste du religieux et sur le rôle des religions dans « une société postséculière qui postule la persistance des communautés religieuses dans un environnement qui continue à se séculariser »[10].

La thèse d'Habermas est que, en dépit d'un langage religieux utilisé non seulement par les terroristes prétendus musulmans mais aussi par la présidence américaine prétendue chrétienne, le fondamentalisme est un phénomène dont le vecteur est la tension entre le processus séculier qui caractérise la modernité et les traditions culturelles et religieuses auxquelles ce processus s'affronte. Dès lors, en dépit de l'instrumentalisation du langage religieux qui le caractérise, le fondamentalisme auquel nous avons à faire est « un phénomène exclusivement moderne »[11]. *In fine*, le fondamentalisme est le résultat d'une mauvaise gestion de la tension entre modernité et tradition. Il est en germe dans le décalage temporel entre culture et société, lorsque le développement social porte atteinte aux racines culturelles et que, en conséquence, le progrès technicoscientifique n'est perçu que comme facteur de déclin des formes de vie traditionnelles, garantes de la paix et de l'harmonie sociales.

Selon Habermas, cette tension affecte tout autant l'Orient que l'Occident. Même en Europe ou en Amérique du Nord, la sécularisation continue à être ressentie et vécue de manière ambivalente. En présentant la situation en Occident comme « postséculière », Habermas entend justement souligner que, contrairement à des sociétés séculières qui avaient cherché à évacuer le religieux en lui déniant toute signification autre que strictement privée, nous assistons aujourd'hui à des interrogations autocritiques sur la sécularisation elle-même et, donc, à une nouvelle position de la question concernant le rôle des religions dans un espace public marqué par un pluralisme irréductible des visions du monde.

À première vue, explique Habermas, on pourrait penser que la différence entre Occident et Orient tient précisément au fait qu'en Orient, la modernité n'est pas perçue comme un processus créateur, comme elle l'est en Occident, mais plutôt comme l'amorce du déclin des formes de vie traditionnelles, ce sentiment de déclin entraînant une résistance farouche et une hostilité grandissante à l'égard d'un Occident qui utiliserait la modernité comme un outil d'asservissement. Une analyse plus fine montre cependant que l'Occident est lui-même traversé par une tension du même ordre qu'évoquent les termes de « refoulement », de « rejet », pour rendre compte d'une relation vécue sur le mode de la concurrence entre la science et la religion, entre le savoir et la foi. Encore aujourd'hui, la modernité reste largement, en Occident, un « projet inachevé ».

> Il existe des orthodoxies endurcies en Occident comme au Proche ou au Moyen-Orient, parmi les chrétiens et les juifs comme parmi les musulmans. Si l'on veut éviter une guerre des civilisations, il faut se souvenir du caractère dialectiquement

inachevé de notre propre processus occidental de sécularisation. La guerre contre le « terrorisme » n'est pas une guerre, et ce qui s'exprime aussi dans le terrorisme, c'est le choc, funeste dans son caractère aphasique, entre des mondes qui, par-delà la violence muette des terroristes et des missiles, sont mis en demeure de développer un langage commun[12].

Comment développer un tel « langage commun » ? Comment intervenir dans la diversité en vue d'un tel langage commun ? On pense immédiatement au dialogue interreligieux. Mais là aussi, je voudrais faire quelques remarques.

L'AVENIR INCERTAIN DU DIALOGUE INTERRELIGIEUX

Il me semble qu'aujourd'hui, l'expression « dialogue interreligieux » a perdu son aspect enthousiasmant à mesure qu'apparaissent ses limites et ses ambiguïtés[13]. Ses *limites*, parce que l'objectif d'un vrai « dialogue » n'est que rarement atteint. Mieux vaudrait parler, pour ne pas excéder ce qui se vit réellement, de « rencontres » ou de « relations ». Des quatre formes de dialogue qu'énumérait en 1984 un texte publié au Vatican par le Secrétariat pour les non-chrétiens, c'est le plus souvent, parfois même exclusivement, le « dialogue de vie », c'est-à-dire les relations et les rencontres de la vie quotidienne, qui correspond à quelque chose dans la réalité[14]. Quant au « dialogue des œuvres » ou au dialogue « théologique », ils sont beaucoup plus rares, pour ne rien dire du « dialogue de la prière ». J'ai parfois l'impression, du moins en France, que l'emploi exagéré de l'expression « dialogue interreligieux » risque de ne traduire que son peu d'effectivité réelle.

En outre, on a mieux conscience aujourd'hui des *ambiguïtés* de cette expression, au sens où elle désigne à la fois le rôle que *l'État* voudrait que les religions jouent pour contribuer à la paix sociale et, ce qui est loin d'être la même chose, l'attitude que *des croyants*, au nom de leur foi, entendent adopter à l'égard de fidèles d'autres religions que la leur. La première acception relève d'une théorie sociopolitique des religions ; la seconde, d'une réflexion théologique et pastorale. Or l'expérience montre que les motifs pour lesquels l'État se soucie des religions ne sont souvent que sécuritaires ou électoralistes, le premier étant souvent instrumentalisé au service du second, et que les religions, à cause même de la dimension critique et prophétique des messages qui les fondent, éprouvent souvent la distance qui existe entre ce que l'État voudrait qu'elles fassent et ce qu'elles estiment être leurs missions. L'histoire nous apprend assez les dangers liés aux tentatives réciproques d'instrumentalisation dans la relation entre État et religions ! C'est la tâche des religions de ne pas abandonner Dieu aux Césars qui se servent de son nom ! Or, par goût du pouvoir, les religions cèdent souvent leurs « droits d'aînesse » et perdent ainsi pour quelques « plats de lentilles » leur liberté prophétique, leur force d'opposition à l'injustice et leur audace à dénoncer le mal. Mais ce qu'elles gagnent alors en pouvoir, elles le perdent en autorité.

Les religions, surtout les monothéismes, qui prétendent reposer sur une révélation de l'absolu, courent toujours le risque, comme le montrent des siècles d'histoire, de confondre l'absolu de Dieu avec l'absolu de la religion, de s'absolutiser elles-mêmes au nom de l'absolu de Dieu. Or, toute confusion entre le chemin et le terme, entre le signe et la réalité, toute absolutisation du relatif, en un mot, toute *idolâtrie*, constitue un danger pour la paix.

La tentation d'idolâtrie et la médiation des mémoires

Je voudrais noter ici que l'idolâtrie, en tant que perversion du rapport à l'absolu, déborde le domaine du religieux. Dans la quasi-religion séculière qui domine actuellement notre monde « globalisé », celle du libéralisme économique, l'idolâtrie peut s'appeler « croissance » et négliger sous cette bannière toutes sortes d'injustices sociales, ou bien s'appeler « contrôle des ressources énergétiques » et cacher sous cet objectif des pratiques qui bafouent le droit des peuples, ou encore s'appeler « sécurité » et entraîner sous ce nom un cortège de peurs et d'exclusions. Notre actualité la plus récente révèle comment le recours au vocabulaire religieux est un procédé de renforcement de cette tendance idolâtre et de dissimulation des véritables objectifs. On dit parfois que nous vivons une période de « retour du religieux ». En réalité, nous assistons surtout à un « retour des idoles ».

Je reviens alors à la question du dialogue interreligieux. Si ce dialogue cautionne l'injustice sociale pour rester « politiquement correct », il devient lui-même vecteur d'idolâtrie. En revanche, dans la mesure où il est invitation à briser le cercle vicieux de l'idolâtrie, il constitue une chance pour la paix. Vécu en vérité, il invite chaque partenaire à approfondir son regard sur Dieu et donc sur les autres, à corriger ses « erreurs d'optique », à apprendre que, comme l'écrivait Emmanuel Lévinas, « l'éthique est l'optique spirituelle »[15]. Les acteurs du dialogue ne changent pas de Dieu ni même de religion, mais leur regard sur Dieu se laisse transformer et simplifier. Laissant ce qu'ils croyaient *absolument* savoir et posséder, ils comprennent mieux ce qu'il leur revient *humblement* de croire et d'espérer. Cette aventure du dialogue, fondée sur l'expérience existentielle de toute rencontre vraie, est lourde de sens et de conséquences dès lors qu'elle concerne aussi la dimension religieuse. Éprouvant concrètement que Dieu n'est pas moins proche de l'autre que de moi-même[16], elle dénonce l'illusion qui l'identifiait à mes besoins, à ma façon de voir, à ma conception de l'absolu. Du reste, la théologie chrétienne, à la suite de la théologie juive, ne dit jamais de Dieu qu'il est l'absolu : bien plutôt, il est un Dieu *révélé* qui, dans sa révélation même, demeure un *Dieu caché*, au-delà de toute mainmise humaine sur lui. Un Dieu qui renonce à la toute-puissance de l'absolu pour se tenir discrètement caché dans la précarité du présent.

Quelle est la précarité de notre présent historique ? Il me semble que les mutations de notre époque atteignent profondément le lien social. Il en résulte souvent des crispations culturelles de type identitaire (nationalismes, communautarismes) qui ne rendent que plus urgentes les questions concernant la possibilité de médiations du vivre ensemble dans des sociétés se voulant démocratiques et pluralistes. Les lignes de fracture sont multiples : tensions interculturelles, intergénérationnelles, interethniques. Je crois que la contribution que les religions peuvent apporter à ce genre de problèmes concerne essentiellement une aide à la cohabitation et au dialogue des mémoires différentes, surtout lorsque ces mémoires sont bafouées. La foi chrétienne le fera tout particulièrement parce qu'elle est fondamentalement constituée par une mémoire bien précise, celle de la mort et de la résurrection du Christ. Cette mémoire est à la fois pour elle le « souvenir eschatologique »[17] qui la tourne toujours du côté des « vaincus de l'histoire »[18], et en même temps l'anamnèse, la mémoire d'une promesse, qui fonde une espérance non seulement pour les croyants mais aussi pour le monde.

Dans la confession de cette promesse et le rappel de cette mémoire, les chrétiens d'aujourd'hui se retrouvent proches non seulement des croyants d'autres traditions religieuses mais aussi de tout homme, de toute femme, qui fait en vérité l'expérience de la vie. Ensemble, ils peuvent trouver ce qui est universel à l'espérance humaine et que traduisent les mots de paix, de justice, d'amour et de vérité[19]. Mais chacun les exprime avec la mémoire de son peuple, avec ses symboles culturels ou religieux, avec le souvenir dangereux des victimes de son histoire qui contribuent à définir son identité. Dès lors, quelles médiations offrir pour réguler le conflit des mémoires et des interprétations ? Quelles audaces devront avoir les religions pour jouer réellement un rôle politique de médiateur au service de la réconciliation des mémoires ? La tâche peut paraître insurmontable. Je crois que lorsque le dialogue interreligieux rend sensible à la précarité de l'autre et me permet de consentir à ma propre précarité, il est profondément une chance pour la paix. Il libère l'énergie de la réconciliation ; il suscite la force du pardon.

Les religions peuvent, en effet, être attentives à une force cachée qui n'apparaît pas toujours en surface mais qui est bien présente dans l'humanité. Force de réconciliation, désir de paix, courage de l'espérance. Malgré les guerres et les menaces de guerre, il y a quelque chose d'autre à l'œuvre dans l'histoire humaine, quelque chose que les chrétiens appellent le « Royaume de Dieu ».

À la fin du texte que j'évoquais tout à l'heure, Jürgen Habermas affirmait que « le travail que la religion a accompli sur le mythe, la société postséculière le poursuit sur la religion elle-même »[20]. Ce faisant, disait-il, la philosophie n'attise pas les braises d'un religieux endormi, au risque de rallumer l'incendie des guerres de religion ; bien plutôt, elle considère qu'il est de sa propre tâche, philosophique, de dépasser le nivellement médiatique des différences pour chercher à traduire en termes séculiers les ressources de sens qui gisent encore dans les sous-sols religieux de la modernité[21]. Cette herméneutique du religieux par la raison postséculière est rendu d'autant plus nécessaire, estime Habermas, que la globalisation qui caractérise notre époque est essentiellement celle de l'extension planétaire d'une économie de marché.

> Le langage du marché s'infiltre désormais partout et pousse toutes les relations interhumaines vers le schéma autoréférentiel de la satisfaction de ses préférences. Le lien social, qui se noue à partir de la reconnaissance réciproque, n'est pas réductible aux concepts du contrat, du choix rationnel et de la maximisation des profits[22].

Selon Habermas, le propre de la philosophie est ce travail de médiation entre le savoir des experts et une pratique quotidienne toujours en quête d'orientation. En tant que médiatrice, elle n'est cependant qu'une instance critique qui n'a rien à formuler en propre comme proposition et engagement de vie. C'est la raison pour laquelle, comme il l'écrit dans un autre ouvrage, la philosophie ne peut remplacer ni évincer la religion :

> Vue de l'extérieur, la religion, privée dans une large mesure de ses fonctions de vision du monde, est toujours irremplaçable pour le rapport normalisant avec le non-quotidien dans la vie quotidienne. [...] Tant que le langage religieux comporte des contenus sémantiques qui nous inspirent ou même nous sont indispensables, et qui (jusqu'à nouvel ordre ?) se dérobent à la force expressive d'un langage philosophique, n'étant pas encore traduits dans des discours argumentés, la philosophie – même sous sa forme postmétaphysique – ne pourra ni remplacer ni évincer la religion[23].

Même si, en tant que théologien chrétien, je ne considère pas le message évangélique comme pouvant être dilué sans reste dans la philosophie, je ne peux que souhaiter que celle-ci, s'efforçant à un travail de traduction en langage séculier de l'« être nouveau » suscité par l'Évangile, s'engage elle aussi dans la lutte contre l'idolâtrie qui caractérise ce message et favorise ainsi la médiation des mémoires culturelles et religieuses dans les sociétés pluralistes postséculières.

Dans nos sociétés occidentales marquées par une complexité croissante du lien entre politique et religion et devant les enjeux géopolitiques mondiaux qui sont un grave défi pour notre situation historique, les religions n'ont pas de leçon à donner, elles ont plutôt un engagement à prendre (et souvent un *mea culpa* à prononcer, lorsqu'elles n'ont pas assez enseigné la fraternité universelle et pas vraiment promu une culture de la solidarité !). Cet engagement me paraît être en définitive *un engagement pour la paix*, un engagement d'espérance. C'était le sens de la journée d'Assise, en 1986. C'est le sens ultime de notre travail à Marseille.

J'aimerais pour finir reprendre juste un mot, cher à l'islam, au christianisme, au judaïsme et au bouddhisme. Ce mot, c'est « miséricorde ». Christian de Chergé l'employait à propos de la relation entre chrétiens et musulmans, mais nous pourrions l'étendre à bien d'autres situations. Il disait :

> Chrétiens et musulmans, nous avons un besoin urgent d'entrer dans la miséricorde mutuelle. […] Cet exode vers l'autre ne saurait nous détourner de la Terre promise, s'il est bien vrai que nos chemins convergent quand une même soif nous attire au même puits. Pouvons-nous nous abreuver mutuellement ? C'est au goût de l'eau qu'on en juge. La véritable eau vive est celle que nul ne peut faire jaillir ni contenir. Le monde serait moins désert si nous pouvions nous reconnaître une vocation commune, celle de multiplier au passage les fontaines de miséricorde[24].

« Multiplier au passage les fontaines de miséricorde » : tel est mon vœu pour le travail de tous ceux qui veulent être, dans un monde pluraliste assoiffé de justice et de paix, de fraternels puisatiers de l'eau de Dieu.

Notes

1. Le dernier recensement, en 1999, indique pour Marseille 797 700 habitants, soit une baisse de 0,04 % par rapport à 1990.
2. On compte pas moins de 35 synagogues ou oratoires, la « grande synagogue » de la rue Breteuil ayant été inaugurée en 1864.
3. Le diocèse de Marseille, qui s'étend, au-delà de la ville, jusqu'à Aubagne, Cassis et La Ciotat, comporte 116 paroisses.
4. L'Église orthodoxe grecque, forte de 7 000 personnes, dispose de trois lieux de culte, deux en langue grecque, un en langue française ; l'Église orthodoxe russe en a deux, qui relèvent de deux juridictions différentes : l'un dépend, comme ses homologues grecs, du patriarcat de Constantinople ; l'autre, de l'Église russe hors frontières ou Église synodale.
5. Les premiers protestants arrivés à Marseille étaient originaires des Cévennes, au XIXe siècle. Ils ont été rejoints par des Vaudois en provenance du Piémont, puis par des protestants venant d'autres pays d'Europe, et des Arméniens évangéliques. Le premier temple a été fondé à la rue Grignan en 1825.
6. En janvier 1991, au moment de la guerre du Golfe, est apparue publiquement une instance qui existait déjà depuis quelques mois : Marseille-Espérance. Voulue par le maire de Marseille (à l'époque, Robert Vigouroux, successeur de Gaston Defferre), cette association inédite a rendu manifeste, à un moment critique à cause des conséquences de la guerre du Golfe, un véritable pacte entre les représentants des familles spirituelles. De cette façon, nul à Marseille ne pouvait se prévaloir de l'autorité d'un responsable religieux pour justifier une attitude d'intolérance à l'égard des autres religions. Depuis lors, Marseille-Espérance a fait école dans d'autres villes de France. À Marseille, le groupe se réunit chaque mois à la mairie (où il dispose d'un secrétariat) pour faire l'inven-

taire des problèmes qui peuvent surgir entre les communautés et élaborer des projets (calendrier intercommunautaire, galas, réceptions de personnalités – entre autres le dalaï-lama – colloques, etc.). Même s'il reste encore beaucoup à faire, et même si la distance risque toujours de se creuser entre les responsables et les communautés de base, il reste que les actions symboliques et médiatisées de Marseille-Espérance ont été et peuvent être encore favorables à la construction d'une cohabitation religieuse et culturelle sur le terrain.

7. Pour des étudiants déjà titulaires d'une licence (= baccalauréat canonique) en théologie, le diplôme peut devenir, à certaines conditions négociées avec la Faculté de théologie, une maîtrise (= licence canonique) en théologie avec spécialisation en théologie des religions.
8. À ce jour, vingt-deux numéros sont parus.
9. Jürgen Habermas, « Foi et savoir », dans *L'avenir de la nature humaine. Vers un eugénisme libéral ?*, Paris, Gallimard, 2002, p. 147-166.
10. *Ibid.*, p. 151.
11. *Ibid.*, p. 148.
12. *Ibid.*, p. 149.
13. Pour ce paragraphe et pour le suivant, je renvoie à mon article : « Le dialogue interreligieux, une chance pour la paix », *Mission de l'Église*, n° 142, janvier-mars 2004, p. 68-73.
14. Voir « Attitude de l'Église catholique devant les croyants des autres religions. Réflexions et orientations concernant le dialogue et la mission (1984) », *Chemins de dialogue*, n° 7, 1996, p. 65-85.
15. Emmanuel Lévinas, *Totalité et infini. Essai sur l'extériorité*, The Hague/ Boston/Lancaster, Martinus Nijhoff Publishers, 1984, p. 51.
16. Voir Nicolas de Cues, *Le tableau ou la vision de Dieu*, Paris, Les Éditions du Cerf, 1986.
17. « La foi chrétienne est une attitude où l'homme se souvient des promesses annoncées et d'espérances vécues à cause de ces promesses, une attitude où il se lie à ces souvenirs pour vivre sa vie. Ni le modèle intellectualiste de l'adhésion à des affirmations de foi ni le modèle existentiel de la décision hors de toute prise ne sont ici avancés en premier pour définir la foi, mais la figure du souvenir eschatologique » (Jean-Baptiste Metz, *La foi dans l'histoire et la*

société. Essai de théologie fondamentale pratique, Paris, Les Éditions du Cerf, 1979, p. 225).

18. « C'est seulement à cause de ceux qui sont sans espoir que l'espoir nous est donné » (Walter Benjamin, *Mythe et Violence*, *Œuvres*, vol. 1, Paris, Denoël, 1971, p. 260).
19. Voir l'encyclique de Jean XXIII, *Pacem in terris*, publiée en 1963.
20. J. Habermas, « Foi et savoir », p. 164.
21. Déjà, en 1987; dans un texte traitant des relations entre les questions métaphysiques et les questions religieuses, Habermas écrivait : « Ainsi, je ne crois pas que, Européens, nous puissions comprendre, avec tout le sérieux nécessaire, des concepts tels que l'éthique et la morale sociale, la personne et l'individualité, la liberté et l'émancipation [...] sans nous approprier la substance de la pensée sotériologique d'origine judéo-chrétienne. De tels concepts qui structurent la compréhension que nous avons de nous-mêmes ont une riche signification ; d'autres accèdent à cette même surabondance par d'autres traditions. Mais sans une socialisation qui nous transmette l'héritage d'une des grandes religions universelles, quelle qu'elle soit, et sans la transformation philosophique d'une telle religion, ce potentiel sémantique pourrait un jour devenir inaccessible ; il faut qu'il livre son sens à chaque génération nouvelle, faute de quoi ce qui subsiste de la compréhension – intersubjectivement partagée – que nous avons de nous-mêmes et qui nous permet de nous comporter humainement les uns vis-à-vis des autres, risque de se désintégrer » (Jürgen Habermas, « La métaphysique après Kant » [1987], repris dans *La pensée postmétaphysique. Essais philosophiques*, Paris, Armand Colin, 1993, p. 23).
22. J. Habermas, « Foi et savoir », p. 159.
23. J. Habermas, « La métaphysique après Kant », p. 60-61.
24. Christian de Chergé, « Venons-en à une parole commune. Chrétiens et musulmans, témoins et pèlerins de la miséricorde », *Lettre de Ligugé*, n° 217, 1983, p. 26-50.

Bibliographie

Aveline, Jean-Marc, « Le dialogue interreligieux, une chance pour la paix », *Mission de l'Église*, vol. 142, janvier-mars 2004, p. 68-73.

Benjamin, Walter, *Mythe et Violence*, *Œuvres*, vol. 1, Paris, Denoël, 1971.

Chergé, Christian de, « Venons-en à une parole commune. Chrétiens et musulmans, témoins et pèlerins de la miséricorde », *Lettre de Ligugé*, nº 217, 1983, p. 26-50.

Cues, Nicolas de, *Le tableau ou la vision de Dieu*, Paris, Les Éditions du Cerf, 1986.

Habermas, Jürgen, « Foi et savoir », dans *L'avenir de la nature humaine. Vers un eugénisme libéral ?*, Paris, Gallimard, 2002.

—, *La pensée postmétaphysique. Essais philosophiques*, Paris, Armand Colin, 1993.

Jean XXIII, *Pacem in terris*, 1963.

Lévinas, Emmanuel, *Totalité et infini. Essai sur l'extériorité*, The Hague/Boston/Lancaster, Martinus Nijhoff Publishers, 1984.

Metz, Jean-Baptiste, *La foi dans l'histoire et la société. Essai de théologie fondamentale pratique*, Paris, Les Éditions du Cerf, 1979.

Secrétariat pour les non-chrétiens, « Attitude de l'Église catholique devant les croyants des autres religions. Réflexions et orientations concernant le dialogue et la mission (1984) », *Chemins de dialogue*, vol. 7, 1996, p. 65-85.

CHAPITRE 11

L'apport d'une théologie chrétienne au débat public sur la diversité religieuse

FRANÇOIS BOUSQUET

LA CHANCE DE NOTRE TEMPS, qui est celui d'une culture du débat, est d'interdire au théologien de tenir un discours qui surplomberait toute chose, que ce soit l'espace public ou la diversité religieuse, en arguant de l'autorité de la révélation, comme s'il énonçait la parole dernière jugeant les autres. Sans entrer dans des distinctions méthodologiques qui ne sont pas l'objet du présent propos[1], il suffit ici de suggérer quelques formules un peu claires, à l'usage des théologiens chrétiens qui tomberaient dans ce travers. La parole du théologien n'est pas la parole de Dieu, elle ne fait que la servir dans la conscience de cette différence qualitative radicale. Ensuite, la foi n'est pas un supposé savoir de la totalité, mais une confiance en un Unique. Par ailleurs, la vérité n'est pas d'abord, pour un chrétien, ce qui lui donne raison, mais ce qui le juge. Enfin, s'il s'agit de voir les choses « du point de vue de Dieu », il ne faut pas se placer au ciel – ce serait être dans les nuages ou prendre le point de vue de Sirius – mais considérer plutôt toute situation avec les yeux du Crucifié. Ceci dit, je ferai mon métier de théologien chrétien, pour répondre à la question qui m'a été posée, en tenant que la Tradition croyante, que je partage avec tous ceux qui reconnaissent Jésus comme Christ, n'est pas dépourvue d'éléments permettant d'éclairer le champ proposé.

Je développerai mon propos en deux temps parce qu'il me semble qu'il y a comme deux foyers (comme on parle des foyers d'une ellipse) dans la question qui m'a été posée : le premier est celui de la religion dans la sphère publique ; le second, celui de la diversité religieuse.

Quel peut être l'apport d'une théologie chrétienne sur la religion dans la sphère publique ?

Je partirai, pour être clair, d'un concept défini de la théologie chrétienne comme foi au Christ réfléchie dans la culture. Or, comme foi réfléchie, la théologie chrétienne est d'abord la présentation d'un croire, et d'un croire en communication.

Son premier apport à l'espace public est donc celui d'un croire, constamment rapporté à autrui et à l'avenir ; d'un croire en communication aussi, qui, loin de légitimer quelque communautarisme, invite au contraire à participer à l'effort d'invention, urgent et nécessaire, de nouvelles modalités du vivre ensemble dans la société.

Plus précisément, spécifiée comme étant la réflexion d'un *croire au Christ*, cette théologie peut contribuer à penser « autrement » la religion dans l'espace public. À savoir : ni comme une religion « traditionnelle », ni comme une survivance dans les marges, ce qui ne suscite finalement qu'une indifférence culturelle, mais comme un corps d'espérance, et d'espérance fondée.

L'apport d'un « croire » qui n'est pas autolégitimation d'une communauté mais service du vivre ensemble

Le premier apport de la théologie chrétienne concernant la religion dans l'espace public est celui d'un « croire ». Je dois frapper fort ici parce que cette certitude a perdu pour beaucoup son caractère d'évidence. Croire est un acte à réévaluer, anthropologiquement et théologiquement, dans le moment présent de la culture, sur un double front : celui du retour des crédulités et des croyances, habituel en temps de crise, sur lequel je ne m'attarderai pas, et celui de l'insignifiance de la foi elle-même, quand elle est réduite à des coutumes d'appartenance ou à un vernis culturel. Le premier front relève de la sécularité, le second s'ouvre là où les Églises se sont confondues avec la nation, en diverses variantes de christianisme ethnique. À chaque fois le point décisif est celui des critères d'identité. Tantôt, là où l'État s'est effondré (Yougoslavie, divers pays d'Europe de l'Est), l'identification n'a plus d'appuis sur les nécessaires médiations politiques, et l'on se replie sur des critères d'identification à dominante religieuse (on est catholique comme croate, orthodoxe comme serbe, musulman comme bosniaque ; cela peut être plus complexe : on peut être catholique polonais en n'étant ni luthérien allemand ni orthodoxe russe). Cela arrive aussi aux autres religions : tantôt, puisqu'on n'a pas sa place dans l'État, économiquement et socialement, on n'est par exemple plus algérien, et pas vraiment français, et l'on se radicalise par protestation, en se construisant une identité qui n'est plus seulement musulmane mais islamiste. Tantôt enfin, une situation bloquée par la guerre (comme dans le puzzle du Moyen-Orient) rend indissociables les critères d'identité politiques et religieux. Mais on peut assister au processus symétrique et inverse : dans les sociétés libérales « dites avancées », où certains souhaitent le moins d'État possible, l'identité se récupère en diverses formes de communautés ethnoreligieuses. Les croyances ici *séparent* les communautés.

Or, il y a un croire, différent de cette foi que certains chez nous ont appelé « sociologique », un croire qui est anthropologiquement fondateur, vecteur d'humanisation, et d'humanisation solidaire en cercles toujours plus larges[2]. Il commence par être la confiance faite à deux sortes d'altérité proprement immaîtrisables : autrui et l'avenir. Quiconque croit maîtriser autrui tombe dans la violence, quiconque croit maîtriser l'avenir tombe dans l'illusion. Il y aura toujours besoin du croire, d'une foi que j'appellerai « commune », pour devenir humain. Mais en qui, en quoi, pouvons-nous placer notre confiance, pour vivre avec l'autre et envisager l'avenir ensemble ? C'est ici que la foi chrétienne, théologale cette fois, situe la question de Dieu même comme question pratique : dis-moi si tu veux te rapporter à autrui sans violence et à l'avenir sans illusion, et je te montrerai comment la reconnaissance d'un Dieu dont le visage humain s'est manifesté dans le christ Jésus peut nous donner de l'horizon et du souffle.

Bref, premier apport de la théologie chrétienne quant à la religion dans l'espace public : la présentation d'un croire, constamment rapporté à autrui et à l'avenir, en fonction du rapport entre Dieu et l'homme tel qu'il a lieu dans le christ Jésus, un croire qui soit service du vivre ensemble. Nous pouvons à partir de là préciser davantage.

L'APPORT D'UN « CROIRE » QUI SERT LE LIEN SOCIAL EN SE VOULANT « CORPS D'ESPÉRANCE »

Je déclinerai rapidement cette proposition en trois idées-force : patience des fondations, vigilance sur les pouvoirs et ce qui fait autorité, mémoire des exclus dans la question du sens.

Patience des fondations. La position de ce croire qui s'efforce de devenir chrétien supporte très bien les cheminements et la progressivité. Et surtout, il n'y a pas ici concurrence mais synergie avec l'humain (religieux en particulier). La confiance qui sera fondée quand on pourra dire avec Paul « je sais en qui j'ai cru » (2 Tm 1, 12) s'appellera foi, en tâchant de ressembler à

Celui qu'elle aime (croire est une « imitation »). La lutte contre la violence, qui commence par le respect de l'autre en son altérité, ira jusqu'au don où l'on s'oublie pour l'autre et s'appellera charité. La lutte contre l'illusion, ses marchands et ses bateleurs, surtout l'illusion par rapport à l'avenir, pourra se faire espérance fondée, en un temps où nous n'avons pas le droit de tromper nos contemporains sur l'espérance. Encore faut-il, on l'a dit dès le début, que cette espérance fasse effectivement signe en prenant corps et visibilité, en actes et pas seulement en paroles, ce qui est une des fonctions de l'Église (dans la ligne de sa nature sacramentelle qui est de donner le signe effectif du salut). La patience des fondations peut et doit mener à un vécu religieux qui rassemble.

Vigilance sur les pouvoirs et ce qui fait autorité. Les chrétiens d'aujourd'hui peuvent entrer dans l'espace public sans peur, sans nostalgie et sans triomphalisme. Ils invitent tous les partenaires sociaux, y compris les opposants, à être vigilants relativement aux questions qui leur sont souvent posées mais qui s'adressent à chacun : à quel titre prétendez-vous que votre proposition peut être vraie et bonne pour tous ? De quelle autorité vous réclamez-vous, et quelle est son aire de validité, en particulier pour les consciences ? Comment vous situez-vous dans le débat, autrement que comme un groupe porteur d'intérêts sectoriels ? Savoir, c'est pouvoir ; mais que procure la puissance, technique comme politique, et en faveur de qui ? La véritable neutralité n'est pas l'absence d' « intérêts », ni même de convictions, mais l'acceptation de soumettre ceux-ci au débat, ce qui demandera à chacun de produire ses raisons. La vigilance sur les pouvoirs sert l'espérance commune en luttant contre les idoles.

Mémoire des exclus dans la question du sens. Chacun sait que la question du sens est devenue omniprésente dans les sociétés sécularisées. Et les chrétiens s'inscrivent sans peine dans ces conditions parmi les « quêteurs de sens ». Mais il faut remarquer que dans les sociétés où grandit le pluralisme religieux, l'éclatement du sens n'est pas moins grand. Or, pour les croyants, le sens est toujours rapporté à quelqu'un, à un visage, celui des autres comme celui de Dieu. Le sens, qui se cherche et se construit ensemble par segments à travers le chaos, n'est pas dans les choses, et pas même non plus dans les idées. C'est toujours pour chacun quelqu'un, un ou des visages où se traduisent les promesses de l'amour ou de la solidarité. Ultimement, ce qui détruit nos trajectoires vers le sens est l'absence d'amour. Décrit à distance, en tentant de l'objectiver, l'amour est la qualité spécifique d'un lien social ouvert à l'universel, d'une part, et capable de détachement, d'autre part, au cœur même de l'attachement à l'autre, accueilli précisément comme autre. Vécu par des sujets qu'il contribue à susciter solidaires, l'amour est ce qui transfigure toute chose et donne le « courage d'être » chanté par Tillich.

Socialement, cela n'est pas sans conséquences. L'apport chrétien à la question du sens est de réactiver sans cesse la mémoire des exclus dans la question du sens. Il n'y a pas à se lamenter de la perte de puissance de l'Église : son influence réelle, ultime, ne sera jamais là. Le vrai danger pour elle serait d'oublier les pauvres, car c'est là qu'elle est grande. D'oublier les exclus d'une société dont les critères d'excellence peuvent marginaliser beaucoup d'hommes et de femmes, car c'est là son apport prophétique, c'est-à-dire *parlant*, pour la guérison de ce qui abîme la société tout entière et l'enfonce dans le non-sens. La mémoire maintenue des exclus sert d'une troisième manière l'espérance, concrètement, et sollicite celui qui croit au ciel comme celui qui n'y croit pas.

Venons au second foyer de l'ellipse dans la question posée : après la religion dans la sphère publique, la diversité religieuse.

L'APPORT D'UNE THÉOLOGIE CHRÉTIENNE CONCERNANT LA DIVERSITÉ RELIGIEUSE

Pour faire bref, je proposerai trois idées. D'abord, un premier apport, qui me semble devoir ne pas être omis avant les autres, est celui d'un discernement des esprits, en ce qui concerne l'aspect qualitatif de cette diversité, avant le quantitatif (il y a des religions, mais, avant cela, comment se vit le rapport au religieux ?). Second apport : la capacité d'articuler le singulier, le particulier et l'universel, question posée sans cesse au christianisme mais qui se trouve posée à toutes les religions et qui est d'importance considérable pour la société globale parce qu'elle rejaillit aussi dans les domaines éthique et politique. Troisième apport enfin : un certain savoir-faire dans l'exercice de la communion dans la diversité, même si la réalisation est trop peu souvent à la hauteur de l'exigence.

PREMIER APPORT : UN DISCERNEMENT DES ESPRITS, CAR IL Y A RELIGION ET RELIGION

En pointant ce qu'a de spécifique la foi comme foi au christ Jésus, il n'est pas inutile de marquer, pour les anciennes chrétientés du monde occidental, la nécessaire sortie d'une conception du christianisme comme « religion traditionnelle » ou ethnique, une religion d'héritage sociologique qui ne trancherait plus dans la culture, parce qu'elle se rapporterait seulement au passé, en ayant perdu sa dimension prophétique et eschatologique[3]. Un jeune homme d'une féconde insolence m'interpellait un jour en disant : « Vous savez, la religion, c'est un tas de réponses toutes faites à des questions que l'on ne se serait jamais posées… » Le plus beau est qu'il avait raison, invitant sans le savoir à penser que le christianisme, en son état toujours natif, est autre, et invite à pratiquer, à mettre en pratique « la religion » autrement.

On pourrait prendre la trajectoire de la culture grecque comme paradigmatique. Rares sont les cultures dont la matrice n'est pas religieuse. Pour instruire les jeunes, on fait venir l'ancien, qui raconte la mythologie, et explique ainsi ce qu'il faut faire et ne pas faire. Puis viennent les philosophes (en l'occurrence les présocratiques et Socrate). La philosophie a pour caractéristique de poser les questions sans préjuger des réponses, ce qui est un retournement considérable. C'est pourquoi survient alors une période tragique (le siècle de Périclès écrit des tragédies qu'on joue encore aujourd'hui) : les questions sont là, radicales, et l'on n'a plus de réponse[4]. Transposons : ne serait-ce pas ce qui s'est passé pour le christianisme, chaque fois qu'il a fonctionné comme « religion traditionnelle », au sens technique du terme ? Se présentant ainsi, au lieu d'être une espérance prophétique, fondée sur l'irruption de la fin des temps dans le temps, quand le Ressuscité dont nous sommes rendus contemporains transfigure le temps à partir de l'Éternel et nous aide à penser et à agir à partir de l'avenir promis à toute humanité.

On peut tenir que la spécificité du croire chrétien permet aujourd'hui de réfléchir en fonction d'une conversation à trois termes sur ce qui se joue dans une société, à la fois séculière et religieuse, mais où l'impact chrétien peut porter sur l'une et l'autre composante, en proportions variables, selon les lieux et les moments : le premier apport de la foi est celui d'un discernement en matière de sécularité et en matière de religion.

Encore faut-il que l'on ait affaire à un christianisme vif, qui ne se laisse ni séculariser ni transformer en religion traditionnelle, ce qui est très exigeant. L'exemple africain est ici très éclairant. La foi chrétienne apparaîtra-t-elle comme ce qui est accordé à la modernité de l'Occident, ou, inversement, comme ce qui voudrait se substituer à la religion traditionnelle ? Ou bien aura-t-elle, une fois inculturée, quelque chose à dire et à transformer, aussi bien par rapport à la modernité que par rapport à l'héritage ? Je tiens que la situation présente, nouvelle, n'est pas sans rappeler celle du christianisme naissant, qui doit marquer sa double différence, aussi bien par rapport au judaïsme, dont il émerge (et l'un des points de débat est le passage de l'ethnique à l'universel), et à la société païenne, civile et religieuse à la fois (et l'un des points de débat est l'idolâtrie). Le christianisme historique, en ses diverses versions, peut alors agir comme un ferment dans les sociétés, qu'il épouse et conteste à la fois, s'il est constamment rapporté à la manière dont le Christ accomplit l'ancien tout en innovant, et en suscitant de nouveaux possibles réels. Il entraîne en tout cas à un discernement des esprits, en acceptant le premier d'être jugé là-dessus.

Deuxième apport : une invitation à articuler le singulier, le particulier et l'universel

Le christianisme en son surgissement affirme, à partir du christ Jésus, cet universel singulier, cet unique qui est pour tous, que chaque personne est unique et que tous sont solidaires. Aujourd'hui, la question qui est celle de devenir sujets de notre destin historique, non pas en solitude mais en solidarité, devient toujours plus cruciale. Le personnalisme d'origine chrétienne qui a marqué les cultures occidentales a fort à faire pour résister à l'individualisme assez sauvage des sociétés ultra-libérales comme aux réveils de réactions grégaires ou aux requêtes identitaires de groupes fermés sur eux-mêmes.

Les choses pourront peut-être bouger si l'on revient aux sources théologales, à savoir, la forme de croix qui trace sur les corps la double exigence, solidement nouée, de la verticale du rapport de chacun à Dieu, et de l'horizontale des bras ouverts à tous. La verticale du « devant Dieu » dit la valeur infinie de chaque personne, dont le nom n'est pas moins qu'éternel, pour un Dieu qui nous apprend à déchiffrer l'histoire autrement que ne la racontent les vainqueurs. L'horizontale des bras ouverts dit qu'il y aurait du malheur à vouloir être heureux tout seul. La double question que Dieu nous pose n'en fait qu'une : qui dis-tu que je suis ? contre toute idolâtrie, et qu'as-tu fait de ton frère ? contre toute négligence (négligence que Michel Serres a nommée une fois « le contraire de la religion[5] »).

Ce signe, tracé sur les corps comme un programme concret, est aussi très utile aux chrétiens eux-mêmes pour se repérer entre les diverses approches du destin de l'homme par les religions. Bien évidemment, dans le dialogue, il ne faut pas aller trop vite. Mais ce signe cruciforme est éclairant par sa croisée même. Telle démarche religieuse, qui invite tant à la compassion, comment ses adeptes la vivent-elle ou non, en fait, comme étant en même temps un rapport à l'absolu ? Telle autre démarche, qui fait passer avant toute chose la grandeur et la transcendance de Dieu, comment ses fidèles la vivent-ils – en même temps, je le répète – comme attention pleine de miséricorde à chaque être humain ? Avec leur signe pascal, qui croise les deux dimensions, les chrétiens ont à s'émerveiller bien souvent de la fraternité spirituelle qu'ils peuvent entretenir dans la rencontre des religions du monde. Traduit en conséquences sociales et politiques, cela voudra dire veiller, à l'intérieur de chaque société, à cette articulation du singulier, du particulier et de l'universel, dans le triple rappel de la valeur de chaque personne, des différences dans la nation et de l'humanité plus grande sur laquelle elle doit s'ouvrir.

Troisième apport : un certain savoir-faire de la communion dans la diversité

Il faut reconnaître ici qu'il y encore beaucoup à faire pour que la réalisation soit à la hauteur de l'exigence. Mais il n'empêche : ce n'est pas rien que de présenter l'Église, comme le fait Vatican II dès le premier paragraphe de *Lumen Gentium*, comme « étant, dans le Christ, en quelque sorte le sacrement, c'est-à-dire à la fois le signe et le moyen de l'union intime avec Dieu et de l'unité de tout le genre humain ». C'est une grande chose, et pleine d'espoir, pour ce XXIe siècle, que la « catholicité », au sens large et théologal du terme (et non pas en son sens étroit et particularisant). La double fidélité à la personne unique du christ Jésus et à l'unité du genre humain tout entier marque l'horizon de compréhension que l'Église a d'elle-même. C'est aussi l'une des exigences fondamentales du service qu'elle peut rendre à l'humain. Encore faut-il qu'elle soit une, ce qui reste une des tâches prioritaires pour elle si elle veut que le signe qu'elle donne soit efficace en correspondant au don de l'Esprit. Encore faut-il aussi, par son souci premier des délaissés du monde et des exclus de l'histoire, comme on l'a déjà dit, qu'elle ne laisse aucune ambiguïté entre mission universelle et volonté de pouvoir ou d'emprise.

Certes, le but du dialogue interreligieux n'est pas celui de l'œcuménisme : il n'est pas question de ramener les religions à une seule, ce qui n'en produirait qu'une de plus. Pour autant, ce qui est vécu à l'échelle de l'Église universelle, en fait de communion dans la diversité (dont les rassemblements internationaux donnent l'image bigarrée, à charge que cela s'inscrive ensuite dans l'ordinaire) ; en fait aussi de défense des minorités ; en fait d'exigence d'inculturations multiples avec le défi de préserver l'unité de la foi ; en fait d'échanges qui commencent à devenir significatifs, non plus seulement entre monde occidental et tiers-monde mais de sud à sud ; en fait d'articulation, une fois encore, entre le local et l'universel : tout cela constitue un apport pratique plus que théorique, mais de grande envergure, et qui demande à être exploité pour réfléchir à la diversité religieuse dans la sphère publique.

Je me contenterai maintenant de conclure en résumant mes principales propositions.

Foi réfléchie, la théologie chrétienne est un croire en communication. Son premier apport à la réflexion sur la religion dans la sphère publique est celui d'un croire, constamment rapporté à autrui et à l'avenir, qui peut contribuer à l'invention de nouvelles sagesses et de nouvelles formes de lien social, appelées par les mutations assez radicales du temps présent. Ce croire chrétien n'est alors pas autolégitimation d'une communauté mais service du vivre ensemble en société. C'est très concrètement qu'il sert alors le lien social, en se voulant « corps d'espérance », dans un triple geste : patience des fondations, vigilance sur les pouvoirs et ce qui fait autorité, mémoire des exclus dans la question du sens.

L'apport de la théologie chrétienne concernant la diversité religieuse, en première analyse, pourrait être triple : un discernement des esprits, invitant à vivre « autrement » la religion, en tranchant dans une culture à la fois séculière et religieuse, et sans redevenir « religion traditionnelle » ; en second lieu, une invitation à articuler le singulier, le particulier et l'universel, dessinant l'horizon d'une société où chacun est unique et où tous sont solidaires ; enfin, un apprentissage de la communion dans la différence et le tissu des diversités.

Notes

1. On trouvera facilement celles-ci, dans un certain nombre de publications de ce que l'on pourrait appeler le « Groupe de Paris », dont la plupart des membres enseignent à la Faculté de théologie et de sciences religieuses de l'Institut catholique de Paris. Par exemple, dans Joseph Doré et François Bousquet (dir.), *La théologie dans l'histoire*, Paris, Beauchesne, 1997 ; Joseph Doré, « De la responsabilité des théologiens dans l'Eglise », *Transversalités*, Revue de l'Institut catholique de Paris, n° 84, Paris, octobre-décembre 2002, p. 119-140 ; Henri-Jérôme Gagey, « La responsabilité "clinique" de la théologie », dans François Bousquet, Henri-Jérôme Gagey, Geneviève Médevielle et Jean-Louis Souletie (dir.), *La responsabilité des théologiens. Mélanges offerts à Joseph Doré*, Paris, Desclée, 2002 ; F. Bousquet, « Prendre au sérieux, en théologie, la proposition de la foi », dans Henri-Jérôme Gagey et Denis Villepelet (dir.), *Sur la proposition de la foi*, Paris, Éditions de l'Atelier, 1999, p. 161-170.
2. Pour une argumentation plus développée, voir François Bousquet, « La foi chrétienne dans sa spécificité », *La Maison-Dieu*, n° 174, Paris, 1988, p. 21-58. La première partie de l'article opère cette réévaluation anthropologique du croire, la seconde compare l'acte spécifié à un certain nombre d'attitudes cognitives.
3. Voir François Bousquet, « La ragione contro la paura e la paura della ragione. Di fronte alla violenza la crisi congiunta dell'eredità dell'Illuminismo e del concetto di religione » (« La raison contre la peur et la peur de la raison. Devant la violence, la crise conjointe de l'héritage des Lumières et du concept de religion »), dans Sergio Sorrentino (dir.), *L'eredità dell'Illuminismo e la critica della religione*, Atti del III Convegno annuale della Associazione Italiana di Filosofia della Religione (Ferrara, 16–17 giugno 2004), Roma, Aracne Editrice, 2004.
4. Pour de plus amples développements, voir François Bousquet, « Et la chair se fit *logos*, Essai sur la réaction philosophique au rite », dans Jean Greisch (dir.), *Le Rite*, Paris, Beauchesne, 1981, p. 33-66.
5. Michel Serres, *Le contrat naturel*, Paris, François Bourin, 1990, p. 80-81.

Bibliographie

Bousquet, François, « La foi chrétienne dans sa spécificité », *La Maison-Dieu*, nº 174, Paris, 1988, p. 21-58.

—, « Et la chair se fit *logos*, Essai sur la réaction philosophique au rite », dans Greisch, Jean (dir.), *Le rite*, Paris, Beauchesne, 1981, p. 33-66.

—, « La ragione contro la paura e la paura della ragione. Di fronte alla violenza la crisi congiunta dell'eredità dell'Illuminismo e del concetto di religione » (« La raison contre la peur et la peur de la raison. Face à la violence, la crise conjointe de l'héritage des Lumières et du concept de religion »), dans Sorrentino, Sergio (dir.), *L'eredità dell'Illuminismo e la critica della religione*, Atti del III Convegno annuale della Associazione Italiana di Filosofia della Religione (Ferrara, 16–17 giugno 2004), Roma, Aracne Editrice, 2004.

—, « Prendre au sérieux, en théologie, la proposition de la foi », dans Gagey, Henri-Jérôme et Denis Villepelet (dir.), *Sur la proposition de la foi*, Paris, Éditions de l'Atelier, 1999, p. 161-170.

Doré, Joseph, « De la responsabilité des théologiens dans l'Église », *Transversalités*, Revue de l'Institut catholique de Paris, nº 84, Paris, octobre-décembre, 2002, p. 119-140.

Doré, Joseph et François Bousquet (dir.), *La théologie dans l'histoire*, Paris, Beauchesne 1997.

Gagey, Henri-Jérôme, « La responsabilité “clinique” de la théologie », dans Bousquet, François, Gagey, Henri-Jérôme, Médevielle, Geneviève et Jean-Louis Souletie (dir.), *La responsabilité des théologiens. Mélanges offerts à Joseph Doré*, Paris, Desclée, 2002.

Serres, Michel, *Le contrat naturel*, Paris, François Bourin, 1990.

Chapitre 12

Fondamentalisme religieux et violence sectaire

Dianne Casoni

Le génocide des Tutsis, au Rwanda, qui fit plus de 800 000 morts et des millions de blessés et de réfugiés en 1994, nous rappelle tristement comment les phénomènes de génocides illustrent mieux que toute autre conduite humaine le pouvoir destructeur d'une haine collective dirigée envers d'autres semblables, lorsqu'elle est entretenue et nourrie par des leaders frappés de mégalomanie. Pour les extrémistes parmi les Hutus qui ont commis ces atrocités, les Tutsis étaient des *inyenzi*, des blattes, des coquerelles, alors qu'ils se désignaient eux-mêmes comme des *impuzamugambi*, « ceux qui n'ont qu'un objectif » au sein du mouvement *interahamwe*, soit « ceux qui attaquent ensemble ». Ces désignations rappellent l'appel déconcertant d'Adolf Hitler qui, au cours d'une émission radiophonique diffusée le 1er août 1923, proclame : « Il n'y a que deux choses qui puissent unir les hommes : des idéaux communs et des crimes communs ».

Ces deux tragédies génocidaires semblent ainsi puiser aux mêmes sources. En effet, une majorité suffisante d'Allemands sous la gouverne d'Hitler ont partagé avec lui un idéal commun qui les a amenés, collectivement, quoiqu'à des degrés fort variés d'implication, à commettre une foule de crimes, allant de la dénonciation de son voisin juif à la Gestapo à la participation active au génocide. Le même phénomène groupal s'est déroulé au Rwanda, où la poursuite d'un idéal partagé, celui de débarrasser le pays des Tutsis, a amené des milliers de Hutus extrémistes à semer la terreur, partant chaque matin, jour après jour, semaine après semaine, pour décapiter systématiquement les hommes à la machette, tuant les enfants mâles, violant et mutilant les femmes et les fillettes Tutsis afin, comme les Allemands extrémistes avant eux, d'accomplir leur projet respectif de vider le pays à jamais des « non-humains », des « blattes ». Après coup, on peut, en effet, sans risquer de se tromper, affirmer qu'Hitler, comme l'intelligentsia et les médias extrémistes Hutus, a su initier, entretenir et gérer un vaste et monstrueux mouvement de groupe dans lequel l'idéal a joué un rôle déterminant qui a amené des centaines et des milliers de personnes ordinaires à commettre des crimes en commun. Fort heureusement, ces dénouements sont rarissimes, mais, hélas, ils ont eu lieu et auront probablement encore lieu dans l'avenir.

Replacé dans le contexte du fondamentalisme religieux, ce que ces références aux génocides des Juifs et des Tutsis permettent de faire ressortir, c'est que la poursuite d'un idéal commun constitue non seulement un des facteurs déterminants donnant naissance à certaines formes de violence extrême en contexte groupal religieux mais aussi que l'appel à un idéal commun semble, ultimement, unir de façon spécifique les leaders et les membres de groupes religieux terroristes. Ainsi, tout comme pour l'horreur des barbaries commises sous la gouverne de Hitler et des Hutus extrémistes, les attentats violents commis par des membres de certains groupes sectaires sont souvent le fait de « gens ordinaires » amenés progressivement à participer à une dynamique groupale dans laquelle la poursuite d'un idéal fondamentaliste prend peu à peu la place qu'occupe habituellement le jugement moral.

Avant de développer plus avant ces quelques idées, je vais d'abord apporter quelques précisions terminologiques et établir les limites qui serviront à encadrer mon propos.

Précisions terminologiques et limites de cet essai

La référence à l'expression « groupe sectaire » ou au mot « secte » s'entend pour moi comme l'ont définie Troeltsch[1], Weber[2], Wilson[3] et Mayer[4]. Ce mot et cette expression ne comportent ainsi pour moi aucune connotation péjorative ni ne constituent une étiquette à valeur négative ou un stigmate envers les personnes impliquées dans ces groupes. De plus, je précise que la grande majorité des sectes ne peuvent être caractérisées par leur recours à la violence ni auprès de leurs membres ni envers la société. Le recours à la violence en contexte sectaire demeure, fort heureusement, malgré la couverture médiatique qui en est faite, un phénomène rarissime, compte tenu du nombre de groupes qui peuvent être définis comme des sectes.

Par « fondamentalisme », je réfère, comme Kepel[5], à une position idéologique qui consiste à considérer un texte sacré comme la source fondamentale et achevée de la vérité, et à lui accorder préséance pour guider la conduite humaine. J'ajouterais que le fondamentalisme va habituellement de pair avec une aversion de tout œcuménisme et même avec un rejet du pluralisme religieux. Fondamentalisme et intégrisme sont souvent proches parents, mais l'intégrisme se distingue par l'envergure de son projet politique, notamment par le désir explicite que la gestion des échanges sociaux soit totalement gouvernée par la doctrine du groupe, doctrine qui est souvent, mais pas nécessairement, religieuse. Pensons à l'intégrisme hutu ou maoïste comme illustrations d'intégrismes séculiers.

Enfin, voici une mise en garde au sujet des limites de mon travail. Je ne prétends pas expliquer le recours à la violence par des groupes sectaires fondamentalistes, je ne prétends pas non plus offrir une voie de compréhension de ces phénomènes qui soit complète ou achevée, comme je prétends encore moins que ces phénomènes soient réductibles à une seule perspective disciplinaire, encore moins à une sous-discipline. Mon objectif, quoique modeste, est néanmoins utile et consiste à utiliser des outils psychanalytiques appliqués à la psychologie de groupe pour essayer de jeter un peu de lumière sur une réalité fort complexe et très destructrice.

Exacerbation du clivage et fanatisme

Le fondamentalisme religieux, puisqu'il nie la valeur des autres doctrines ou traditions religieuses, puisqu'il accorde une valeur de vérité absolue aux textes sacrés qui fondent ses croyances et puisqu'il juge que toute conduite humaine doit être assujettie aux textes qui transmettent cette vérité absolue, mène facilement au fanatisme. Comme Krauss le souligne, le fanatisme est associé à une vision manichéenne de la réalité[6]. Mais le fanatisme ne se résume pas à une pensée manichéenne, il va sans dire. Dans le fanatisme, la pensée dichotomique est non seulement fortement exacerbée, mais s'accompagne de plus d'une projection hors de soi de tout ce qui est vu comme ayant une valeur négative. Blee[7], Smith[8], Juergensmeyer[9] et Wilson[10] observent à ce propos que chez certains groupes fondamentalistes chrétiens, leur propension à adopter une vision manichéenne du monde va de pair avec une tendance à développer une attitude de plus en plus ethnocentrique, voire même raciste et violente, envers tous ceux qui ne partagent pas leurs croyances. Les attentats commis par des fondamentalistes chrétiens contre des médecins qui pratiquent des avortements et contre des cliniques d'avortement sont une illustration de cette association du fondamentalisme et du fanatisme.

En joignant fondamentalisme et fanatisme, je me réfère ainsi à une pensée manichéenne qui non seulement vise les « autres » mais est aussi investie de passion. Cette passion haineuse envers autrui s'accompagne nécessairement d'une surestimation de soi et de ses propres valeurs morales. Dans ces cas, les « autres » sont indistinctement assimilés à des ennemis qu'il est d'autant plus facile d'haïr, et éventuellement de maltraiter, qu'ils sont vus comme des êtres inférieurs, des non-humains[11].

L'idéologie génocidaire véhiculée par l'intelligentsia et les médias intégristes hutus au Rwanda utilisait d'ailleurs une image dévalorisée des Tutsis, les nommant *inyenzi*, des cafards, des coquerelles, afin de légitimer la haine des Tutsis. Sans mettre de côté le rôle joué par les réalités géopolitiques, économiques et sociales associées à l'émergence du fanatisme, qu'il soit séculaire comme au Rwanda ou religieux comme chez certains fondamentalistes chrétiens – notamment aux États-Unis et chez certains groupes musulmans de par le monde –, il appert que la projection de tout ce qui est mauvais ou méprisable sur l'étranger alimente la haine passionnée qui se déploie dans le fanatisme et justifie du coup la violence à leur endroit.

Le fanatisme renvoie donc à un état passionné qui donne naissance à une intransigeance par rapport aux dogmes et aux croyances du groupe d'appartenance ainsi qu'à un zèle aveugle condamnant tout ce qui y est étranger[12]. Cette combinaison d'intransigeance et de zèle rend les personnes fanatiques vulnérables aux réactions de facilité, dont au recours à la violence. Il devient facile pour le fondamentaliste fanatique de défendre moralement son recours aux actes de violence, puisqu'il est convaincu d'agir au nom de Dieu[13]. Mais ces descriptions du fanatisme n'ont de sens que si l'on admet, de la personne fanatique, que la passion intense qui l'anime lui procure un bénéfice narcissique immense, ce qui m'amène à la question de l'idéalisation.

L'HOMME DE LA FOULE ET L'IDÉALISATION

Même si l'idéalisation apparaît, à première vue, comme un mouvement vers l'autre, la dimension narcissique de l'idéalisation y est centrale. En effet, selon une perspective psychanalytique, l'idéalisation est le résultat d'une projection narcissique de soi sur l'autre, ce qui provoque inévitablement une méconnaissance fondamentale de la nature distincte de l'autre. Le fort lien narcissique qui caractérise le rapport d'idéalisation à autrui tend donc à diminuer, voire à abolir, les différences entre soi et l'autre et contribue plutôt à confondre, au plan inconscient, l'identité du sujet à celle de la personne idéalisée. L'identité individuelle tend dès lors à s'effacer au profit d'une identité partagée. Dans certaines situations, l'identité individuelle sera à toutes fins utiles occultée, donnant lieu à une « folie à deux » où un lien de nature fusionnelle soudera les identités individuelles en une identité commune, comme nous le rencontrons parfois dans de grandes psychopathologies ou dans certains cas d'amour passionnel. Mais encore, il arrive que la construction d'une identité sociale devienne indissociable du construit de l'identité individuelle et puisse même s'y substituer complètement, comme l'ont fort bien observé nombre de chercheurs intéressés aux phénomènes groupaux[14].

Freud, pour sa part, dans *Psychologie collective et analyse du moi*[15], semble décrire de tels phénomènes de substitution identitaire lorsqu'il analyse la projection de l'idéal du moi de l'homme de la foule sur la figure du leader. Il explique ainsi que l'obéissance du fidèle à son chef spirituel ou du soldat à son commandant se comprend en partie grâce à de tels processus identificatoires. L'homme ordinaire, lorsqu'il écoute le leader adresser son discours à la foule dont il fait partie, peut facilement se laisser emporter à projeter son idéal sur le leader, tout en s'identifiant en retour à l'idéal qu'il perçoit chez celui-ci. De plus, se tournant vers les autres membres de la foule qui sont animés comme lui d'une telle projection idéalisante, il s'identifie latéralement aux autres membres du groupe, ce qui solidifie d'autant plus son mouvement identificatoire. Mais les mouvements de foule décrits par Freud sont transitoires et même s'ils permettent d'expliquer comment certains peuvent se laisser emporter à participer à une émeute, ils n'expliquent pas la participation apparemment plus rationnelle qui mène des gens ordinaires à des excès de violence dans un contexte sectaire.

Processus d'idéalisation

Je vais tenter, dans ce qui suit, de proposer une façon de comprendre les mécanismes psychologiques qui amènent l'individu ordinaire à agir de façon apparemment libre et avec une conviction intime de faire le bien lorsqu'il recourt à la violence dans le contexte de son appartenance sectaire.

Essentiellement, je propose un modèle qui intègre la passion que l'on associe au fanatisme à la force d'attraction de l'idéal. Ce modèle tente de comprendre l'aphorisme d'Hitler en quelque sorte. Comment un idéal commun et la participation à des crimes communs peuvent-ils réussir à unir les hommes ? Pour ce faire, je vais décrire l'effet de ce que j'ai désigné ailleurs comme un processus d'idéalisation[16] qui, lorsqu'il est solidement implanté, agit avec une force croissante, emprisonnant les adeptes et les leaders de certains groupes sectaires religieux et terroristes-religieux dans un projet dont l'ampleur les dépasse. Le choix de l'expression « processus d'idéalisation » vient de ce que le recours à la violence dans ce type de contexte groupal ne me semble pas tant à comprendre comme un effet temporaire lié à une projection ou une idéalisation ponctuelle, comme Freud l'a décrit dans *Psychologie collective et analyse du moi*, mais bien plus à saisir comme l'expression d'un processus qui se déploie dans le temps, et dont les vicissitudes et les avatars tendent à perturber grandement le fonctionnement rationnel du sujet. Ce processus entraîne, de surcroît, non seulement des conséquences néfastes sur le plan de la capacité d'identification à autrui, notamment en favorisant une désidentification à l'autre[17] qui peut aussi être désignée comme une déshumanisation d'autrui, mais entraîne également une altération – réversible – de la capacité de jugement moral des personnes qui y sont engagées.

Il y a lieu de distinguer un processus d'idéalisation de la poursuite d'idéaux ou de projets. Ce genre de poursuite, qui occupe certes une grande place chez l'adolescent ou le jeune adulte, continue aussi à guider la vie de la majorité d'entre nous tout au cours de notre existence. En somme, les idéaux de chacun, tout comme nos projets, sont soumis aux contingences de la réalité, aux limites imposées par nos capacités et aux contraintes de notre environnement. Ce type d'idéaux correspond à ce qui, en psychanalyse, est associé à l'idéal du moi, par opposition aux idéaux appartenant au moi idéal qui, eux, s'expriment hors de toute contrainte de réalité, donc, dans la démesure.

En ce sens, le processus d'idéalisation est un processus qui vise à réaliser un idéal qui n'est pas régi par les contingences de la réalité. Mais il ne s'agit pas d'un accès de mégalomanie individuelle, il s'agit avant tout d'un phénomène groupal qui se base sur l'idéalisation d'un leader et d'une doctrine. Ce type d'idéalisation groupale permet à celui qui idéalise de se sentir magnifié narcissiquement en raison de la valeur qu'il attribue à la doctrine ou au leader auquel il s'identifie. Par un jeu assez direct d'identifications, celui qui participe à une telle idéalisation sent qu'il partage la grandeur qu'il attribue au leader, à la doctrine, au groupe et parfois, ultimement, à Dieu lui-même. L'idéalisation constitue ainsi un phénomène identificatoire qui possède un grand pouvoir attractif. Quand des phénomènes d'identification idéalisante sont partagés par un ensemble de personnes et que certaines conditions sociales et politiques sont remplies, des phénomènes isolés d'identification idéalisante peuvent donner naissance au phénomène de groupe que j'appelle « processus d'idéalisation ».

Ce jeu complexe d'identifications qui lie les membres du groupe les uns aux autres crée entre eux des liens de dépendance réciproque toujours plus grands. Cette interdépendance est ressentie comme étant essentielle au maintien du sentiment de survalorisation narcissique qui découle du processus d'idéalisation. Dans ces conditions, la poursuite d'un projet de développement spirituel, de revendication politique ou de prosélytisme religieux devient tellement infiltrée du processus d'idéalisation qui unit les membres du groupe que le projet, au sens strict, devient d'importance secondaire par rapport au désir de maintenir le processus d'idéalisation actif. Le groupe en vient, en effet, à référer au projet qui les unit surtout pour procurer aux uns et aux autres l'occasion de réactualiser une source renouvelable d'élation narcissique.

L'appartenance au groupe est une composante essentielle, en effet, puisque c'est justement cette appartenance à un groupe survalorisé, vu comme une communauté d'initiés, d'élus, qui permet à chacun de se sentir lui-même survalorisé narcissiquement. Le sentiment de valeur narcissique de chacun s'en trouve agrandi d'abord du fait d'avoir été choisi pour faire partie d'un groupe idéalisé, mais aussi en raison de l'investissement massif du projet du groupe. Ceci crée en chacun un sentiment de solidarité extraordinaire et favorise le développement de relations d'interdépendance intenses, mais qui fragilisent le sentiment d'identité personnel. Le besoin de chacun de maintenir l'état d'interdépendance, même s'il fragilise l'identité personnelle, est vécu comme étant acceptable par les membres individuels du groupe parce que c'est à ce prix que perdure l'état d'élation narcissique qui est ressenti en groupe. Ce désir de faire durer cet état devient souvent compulsif et toutes les occasions pour l'éprouver sont cherchées avidement.

Le processus d'idéalisation, en entretenant un sentiment d'élation narcissique, procure à chacun un sentiment de grandiosité. La force d'attraction de pareils sentiments est tellement grande que l'idée même d'y renoncer est ressentie comme une catastrophe psychique qui suscite le désespoir. Les membres de ces groupes en viennent à sacrifier les repères que leur offre leur identité individuelle, leur rationalité et leur sens critique au profit du gain narcissique que procure le processus d'idéalisation. Malgré le fait que les exigences inhérentes à un tel processus deviennent éventuellement impossibles à réaliser et deviennent même sources de désespoir, nombreux sont ceux qui sont incapables de renoncer au projet qui concrétise le processus d'idéalisation, même si ce projet exige le recours à la violence, puisqu'il englobe désormais les seules sources de valorisation narcissique de l'individu. En ce sens, en critiquer le moindre aspect, pire encore y renoncer, laisse l'individu dans un état d'épuisement narcissique et de vide désespérant.

Je propose donc l'hypothèse que les membres et les leaders de certains groupes fondamentalistes sont unis à travers des liens d'identification complexes et contraignants qui se tissent à la faveur d'un processus d'idéalisation dont ils perdent éventuellement la maîtrise. La force d'attraction de ce processus peut ultimement occuper une place tellement prédominante dans l'économie psychique des protagonistes que ses exigences supplantent toutes les autres valeurs de l'individu. Dans ces conditions, la vie, celle du sujet comme celle d'autrui, ne constitue plus un contrepoids suffisant pour éviter les dérapages violents, meurtriers et suicidaires.

Le témoignage de Kerry Noble est éloquent à ce sujet, témoignage que l'on peut lire dans un livre publié en 1998, *Tabernacle of Hate*[18]. Il y raconte les sept années qu'il a passées dans le groupe fondamentaliste *The Covenant, Sword and the Arm of the Lord* qui a culminé, pour lui, en 1984, lors d'un attentat planifié contre une église gai de Kansas City. Il assistait au service religieux qui s'y déroulait afin d'y laisser sa valise bourrée d'explosifs sans attirer l'attention. Pendant l'office, il est frappé par l'humanité des personnes qui s'y trouvent. Bouleversé, il ressort finalement de l'église sans y laisser sa valise. Il raconte comment il a longtemps cru qu'il accomplissait cet acte terroriste pour la plus grande gloire de Dieu ; il ajoute que ce ne sera que bien des années plus tard qu'il réalisera l'étendue de son assujettissement moral d'alors. Fort heureusement, sa confusion morale s'est levée suffisamment longtemps dans cette petite église du Kansas pour éviter l'irréparable. Sa sensibilité envers l'autre, humain comme lui, a eu, ce jour-là, gain de cause sur la passion entretenue par son investissement du projet idéalisé de son groupe d'appartenance.

Dans ce type de groupes sectaires fondamentalistes fanatiques, la fonction de l'idéal ne consiste plus à servir de phare pour guider la conduite et soutenir l'espoir à travers un projet qui soit subordonné à l'épreuve de réalité. Plutôt, le projet idéalisé devient un devoir à accomplir impérieusement, peu importe sa démesure ou les conséquences associées à sa réalisation, comme en témoigne Kerry Nobel. Il ne s'agit plus d'une fonction qui appartient au domaine de l'idéal du moi, en ce qu'elle sert de soutien et aide l'individu dans son cheminement personnel ou dans le dépassement de ses difficultés. Au contraire, la fonction d'idéal inscrite au sein d'un processus d'idéalisation devient subordonnée aux impératifs omnipotents du moi idéal. Dans ces conditions, la fonction de l'idéal devient inextricablement imbriquée dans un processus mortifère, puisque l'investissement narcissique du projet est tel que la poursuite d'un idéal ne concerne plus un rêve pour l'avenir mais une condition immédiate pour rendre l'actuel tolérable.

Lorsque l'atteinte de l'idéal devient un impératif qui doit s'actualiser dans l'immédiat, cela enferme les individus, et les groupes impliqués, dans une quête désespérée qui nourrit toujours plus avant le processus d'idéalisation. En effet, le risque de dérive sectaire apparaît grand, quand le narcissisme investit à ce point l'idéal que le projet doit être absolument réalisé, doit être vécu dans l'immédiat afin que l'équilibre narcissique soit maintenu. Aussi, à ce point de l'histoire d'un processus d'idéalisation groupal, l'individuel et le collectif se chevauchent, et les lignes de démarcation entre l'un et l'autre deviennent poreuses et floues. Ce qui est pensé, dit, fait, par chacun doit incarner l'idéal commun, au risque, sinon, de compromettre ce qui est, dorénavant, conçu comme assurant la survie narcissique de tous. Cet engrenage devient une véritable prison tant pour l'adepte et le leader que pour le groupe.

Les terroristes kamikazes qui appartiennent à des groupes intégristes se recrutent d'ailleurs souvent parmi les membres qui sont particulièrement sensibles au désespoir. Pour ceux-ci, l'incapacité de rester en contact avec l'état d'élation associé au processus d'idéalisation suscite de forts sentiments d'envie qui donnent naissance à des sentiments intolérables de vide, d'angoisse et de faillite. Comme nous avons cherché à le démontrer[19], l'envie profonde ressentie envers tous ceux qui leur apparaissent comme possédant de ce qui leur manque, dont cet état d'élation insaisissable, constitue un moteur puissant soutenant leur geste homicide/suicidaire. En effet, ces kamikazes ressentent le besoin de recourir à des mesures extrêmes pour se préserver du désespoir suscité par leur envie. La tentative de conjurer leur désespoir s'exprime par le déplacement sur l'au-delà du lieu où, enfin, ils auront accès à l'état de grâce envié. En outre, en faisant le sacrifice de leur vie, ils espèrent être l'objet, ne serait-ce que momentanément, de l'idéalisation des autres membres du groupe.

Cet accès à la folie mégalomaniaque de l'omnipotence n'affecte certainement pas tous les leaders ni tous les membres de groupes fondamentalistes. Plutôt, j'y vois l'aboutissement ultime de la logique inhérente au cœur même d'un processus commun d'idéalisation. Le leader n'est plus uniquement un guide pour les membres dans leur quête narcissique, mais, au point ultime, il est devenu Dieu à la fois pour lui-même et pour un bon nombre de ses disciples. D'ailleurs, c'est aussi parce que les adeptes participent activement au processus d'idéalisation qu'ils ne quittent pas le groupe, même lorsque les signes de dérapage deviennent évidents. Si les adeptes se soumettent encore au leader, s'ils lui octroient explicitement un droit de vie et de mort sur leur corps physique, c'est qu'ils ont déjà abandonné leur âme au processus d'idéalisation. Leur psychisme entier est absorbé par le processus d'idéalisation dans lequel, comme pour leur leader, tout leur narcissisme a été investi.

Lorsque le processus d'idéalisation prend une telle ampleur et qu'il est ressenti comme étant à ce point essentiel à l'équilibre narcissique des membres du groupe, les dérapages violents sont à craindre. Dans ces cas, la mort est idéalisée et devient paradoxalement synonyme d'immortalité. Dans les groupes sectaires intégristes religieux, le recours à des actes de destruction commis par des kamikazes se fonde sur ce fantasme d'immortalité.

Bien que tout groupe sectaire semble se construire et se définir par rapport à une recherche d'idéal, seuls certains groupes s'enfoncent toujours plus avant dans le fanatisme religieux. Le fondamentalisme peut alors servir de justification idéologique à un processus d'idéalisation qui, à terme, est inévitablement destructeur. Cependant, tous les groupes, même ceux qui ne sont pas fondamentalistes, sont vulnérables aux sirènes d'un processus d'idéalisation, tant les gains narcissiques apparaissent à première vue permettre non seulement une satisfaction extraordinaire mais aussi un sentiment unique de transcendance des limites habituelles de l'existence humaine, et ce, tant pour les leaders que pour les adeptes.

Et ainsi, on découvre un des sens de l'aphorisme d'Hitler : des idéaux communs, dans un certain contexte groupal, ont tant soudé les uns aux autres que ceux-ci peuvent désormais planifier et exécuter des crimes communs, convaincus par le pouvoir exercé sur eux par un idéal de démesure qu'ils ont le droit, voire même le devoir, de les commettre.

Notes

1. Ernst Troeltsch, *The Social Teaching of the Christian Churches and Groups*, tome 2, New York, MacMillan, 1931.
2. Max Weber, *General Economic History*, Glencoe, The Free Press, 1927.
3. Brian R. Wilson, *The Social Dimensions of Sectarianism*, Oxford, Clarendon Press, 1992.

4. Jean-François Mayer, « Our Terrestrial Journey Is Coming to an End : The Last Voyage of the Solar Temple », *Nova Religio*, vol. 2, nº 2, 1999, p. 172-196.
5. Gilles Kepel, *La revanche de Dieu : Chrétiens, juifs et musulmans à la reconquête du monde*, Paris, Seuil, 1990.
6. G. Krauss, « The psychodynamics of constructive aggression in small groups », *Small Group Research*, vol. 28, nº 1, 1997, p. 122-145.
7. Kathleen M. Blee, *Inside Organized Racism, Women in the Hate Movement*, Berkeley, University of California Press, 2002.
8. David N. Smith, « The social construction of ennemies : Jews and the Representation of Evil », *Sociological Theory*, vol. 14, 1996, p. 211-245.
9. Mark Juergensmeyer, *Terror in the Mind of God. The Global Rise of Religious Violence. Comparative Studies in Religion and Society*, Berkeley, University of California Press, 2000.
10. Brian R. Wilson, *The Social Dimensions of Sectarianism*, Oxford, Clarendon Press, 1992.
11. H. H. A. Cooper, « Terrorism. The Problem of Definition Revisited », *American Behavioral Scientist*, vol. 44, nº 6, 2001, p. 881-893 ; Catherine Wessinger (dir.), *Millennialism, Persecution, and Violence Religion and Politics : Historical Cases*, New York, Michael Barkun Editor, 2000.
12. Maxwell Taylor et Helen Ryan, « Fanaticism, Political Suicide and Terrorism », *Terrorism*, vol. 11, 1998, p. 91-111.
13. Magnus Ranstorp, « Terrorism in the Name of Religion », *Journal of International Affairs*, vol. 50, nº 1, 1996, p. 41-62.
14. Peter Berger et Thomas Luckmann, *The Social Construction of Reality : A Treatise in the Sociology of Knowledge*, New York, Double Day, 1966 ; Anne-Marie Costalat-Fourneau, *Identité sociale et dynamique représentationnelle*, Rennes, Presses universitaires de Rennes, 1997 ; Michel-Louis Rouquette, *La psychologie politique*, Paris, PUF, 1988 ; Sheldon Stryker et Peter J. Burke, « The past, present and future of identity theory », *Social Psychology Quarterly*, nº 63, 2000, p. 284-297.
15. Sigmund Freud, *Psychologie collective et analyse du moi*, Paris, Payot, 1921.

16. Dianne Casoni et Louis Brunet, *Comprendre l'acte terroriste*, Montréal, Presses de l'Université du Québec, 2003.
17. D. Casoni et L. Brunet, « Relations passionnelles et violence conjugale », dans D. Casoni et L. Brunet (dir.), *Introduction à la psychocriminologie*, Montréal, Presses de l'Université de Montréal, 2003.
18. Kerry Noble, *Tabernacle of Hate : Why they Bombed Oklahoma City*, Toronto, Voyageur Publications, 1999.
19. D. Casoni et L. Brunet, « The Psychodynamics of Terrorism », *Canadian Journal of Psychoanalysis*, vol. 10, n° 1, 2002, p. 5-24.

Bibliographie

Berger, Peter et Thomas Luckmann, *The Social Construction of Reality : A Treatise in the Sociology of Knowledge*, New York, Double Day, 1966.

Blee, Kathleen M., *Inside Organized Racism, Women in the Hate Movement*, Berkeley, University of California Press, 2002.

Casoni, Dianne et Louis Brunet, « Relations passionnelles et violence conjugale », dans Casoni, Dianne et Louis Brunet (dir.), *Introduction à la psychocriminologie*, Montréal, Presses de l'Université de Montréal, 2003.

—, *Comprendre l'acte terroriste*, Montréal, Presses de l'Université du Québec, 2003.

—, « The psychodynamics of terrorism », *Canadian Journal of Psychoanalysis*, vol. 10, n° 1, 2002, p. 5-24.

Costalat-Fourneau, Anne-Marie, *Identité sociale et dynamique représentationnelle*, Rennes, Presses universitaires de Rennes, 1997.

Cooper, H. H. A., « Terrorism. The Problem of Definition Revisited », *American Behavioral Scientist*, vol. 44, n° 6, 2001, p. 881-893.

Freud, Sigmund, *Psychologie collective et analyse du moi*, Paris, Payot, 1921.

Juergensmeyer, Mark, *Terror in the Mind of God. The Global Rise of Religious Violence. Comparative Studies in Religion and Society*, Berkeley, University of Berkeley Press, 2000.

Kepel, Gilles, *La revanche de Dieu : Chrétiens, juifs et musulmans à la reconquête du monde*, Paris, Seuil, 1990.

Krauss, G., « The psychodynamics of constructive aggression in small groups », *Small Group Research*, vol. 28, n° 1, 1997, p. 122-145.

Mayer, Jean-François, « Our Terrestrial Journey Is Coming to an End : The Last Voyage of the Solar Temple », *Nova Religio*, vol. 2, n° 2, 1999, p. 172-196.

Noble, Kerry, *Tabernacle of hate : Why they bombed Oklahoma City*, Toronto, Voyageur Publications, 1999.

Ranstorp, Magnus, « Terrorism in the Name of Religion », *Journal of International Affairs*, vol. 50, n° 1, 1996, p. 41-62.

Rouquette, Michel-Louis, *La psychologie politique*, Paris, Presses universitaires de France, 1988.

Smith, David N., « The social construction of ennemies : Jews and the Representation of Evil », *Sociological Theory*, vol. 14, 1996, p. 211-245.

Stryker, Sheldon et Peter J. Burke, « The past, present and future of identity theory », *Social Psychology Quarterly*, n° 63, 2000, p. 284-297.

Taylor, Maxwell et Helen Ryan, « Fanaticism, Political Suicide and Terrorism », *Terrorism*, vol. 11, 1998, p. 91-111.

Troeltsch, Ernst, *The Social Teaching of Christian Church*, tome 2, New York, MacMillan, 1931.

Weber, Max, *General Economic History*, Glencoe, The Free Press, 1927.

Wessinger, Catherine (dir.), *Millennialism, Persecution, and Violence Religion and Politics : Historical Cases*, New York, Michael Barkun Editor, 2000.

Wilson, Bryan, *The Social Dimensions of Sectarianism*, Oxford, Clarendon Press, 1992.

—, « Introduction », dans Wilson, Bryan et Jamie Cresswell (dir.), *New Religious Movements : Challenges and Responses*, New York, Routledge, 1999, p. 5-21.

Quatrième partie

Quelle séparation entre État et religions ?

Chapitre 13

Pourquoi créer une instance unitaire musulmane en Belgique, en Espagne et en France?

Denise Helly

La tolérance religieuse[1] est redevenue un objet de débats publics en Occident depuis plus de dix ans en raison de facteurs nationaux et internationaux. Le pourcentage de personnes, natives et immigrées, déclarant croire en une transcendance divine augmente. Peter Berger[2] parle de « réenchantement du monde » à propos de ce regain qui prend la forme d'une croissance des Églises protestantes minoritaires, notamment évangéliques, et d'une multiplication de nouvelles formes de religiosité (sectes, religions parachrétiennes) et de courants radicaux[3]. Les conflits, israëlo-palestinien, ethnicoreligieux, dans l'ex-Yougoslavie, au Caucase, aux Philippines, en Indonésie, en Inde, au Pakistan, au Nigéria, les affrontements en Algérie, les actions violentes d'organisations islamiques dans des pays occidentaux et les guerres en Afghanistan et en Irak ont connu une forte couverture médiatique. De cette conjonction de faits, nombre de polémiques se sont centrées sur les dynamiques des sociétés et États musulmans, les préceptes de l'islam et l'insertion des musulmans en Allemagne, en Belgique, en France et en Grande-Bretagne (affaire Salman Rushdie, port du voile à l'école, ouverture de mosquées). S'est aussi répandue l'idée d'une incompatibilité entre islam, démocratie et sécularisation.

Cependant, des États ont reconnu l'islam comme religion officielle et visé ou contribué à la création d'une entité nationale musulmane responsable de l'organisation du culte et désignée comme seule interlocutrice des pouvoirs publics. Telle décision par les États belge, espagnol et français soulève question : quels furent ses fondements vu le contraste de régimes de relation entre État et religions, dans ces trois pays ? L'État belge dispose d'un système dit « des piliers », l'État espagnol est une démocratie pluraliste, reconnaissant quelques privilèges à une Église historique, et l'État français est un État laïc.

Divers facteurs peuvent être envisagés : statut constitutionnel de la religion, historique de la tolérance religieuse, sécularisation de la société civile, traitement de l'immigration[4], nombre et origines nationales des minorités musulmanes[5], fragmentation théologique et militantisme des mêmes minorités, conflits sociopolitiques propres à une société, liens de l'État avec les pays d'origine ou autres facteurs. Le régime des relations entre État et religions constituant un facteur primordial du traitement des minorités religieuses[6], le statut accordé à l'islam sera examiné à travers ce prisme, tout en portant attention aux autres facteurs envisagés. Faute d'espace, ce texte ne rend pas compte des États présentant des régimes de relations avec la religion similaires de ceux belge, espagnol et français mais refusant toute reconnaissance d'une instance nationale musulmane (Allemagne, Angleterre, Canada, États-Unis, Pays-Bas).

Deux principaux régimes de relations entre État et religions

On distingue deux formes de sécularisme qui toutes deux respectent la liberté de conscience et protègent l'exercice des cultes minoritaires. Ces formes ressortent de deux conceptions de la religion. La croyance et la pratique religieuses peuvent être conçues comme des faits communautaires, des philosophies de vie en société impliquant leur protection par l'État. Dans ce cas, trois formes de protection se sont construites historiquement. Des États, anglican anglais, luthérien danois, déclarent une religion officielle. Ils assurent l'enseignement de la religion à l'école publique et subventionnent les activités sociales des religions non officielles, mais n'accordent aucun traitement particulier à l'islam. D'autres, néerlandais, belge, disposant d'un système dit « des piliers » et où des partis représentent les Églises chrétiennes (chrétiens démocrates), financent les institutions religieuses et l'orientation laïque (Belgique) présentes sur leur territoire. Mais si les Pays-Bas ont refusé la reconnaissance de l'islam comme pilier de la société néerlandaise, la Belgique a fait de l'islam le troisième pilier de la société belge. Enfin des États, allemand, canadien et espagnol, octroient des privilèges à une ou des Églises chrétiennes. L'État espagnol a établi l'islam comme seconde religion de l'Espagne, l'État allemand considère la population musulmane comme un corps étranger à la société allemande et l'État canadien n'intervient pas dans l'organisation institutionnelle des minorités religieuses.

Une autre conception fait de la religion une conviction et une conduite exclusivement personnelles, privées ; elle est incarnée par la laïcité, un régime récent dans l'histoire (Constitution des États-Unis, 1787). Elle est liée à la fondation d'États développant une idéologie républicaine (États-Unis, 1776 ; Mexique, 1859 ; Turquie, 1924 ; France, 1905 et 1946), et la laïcité est inscrite dans leurs constitutions. Le principe laïc invoque la stricte impartialité de l'État en matière religieuse mais non sa neutralité culturelle. L'État ne peut pas financer des activités et institutions religieuses, et si ses agents doivent également être impartiaux en matière religieuse, ils se doivent de respecter les croyances religieuses des usagers des services publics. Néanmoins, en contraste frappant avec les États-Unis, l'État français déroge souvent au principe laïc. Il applique par exemple des systèmes particuliers en Alsace et dans des territoires outre-mer (Mayotte, par exemple), finance le secteur scolaire privé et œuvre depuis quinze ans pour former une instance unitaire musulmane.

Le système belge des piliers ou le pluralisme religieux institutionnalisé

L'État belge fut le premier en Occident à viser la reconnaissance officielle d'un organe national représentatif musulman, et cette démarche montre comment cette forme de rassemblement sous tutelle de l'État n'est pas aisée et se révèle empreinte de visée politique. La Constitution adoptée en 1831 après l'indépendance garantit la liberté de conscience et l'intervention de l'État dans les aspects temporels des organisations religieuses (articles 14, 15, 16), sans aucune obligation de contrepartie de celles-ci. L'État prend en charge les traitements, pensions et logements des ministres du culte catholique selon un compromis signé en 1827 entre les deux forces politiques d'alors, les libéraux et les catholiques. Ce régime, inscrit dans l'article 117 de la Constitution (article 181 depuis la révision de 1993), est justifié par l'utilité morale et sociale de l'Église catholique, première religion du pays, et peut être appliqué à toute religion reconnue comme influente par la monarchie. Il prescrit qu'après la reconnaissance officielle d'une religion, un organisme soit créé par loi ou décret royal pour veiller à l'organisation du culte et aux biens afférents et pour représenter la communauté religieuse auprès des autorités civiles et politiques. Il prescrit encore que les communautés religieuses locales demandent leur propre reconnaissance, laquelle est accordée par décret royal selon des critères non clairs et laissant place à des manœuvres politiques[7].

En 1870, la Loi sur le temporel des cultes est votée et le système des piliers belge, mis en place. L'éducation religieuse est rendue obligatoire dans les écoles, et les confessions catholique, protestante, orthodoxe, anglicane et judaïque sont reconnues par décret royal et jouissent des mêmes avantages matériels décrits ci-dessus et d'autres (accès à des prêts pour l'achat, la construction et la rénovation des lieux de culte, réductions de taxes et non-paiement de frais de poste). Elles acquièrent le droit de voir l'enseignement de leur doctrine rendu obligatoire dans les écoles publiques sur demande des parents ainsi que de donner leur avis lors du recrutement du personnel le dispensant. La Loi signifie encore que le coût de la formation de ce personnel, comme des responsables religieux et des aumôniers dans les hôpitaux et l'armée, est assumé par l'État, tandis que les municipalités assument les frais des bâtiments religieux, les cultes étant organisés sur une base municipale.

Ce régime se révèle très conflictuel. De 1831 à 1959, la lutte entre catholiques et libéraux fortement anticléricaux, parfois appuyés par les groupes protestant et judaïque, ne cesse pas. Elle porte sur l'enseignement de la religion et le financement public du réseau des écoles libres, confessionnelles. Une première « guerre scolaire » a lieu de 1879 à 1884 quand le parti social chrétien, lié au groupe catholique, gagne les élections. Il désire rétablir un système en vigueur entre 1842 (Loi Nothomb) et 1878, et selon lequel les écoles primaires confessionnelles bénéficiaient d'une subvention municipale et devaient dispenser un cours de religion catholique. En 1894, il instaure un système de subventions publiques, étatiques, aux écoles primaires libres.

Le même parti demeure au pouvoir durant près de 70 ans et, à la suite d'un passage au gouvernement de la coalition socialiste-libérale entre 1954 et 1958, le conflit reprend pour porter sur l'enseignement secondaire et technique. En 1958, un « pacte scolaire », toujours en vigueur, maintient le système de subventions au réseau de l'enseignement libre et en introduit un similaire pour le réseau officiel[8]. Puis, une loi du 29 mai 1959 requiert l'inclusion de cours optionnels de morales religieuse et non religieuse dans le curriculum des écoles publiques primaires et secondaires, donne le droit aux écoles confessionnelles d'organiser de similaires cours comme elles l'entendent, oblige les écoles d'État et municipales à offrir des cours d'une religion ou d'une morale non religieuse particulière sur demande des parents et spécifie que les enseignants de ces cours sont recrutés sur « proposition des chefs de culte intéressés ». D'autres mesures confirment le statut de pilier du courant non religieux. En 1970, des « communautés philosophiques non confessionnelles » sont reconnues par l'État et leurs délégués, offrant des services d'assistance morale rémunérés par ce dernier à partir de 1993. Depuis 1981, les « maisons de la laïcité » reçoivent des fonds publics et, en 1991, la fonction de conseiller moral salarié de l'État est créée dans les forces armées.

Dans ces conditions de maintien strict du système des piliers et des intérêts et privilèges qui les soutiennent, et vu les difficultés des musulmans à assurer leur culte, l'État belge se doit de respecter les dispositions constitutionnelles par la création d'un pilier musulman. L'islam est reconnu religion officielle en 1978. Toutefois, la création d'un organisme représentatif musulman suit un long parcours chaotique en raison d'une série de difficultés : établissement récent des musulmans, une vingtaine d'années ; divisions internes, nationale, linguistique, culturelle et politique, sans parler de différences d'insertion sociale et d'histoire d'immigration ; luttes d'influence entre les écoles théologiques musulmanes, les associations et les autorités des pays d'origine (Maroc, Tunisie, Turquie) ; relations de l'État belge avec ces pays ; rôle de l'islam dans une société encore fortement catholique.

Au début des années 1960, une organisation musulmane liée étroitement au régime saoudien voit le jour. En 1969, grâce à des fonds de la Ligue mondiale islamique, elle fonde le Centre culturel islamique (CCI), qui développe peu de liens avec les communautés musulmanes belges et dont les dirigeants sont souvent des membres d'ambassades des pays d'origine. De fait, quand l'élection de représentants musulmans est planifiée en 1978, aucune organisation provinciale[9] ne demande son accréditation. Les communautés locales turques et marocaines[10] refusent l'ingérence, à leurs yeux, du CIC et de l'Arabie saoudite. Aucun budget pour les lieux de culte et la rémunération des imams n'est dès lors débloqué par le ministère de la Justice en charge de l'application de la Loi sur le temporel des cultes. Seules les dispositions de la loi de 1959 sur l'enseignement de religions particulières dans les écoles officielles sont appliquées en 1976. Pour ce faire, les autorités scolaires contreviennent à la loi et reconnaissent le CIC. Leur décision a un effet massif. Dix ans après, durant l'année scolaire 1985-86, 28 000 enfants et jeunes, soit près de 50 % des élèves potentiellement concernés, sont inscrits aux cours de religion musulmane dans 200 établissements[11]. Autre mesure appliquée : quatre imams « aumôniers », salariés de l'État, sont nommés dans les prisons, et d'autres le seront dans l'armée. La visibilité de l'islam s'accroît aussi de l'organisation de la minorité durant les années 1980. Des lieux de culte (130 recensés en 1987) et associations locales et nationales[12] sont créés ; des émissions religieuses, diffusées par des radios privées et des commerces, ouverts (boucheries halal, librairies) et, à partir du milieu des années 1990, des représentants musulmans sont élus dans des conseils communaux, des parlements régionaux et communautaires, à la Chambre et au Sénat. De plus, le refus du port du foulard[13] par nombre d'écoles accentue cette visibilité d'une population musulmane de quelque 400 000 personnes[14]. En 1991, la municipalité de Bruxelles, la ville la plus musulmane en Occident, interdit d'afficher à l'école toute appartenance religieuse, philosophique ou politique « afin d'éviter les pressions de groupes » et, en 2002, le Conseil d'État se déclare incompétent en matière de port de tels signes distinctifs dans les écoles de la Communauté française, laissant la décision aux chefs d'établissements. De fait, le refus de tels signes reste généralisé en zone francophone : 84 % des 110 écoles bruxelloises des réseaux libre et officiel et 41 % de celles de la communauté francophone l'interdisent en 2003. Par ailleurs, le blocage concernant la création d'un organisme musulman national perdure.

Les autorités politiques ou le Conseil d'État considèrent, en effet, les tentatives du CIC de créer un tel corps en 1985, 1986, 1989, 1990, non conformes à la loi, le CIC ne représentant pas officiellement la population musulmane. De plus, ces élections sont boycottées par les autorités de la Turquie et du Maroc, qui veulent maintenir leur influence sur les immigrés et, en avril 1989, s'amorce une polémique entre politiciens locaux, fonctionnaires et le Grand Imam (S. Radhi) du CIC, qui vient d'ouvrir la première école islamique à Bruxelles et de demander une subvention aux autorités. Début 1991, le CIC, organise des élections encore une fois boycottées par les ambassades turque et marocaine. Néanmoins, les 89 élus forment le Conseil général des musulmans de Belgique qui désigne un haut conseil des musulmans de Belgique comprenant 17 membres. Les deux organisations ne sont pas reconnues par les autorités politiques belges. Le blocage apparaît total vu l'absence de propositions de solution par le gouvernement et sa création, en mars 1990, d'un comité de sages pour l'aviser sur le dossier de l'islam, en contravention totale à la loi de 1870. Celle-ci interdit au gouvernement d'intervenir dans les affaires des groupes religieux. Le blocage dure jusqu'en 1998, quand des règles d'établissement d'une liste électorale font l'unanimité : toute personne âgée de plus de 18 ans, se déclarant musulmane et résidant en Belgique depuis un an, pourra voter. Dès lors, 74 000 personnes s'inscrivent et 45 000 votent dans les mosquées ou les maisons communales le 13 décembre 1998. De ce vote, 68 élus forment une assemblée constituante qui élit en son sein 16 personnes composant l'Exécutif des musulmans de Belgique. L'organisme est entériné le 4 mai 1999 par arrêté royal.

En mai 2003, le roi crée une mission d'information sur la prospérité économique du pays, la situation sociale et la qualité de vie de chacun. Elle inclut, entre autres, l'objectif visé par la création d'un organisme musulman belge : « En tant que religion reconnue légalement en Belgique, l'islam doit pouvoir disposer d'institutions fonctionnant correctement. C'est non seulement nécessaire pour le renforcement du pluralisme au sein de notre société mais cela constitue en outre un élément majeur dans l'épanouissement d'un *islam ouvert et tolérant*. Un dialogue avec l'Exécutif des musulmans sera pour cette raison entamé quant aux règles de leur élection et leur désignation [sic] » (souligné par nous). Le contrôle de la vie communautaire musulmane pour y renforcer certains courants est un objectif clair.

L'Espagne, démocratie pluraliste

L'Espagne a connu une radicale transformation de la définition de son identité nationale à la faveur de la démocratisation politique depuis la chute du Régime franquiste. Ce régime avait banni la pratique de toute religion autre que catholique pour reconnaître tardivement la liberté de culte sous la pression du Vatican. La Constitution de 1978 déclare l'État pluraliste, non confessionnel (« aucune religion ne sera religion d'État »), et garantit l'égalité des cultes et la liberté religieuse. Toutefois, afin de ne pas rallumer les conflits historiques violents entre catholiques et républicains anticléricaux et prônant l'inexistence de Dieu, l'article 27 statue que les pouvoirs publics détiennent le droit d'assister les parents désireux de voir leurs enfants recevoir une formation religieuse selon leurs convictions, ce qui signifie un privilège de fait pour le catholicisme, défini d'ailleurs comme « la religion de la plupart des Espagnols » (« *la religión más extendida entre los Españoles* »). Puis, la Loi organique sur la liberté religieuse de 1980 mentionne le poids historique de l'islam, le décrivant comme une « tradition séculaire et d'importance significative dans la formation de l'identité espagnole ». Ce texte réécrit la version de l'histoire jusque-là divulguée par les autorités et reconnaît l'apport des juifs et des musulmans à la société espagnole[15]. De plus, selon l'esprit d'accords signés en 1979 entre les communautés évangéliques (toutes les églises protestantes) et judaïque et l'État, il contient les clauses les plus libérales à l'égard de l'islam en Europe, lesquelles resteront non appliquées.

Il prescrit que les communautés musulmanes représentées par la Commission islamique d'Espagne soient inscrites auprès du ministère de la Justice en charge des affaires religieuses et il établit les droits des musulmans. Les responsables et imams agréés par la Commission bénéficient du régime de l'assurance sociale ; les mariages célébrés au sein des communautés musulmanes sont inscrits sur les registres d'état civil ; des parcelles pour les musulmans, réservées dans les cimetières municipaux et le rituel funéraire, respecté. En outre, les lieux de culte et les bâtiments d'organisations communautaires musulmanes sont exemptés des impôts immobiliers ; l'enseignement de l'islam, garanti dans les écoles publiques et privées, et dispensé par des personnes habilitées par la Commission ; des imams, autorisés dans les hôpitaux, l'armée et les prisons ; et les heures de prières et six jours fériés du calendrier musulman obligatoire pour les employeurs (sous réserve d'être remplacés par les salariés), respectés.

En 1980, la population musulmane comprend environ 10 000 personnes, des convertis et des étudiants du Proche-Orient arrivés au début des années 1970 et naturalisés souvent. Elle croît durant les années 1980 et 1990 avec l'arrivée de 300 000 travailleurs musulmans[16] employés dans les secteurs agricole et des services peu productifs en Catalogne et en Andalousie. Là, ils subissent des conditions de travail et de vie déplorables, sujets de polémiques très médiatisées, alors que les clauses de la loi de 1980 restent lettre morte et que les autorités publiques se montrent indifférentes à leur sort.

L'activisme des étudiants venus du Proche-Orient et des convertis modifie cette situation au fil des années, alors que le thème de l'islam prend de l'importance en Europe occidentale. Durant les années 1970, les étudiants musulmans fondent l'Association musulmane d'Espagne et des lieux de culte à Barcelone (1974) et à Madrid (1978). Puis, durant les années 1980, les organisations de convertis soulèvent la question du traitement de l'islam et « rouvrent », selon leur expression, des mosquées à Séville, Cordoue, Almeria et Malaga. La Libye et l'Arabie saoudite financent pour leur part la construction de mosquées monumentales (Andalousie, Marbella, 1981) et assurent la rémunération d'imams. En 1992 sont inauguré le Centre islamique de Madrid et amorcée la construction d'une mosquée monumentale à Fuengirola. Cependant, l'immigration continue à un rythme accéléré, et le réseau d'associations locales islamiques s'étend. L'islam gagne une double visibilité : immigration de main-d'œuvre bon marché maltraitée et assistée par des mouvements locaux de gauche l'aidant à fonder salles de prières et associations ; organisation communautaire accélérée et chapeautée par deux fédérations, la Fédération des organisations islamiques d'Espagne (FEERI) et l'Union des communautés islamiques d'Espagne (UCIDE), et ce, en partie sous influence de pays étrangers. En 1989, ces deux organisations s'allient pour faire pression sur l'État espagnol et obtenir la reconnaissance officielle de l'islam comme religion de l'Espagne. Elles l'obtiennent.

En novembre 1992, année du 500e anniversaire de la découverte de l'Amérique et de l'expulsion des musulmans et des juifs, un accord de coopération, signé entre l'État et la Commission, reconnaît l'islam comme seconde religion du pays. Deux arguments sont invoqués : l'un rappelle l'enracinement de l'islam en Espagne (« el notorio arraigo »); l'autre réfère à l'influence de pays étrangers, Libye, Arabie saoudite et Maroc, sur la communauté musulmane à travers la construction de mosquées monumentales (Grenade, Séville, Cordoue, Marbella, Fuengirola) et le financement des imams.

En 2000, on compte plus de 400 000 musulmans, dont environ 15 000 Espagnols convertis[17], 10 000 étudiants étrangers, 194 000 immigrés marocains en situation régulière et près de 200 000 illégaux[18], et un chiffre de 600 000 musulmans est avancé pour 2002, dont un quart établi en Catalogne. Le 10 juillet 2003, la Grande Mosquée de Grenade, ville qui compte 15 000 musulmans, est inaugurée. Elle est conçue comme le symbole de la reconnaissance officielle de la place de l'islam dans l'histoire passée et présente de l'Espagne même si l'État n'a pas participé aux frais de sa construction, en grande partie le résultat de l'activisme de convertis. Le projet fut conçu en 1981, grâce à des fonds libyens, puis marocains, et retardé par des poursuites de résidents vivant près du site choisi, la découverte de ruines romaines et la mort de Hassan II. Ces difficultés sont surmontées en 1998 quand 50 % des fonds utiles sont offerts par les Émirats Arabes Unis et la construction amorcée.

La reconnaissance par l'État de l'islam comme composante légitime de la société espagnole en 1992 tient au premier chef à la perte d'influence de l'Église catholique, les mouvements laïcisants, souvent liés aux mouvements de gauche, pouvant s'exprimer depuis 1978. Aussi, les tentatives de l'Église catholique de définir des choix culturels ou moraux de la population demeurent vaines et même le Parti populaire, ostensiblement catholique, ne répond pas à ses demandes et, récemment, l'espoir des évêques espagnols de voir ce parti introduire l'obligation de cours de religion dans les écoles et interdire l'avortement a été déçu. Cette lutte historique se traduit par le compromis inscrit dans la Constitution et la loi de 1980, qui affirme le pluralisme de la société civile, de l'histoire et de l'État espagnols. La loi de 1980 est, en effet, un geste destiné à la population catholique mais aussi à l'opinion européenne et au secteur du tourisme dans les régions du patrimoine bâti arabo-andalou. Elle n'en appelle nullement aux musulmans d'Espagne, encore peu nombreux et sans influence. Quant à la reconnaissance de l'islam, en 1992, elle n'est qu'un item symbolique de la même lutte politique entre « gauche » laïcisante et « droite » catholique, et elle dépasse les questions relatives à l'immigration et au pluralisme religieux. De fait, elle ne change guère le sort des travailleurs musulmans, et, actuellement, l'Espagne tente de supplanter ces derniers par une immigration de l'Europe de l'Est qui accroît l'immigration marocaine illégale.

De cette opposition entre catholiques et laïcisants, eux-mêmes fort divisés, les immigrés musulmans et les convertis, dont le nombre se multiplie durant les années 1980, tirent une force politique sans rapport avec leur nombre et rôle au sein de la société espagnole. Leur activisme et leur organisation, le soutien qu'ils obtiennent de pays arabes et les controverses sur le sort des travailleurs musulmans contribuent néanmoins au statut accordé à l'islam en 1992. Enfin, un autre facteur intervient. Le gouvernement espagnol désire maintenir des relations non conflictuelles avec les pays arabes, dont, au premier rang, le Maroc, avec lequel il veut négocier le contrôle des flux migratoires vers la péninsule.

La laïcité française

Devant la puissance du catholicisme, religion de la grande majorité de la population, la Constituante française pense réformer l'Église catholique et la soumettre à l'État. Selon l'un de ses préceptes, la liberté de penser n'est nullement de croire en certaines valeurs mais de croire en la raison et la science, et de se libérer de tout dogme religieux. Penser, c'est penser sans recours à l'idée d'une transcendance. Aussi, vu le refus de ce précepte par l'Église catholique, l'affrontement est inéluctable et devient un enjeu majeur de l'affirmation du républicanisme pour le demeurer, réapparaissant périodiquement sous la forme de controverses sur le statut des écoles privées confessionnelles, la vocation des organisations islamiques et le port du voile dans les écoles publiques. Vu la défaite de la Révolution et le retour des forces monarchiques et catholiques au pouvoir après 1815, les disputes autour du statut de la religion s'estompent pour reprendre avec la proclamation de la Troisième République. En 1882, celle-ci implante un système d'éducation publique gratuite par lequel elle divulgue une morale laïque, tout en ne laïcisant pas le personnel enseignant. Polémiques et conflits s'ensuivent et concernent la laïcisation de l'école et de l'État. Un compromis est atteint, la loi de 1905.

Cette loi met fin au concordat signé par le régime napoléonien et le Vatican en 1801, selon lequel les cultes catholique, luthérien, calviniste et judaïque étaient reconnus comme égaux par l'État et recevaient des subsides publics[19]. Elle maintient cependant la liberté d'enseignement, objet depuis lors de conflits et mobilisations répétés. Elle permet également à l'État de financer l'entretien des bâtiments religieux construits avant 1905, et la République française, qui se veut le symbole d'une laïcité militante, contrevient au principe de la non-intervention dans le champ religieux et continuera de le faire. En 1926, elle subventionne la construction de la première mosquée, la Mosquée de Paris, au nom de la participation des populations arabes nord-africaines à la Première Guerre mondiale. Puis, le régime de Vichy déclare la laïcité cause de décadence de la France et, en novembre 1941, permet une aide financière publique aux écoles privées. La Constitution de 1946 inscrit la laïcité comme trait essentiel de l'État, « République indivisible, laïque, démocratique et sociale » (article 1, titre 1er). Le préambule déclare : « Tout être humain, sans distinction de race, de religion ni de croyance, possède des droits inaliénables et sacrés » et précise : « L'organisation de l'enseignement public, gratuit et laïque à tous les degrés est un devoir de l'État ». Ce document ne mentionne pas la liberté de l'enseignement, et les subventions publiques aux écoles privées sont abolies.

Toutefois, le conflit n'est pas terminé. En 1959, la Loi Debré permet la rémunération des maîtres des écoles privées majoritairement confessionnelles, et ayant signé un contrat avec l'État[20], et, en 1977, la Loi Guermeur augmente cette aide. Mais les restrictions apportées à l'immigration à partir de 1974 entraînent un mouvement de réunification familiale des immigrés maghrébins et leur établissement permanent évident. Les lieux de culte musulman se multiplient, causant des conflits à l'échelle locale et, en 1976, la mosquée de Paris devient l'enjeu d'une lutte entre les autorités françaises et algériennes desquelles ces dernières relèvent, sur les risques de propagation de l'islamisme, tandis que des contestations d'organisations musulmanes, notamment sur des accommodements[21], commencent et que monte un électorat « beur » composé de citoyens français.

Le gouvernement socialiste au pouvoir en 1981 tente d'introduire des réformes en faveur de l'intégration des immigrés. En 1981, il reconnaît le droit d'association aux immigrés et, par sa Politique de la Ville, distribue des fonds aux organisations ethnoculturelles locales comme le permet une loi de 1901[22]. En 1986, il propose un cours d'histoire des religions et, en 1988, il amorce une démarche d'organisation d'une instance musulmane unique et représentative afin, dit Pierre Joxe en 1989, de régler des questions, dont la nationalité étrangère de nombre d'imams et le manque de moyens financiers des musulmans de France, une situation défavorable à l'organisation de leur culte[23]. D'autres facteurs ont un rôle. L'efficacité de l'école publique, dite « creuset de l'idéologie républicaine universaliste et agent premier de la mobilité et de l'intégration sociales », est remise en cause, et cette critique concerne au premier chef l'insertion sociale des immigrés musulmans et leurs descendants. Par ailleurs, le militantisme de musulmans est conçu comme l'effet de manipulations étrangères et, vu les luttes violentes en Iran, en Égypte et en Algérie autour de l'islam, leur demande est considérée suspecte. Le renouveau de religiosité au sein de la population des « beurs », la seconde ou troisième génération musulmane la plus pratiquante d'Europe, est interprété comme une manifestation d'intégrisme et de communautarisme.

Surviennent encore les « affaires du foulard » à l'école, en dépit d'un avis du Conseil d'État du 27 novembre 1989 pointant la distorsion d'interprétation de la laïcité en France et rappelant que ce sont les agents des services public et non leurs usagers qui sont soumis à l'obligation de neutralité. L'avis rappelle aussi que le port de signes religieux n'est pas incompatible avec la laïcité à condition qu'ils n'aient pas de « caractère ostentatoire ou revendicatif » de nature à perturber le fonctionnement du service public. D'autres décisions du Conseil condamnent la même distorsion : le 2 novembre 1991, annulation d'un jugement du tribunal administratif de Paris confirmant un règlement du collège de Montfermeil sur l'exclusion de toute élève portant le foulard ; annulation de jugements similaires le 14 mars 1994 par le Tribunal de Nantes et, le 3 mai 1994, du Tribunal d'Orléans. Sur les 92 décisions d'exclusion pour port du foulard portées devant les juridictions administratives durant l'année scolaire 1994-1995, plus de la moitié sont annulées.

D'autres pressions alimentent le débat public sur la religion. Des demandes de la hiérarchie catholique de remédier à « l'aplatissement des valeurs » et à la perte de repères des nouvelles générations, ainsi que de réintroduire la catéchèse dans l'école publique, ont un écho auprès des autorités politiques. À partir du début des années 1990, des émissions religieuses sont diffusées sur une chaîne publique de télévision et des personnalités religieuses nommées à des comités gouvernementaux : Comité national d'éthique pour les sciences de la vie et de la santé, Conseil national sur le sida[24].

Les démarches en vue de la constitution d'un organisme national musulman sous instigation de l'État continuent, bien qu'en contravention à la loi de 1905. Elles sont sous-tendues par une volonté de contrôle politique des associations musulmanes et des mosquées et non une volonté d'améliorer les conditions d'insertion sociale et symbolique des immigrés. L'endiguement de la xénophobie et l'intolérance religieuse à leur égard, le désenclavement des zones urbaines où ils sont concentrés et des écoles où leurs enfants sont ségrégés[25], la réduction des barrières à leur entrée dans la fonction publique et dans 37 professions interdites, et l'allégement des procédures d'acquisition de la citoyenneté ne sont nullement l'objet d'interventions significatives durant les 20 ans où les ministres de l'Intérieur en charge des cultes des gouvernements de divers partis politiques se succèdent pour créer une organisation nationale musulmane.

En novembre 1989, Pierre Joxe forme une commission de six « sages » musulmans. Élargie en mars 1990, cette commission devient le « Conseil de réflexion sur l'Islam en France » (CORIF) dont les réflexions n'aboutissent pas. Le Conseil s'interroge sur les interlocuteurs à reconnaître : tous les courants de l'islam français ou la mosquée de Paris en dépit de réticences de musulmans français. Il ne résout pas la question du statut et de la formation des quelque 1000 imams présents en France, l'enjeu pourtant affirmé de la démarche gouvernementale. Ce personnel religieux, très souvent né à l'étranger, est en effet sans formation pour professer auprès d'une population immigrée ou native, ni salaire régulier ni reconnaissance juridique, voire sans autorisation de séjour permanent. En 1991, l'UOIF fonde à Château-Chinon un institut européen des sciences humaines incluant un centre de formation d'imams et d'éducateurs. Il compte quelque 80 étudiants en majorité de citoyenneté française, et la première promotion, une dizaine d'imams, sortira en 1997. L'initiative est mal accueillie par les pouvoirs publics et, en novembre 1993, un institut d'études islamiques de Paris est fondé avec la caution du ministère de l'Intérieur.

Fort de 200 inscrits, il forme des cadres associatifs, enseignants et imams. La même année s'ajoute un Institut de formation d'imams sous l'égide de la mosquée de Paris ; il disparaîtra faute de financement.

En 1995 est lancée l'idée d'une charte du culte musulman qui reste sans conséquence car Charles Pasqua, ministre de l'Intérieur, choisit comme interlocuteur privilégié la Mosquée de Paris. En 1999, un institut universitaire d'études islamiques est ouvert à l'école des Hautes Études en sciences sociales, haute sphère de l'université française, afin de combler les lacunes de la connaissance de l'islam en France et, en octobre 1999, Jean-Pierre Chevènement lance une consultation de l'ensemble des dirigeants musulmans qui aboutit à la signature, le 28 janvier 2000, d'un document déclarant la compatibilité de l'islam et de la République. Une pause est observée en raison d'une campagne présidentielle, et le processus de consultations reprend en 2002. Les 19 et 20 décembre 2002, Nicolas Sarkosy réunit les organisations de l'islam français afin d'établir un conseil français du culte musulman (CFCM) dont l'exécutif comprend la Mosquée de Paris, l'Union des organisations islamiques de France (UOIF) et la Fédération nationale des musulmans de France (FNMF), soit les principales instances musulmanes. Des élections sont tenues à l'échelle des mosquées pour créer une assemblée représentative à partir de laquelle est nommée, en juin 2003, l'instance exécutive définitive. Toutefois, le projet d'institutionnalisation de l'islam arrive à une conclusion non satisfaisante pour le gouvernement qui voit, contre ses attentes, l'UOIF recueillir le plus de suffrages. Cette organisation très militante dans sa demande de droits pour les musulmans est supposée liée aux Frères musulmans, et sa présence au sein du CFCM suscite la création du Mouvement des musulmans laïques.

La formation du CFCM ne résout pas les difficultés financières et autres du culte musulman, le statut controversé du port du foulard, pas plus qu'elle n'améliore l'acceptation des musulmans en France. En janvier 2003, certains, dont des ministres, en tirent des conclusions et demandent une révision de la législation de 1905 (interdisant le financement des cultes par les pouvoirs publics) en vue de faciliter l'ouverture de lieux de culte musulmans (*Le Monde*, 18 janvier 2003). Le 10 mars 2003, une note du ministère de l'Éducation rappelle l'illégalité de toute interdiction absolue de signes religieux à l'école, mais précise que les tenues couvrant l'intégralité du visage sauf les yeux, ou la totalité du corps sous un habit noir, sont interdites. Seul est permis un « foulard léger » couvrant la racine des cheveux et le cou. En juillet 2003, le président de la République crée une commission de réflexion sur la laïcité (Commission Stasi) au nom de l'affaiblissement du consensus national à son propos et de ses difficultés d'application « dans le monde du travail, dans les services publics, notamment à l'école » (web : présidence de la République française).

Les polémiques continuent et, en décembre 2003, le gouvernement propose une loi[26] interdisant tout signe ostensible, religieux, politique, dans les écoles publiques et tout refus de soin dans les hôpitaux au nom d'un précepte religieux. Cette proposition est paradoxale, elle suit la création du Conseil français du culte musulman, un organe conçu pour faciliter le respect des droits des musulmans. En fait, elle tente de réduire l'influence du Front national aux prochaines élections régionales en 2004. Quant à son esprit, il illustre une volonté de transformer des traits de la société civile ne répondant pas aux vœux et croyances de la majorité culturelle. Cette loi serait appliquée dans un territoire d'outre-mer à 90 % musulman, Mayotte, et en Alsace-Lorraine en dépit du régime particulier de cette région.

La proposition est mal accueillie par les représentants des institutions religieuses françaises, protestantes, catholiques, judaïques et musulmanes, qui rappellent le principe laïc de respect de la liberté religieuse et voient en une interdiction un facteur supplémentaire de stigmatisation des musulmans. Elle suscite des prises de position d'associations musulmanes « laïques », animées par des « beurs » athées ayant milité en vain contre le racisme durant les années 1980 et n'acceptant pas la légitimation par l'État du secteur religieux musulman. Ce courant condamne le port du foulard comme « une régression », mais s'oppose à son interdiction qui aggraverait le sentiment de victimisation des musulmans et constituerait « une injonction sur la bonne manière d'être français comme au temps des colonies ». Il demande plutôt la création d'instances de médiation dans les écoles afin d'éviter le port du foulard.

En janvier 2004, un texte de loi est déposé. Il crée au sein du code de l'éducation l'article L. 141-5-1, qui « interdit dans les écoles publiques les signes religieux ostensibles, c'est-à-dire les signes et tenues dont le port conduit à se faire reconnaître immédiatement par son appartenance religieuse. Ces signes – le voile islamique, la kippa ou une croix de dimension manifestement excessive – n'ont pas leur place dans les enceintes des écoles publiques. En revanche, les signes discrets d'appartenance religieuse – une croix, une étoile de David ou une main de Fatima – resteront naturellement possibles ». Les dissensions entre la mosquée de Paris et l'UOIF au sein du CFCM que ce texte concourt à révéler montrent que le projet de contrôle du CFCM par l'État est vain.

À la faveur de ce survol, la reconnaissance d'une instance musulmane nationale ne semble pas attribuable à certains facteurs envisagés au début de ce texte. Elle ne tient pas à un pourcentage de musulmans différent au sein de chacune des trois sociétés durant les années 1990 : 7 % en France, 1 % en Espagne et 4 % en Belgique. Elle ne tient pas à une concentration plus accentuée des musulmans dans des villes ou régions d'un pays, ce qui soulèverait des problèmes de gestion sociale de certains espaces. Une concentration similaire de musulmans existe dans la région bruxelloise, l'Andalousie et des régions françaises (île de France, Marseille, Lyon, région lilloise). Une forte fragmentation ethnique, nationale, religieuse, des populations musulmanes ne constitue pas plus un facteur de la volonté des trois États d'unifier les associations musulmanes. Cette fragmentation n'est pas spécifique aux trois pays, elle est présente dans d'autres pays européens, au Canada et aux États-Unis. La répartition des populations musulmanes en termes de génération n'est pas plus une raison : en Belgique et en France, les seconde et troisième générations composent une fraction appréciable de ces populations, alors que les musulmans espagnols sont essentiellement des immigrés.

La nature du militantisme des associations musulmanes et de leurs demandes pourraient expliquer la volonté d'unifier la vie associative et communautaire musulmane. L'interprétation de l'islam par les associations musulmanes constitue en effet un référent important de la perception des musulmans. Le seul pays où des organisations professent publiquement l'application la plus stricte de la loi islamique ou défendent les idées de l'islamisme politique le plus intransigeant n'est nullement l'Espagne, la France ou l'Espagne mais l'Angleterre. Dans les trois pays étudiés, ces idées et préceptes sont certes défendus par des responsables de mosquées, mais elles ne constituent pas la plateforme publique d'organisations musulmanes d'envergure. En France, la polémique autour de l'UOIF, accusée d'islamisme et de liens avec les Frères musulmans, la première organisation islamiste créée en Égypte, n'a jamais abouti. Cependant, la France se distingue sur un point. Le militantisme relatif au respect des droits des musulmans y est plus rendu public, vu le soutien apporté aux organisations antiracistes par les autorités socialistes durant les années 1980, puis leur ignorance de ces demandes, vu les controverses incessantes sur l'islam dans ce pays et vu les intérêts français en Algérie.

La différence de traitement de l'islam ressort de facteurs non liés à des traits des minorités musulmanes mais à ceux du pays d'établissement, dont le jeu des forces entre État et société. La sécularisation de la société et la présence d'un fort courant laïc composent un premier facteur illustré par les cas belge et espagnol. L'État espagnol a du tenir compte de ces deux facteurs, réduire ses relations avec l'Église historique, catholique, et réécrire la narration historique nationale pour s'affirmer démocratique. Le militantisme des fidèles musulmans et les relations avec les pays arabes ont renforcé ce processus. La reconnaissance officielle de l'islam ne signifie pas un réel respect des droits des musulmans, elle est un des symboles de la transformation politique et sociale de l'Espagne depuis les années 1980. En Belgique, le maintien du système des piliers, vu l'influence toujours grande de l'Église catholique et de ses fidèles et alliés, a ouvert un espace à la reconnaissance officielle de l'islam quand, comme ailleurs en Europe, les frontières furent « fermées » et que l'établissement définitif des immigrants devint une réalité admise. Toutefois, la reconnaissance de la troisième religion du pays ne s'accomplit qu'en 2003, après d'âpres débats publics sur la place de l'islam dans la société belge et le choix de ses représentants.

La conception du rôle de la religion dans la société civile mais aussi de l'immigration constitue le facteur premier de la reconnaissance officielle de l'islam par l'État français. Les élites, les autorités et une part significative des Français développent une vision athée de la laïcité qui rend la pratique musulmane très visible et problématique. En novembre 2003, 53 % des Français appuyaient l'idée d'une loi interdisant tout signe religieux à l'école. De surcroît, il existe des partis d'une extrême-droite très hostile à l'immigration et héritière d'une image historique de la France comme pays catholique. Aussi la population musulmane est-elle représentée comme un problème culturel et politique, une menace pour la République laïque comme pour la fille aînée de l'Église catholique. Elle est aussi représentée comme un problème policier en raison d'actes de violence urbaine auxquels elle est liée, un problème social vu ses difficultés d'insertion économique et un problème de politique internationale vu les liens privilégiés de la France avec des pays arabes, notamment l'Algérie. Dans ce contexte, la constitution d'une instance nationale musulmane ressort d'une volonté politique à plusieurs facettes : contrôle des élites musulmanes et désir de les voir s'aligner sur les trois principaux partis politiques, endiguement de l'influence de pays arabes, apaisement des pays musulmans alliés et signal à la population française de la présence définitive de l'islam dans l'Hexagone. Cette mesure ne s'accompagne pas d'une volonté de réformes visant à améliorer le statut socioéconomique déficient des musulmans, tels que des programmes d'action positive, pas plus qu'à remédier à leur sous-représentation politique.

Notes

1. Les données citées dans le texte proviennent de trois projets : Denise Helly, *Défis de l'intégration des personnes de culture islamique au Canada*, CRSH-IDR, 2003-2005 ; Institut de recherche, formation et animation sur l'immigration (Belgique), Gestion municipale de la différence musulmane (Belgique, Canada, France, Grande-Bretagne, Espagne, Italie, États-Unis), Commission européenne, Programme de lutte contre la discrimination, 2002-2005 ; D. Helly, J. Césari et K.Karim, *Accommodements en faveur du culte musulman en France, au Canada et aux États-Unis*, Échanges IRESCO et Patrimoine canadien, 2004.
2. Peter Berger (dir.), *Le réenchantement du monde*, Paris, Bayard-Centurion, 2001.
3. Intégrisme catholique, fondamentalismes protestants, mouvements évangélistes, ultraorthodoxie dans le judaïsme, islamisme politique qui s'opposent à l'assignation de la religion à la sphère privée et à un choix individuel.
4. D. Helly, « Canadian Multiculturalism : Lessons for the Management of Cultural Diversity ? », *Canadian Issues*, édition Canada-France, été 2004, p. 5-9 ; D. Helly, « Le traitement de l'islam au Canada. Tendances actuelles », *Revue européenne des migrations internationales*, vol. 20, n° 1, 2004, p. 47-71 ; D. Helly et J. Cesari, « Ostracisme, tolérance ou reconnaissance : les musulmans en Europe », dans Altay Manço et Spyros Amoranitis (dir.), *Reconnaissance de l'islam dans les communes d'Europe. Actions contre les discriminations religieuses*, Paris, L'Harmattan, 2005, p. 163-182.
5. D. Helly, « Flux migratoires des pays musulmans et discrimination au Canada », dans Ural Manço, *L'islam entre discrimination et reconnaissance. La présence des musulmans en Europe occidentale et en Amérique du Nord*, Paris, L'Harmattan, 2004, p. 257-288.
6. David Martin, *A General Theory of Secularization*, New York, Harper Colophon Books, 1978.
7. Rinus Penninx et Hassan Yar, *Western European States and the Political Representation of Islam : The Cases of Belgium and the Netherlands*, manuscrit, 1993.

8. Le système scolaire belge comprend deux réseaux, l'un officiel, d'État, l'autre libre, confessionnel, et un troisième, public aux échelles provinciale et municipale.
9. Dérogation en 1978 à la loi selon laquelle les cultes sont organisés à l'échelle municipale sur insistance du Grand Imam du CIC (Al Alouini, 1968-1985), qui pense pouvoir ainsi exercer un contrôle des communautés musulmanes.
10. La population musulmane est alors composée de personnes d'origine au premier rang marocaine, puis turque, libanaise, subsaharienne, auxquelles s'ajouteront, durant les années 1990 des immigrés de l'ex-Yougoslavie.
11. Felice Dassetto, « Visibilisation de l'Islam dans l'espace public », dans Albert Bastenier et Felice Dassetto, *Immigrations et nouveaux pluralismes*, Bruxelles, De Boeck, 1990, p. 193.
12. Elles commenceront à recevoir des fonds publics en 1996.
13. Par contre, des accommodements ne sont pas accordés, tel l'octroi de carrés musulmans dans les cimetières (le premier sera accordé en mars 2002, à Bruxelles).
14. En 1998, 377 000, soit 4 % de la population belge (10 250 000), qui comprend 11 % d'étrangers. Ils sont actuellement établis aux deux tiers dans 10 municipalités et surtout en région bruxelloise (160 000). Gand comprend 20 000 musulmans et Anvers, 70 000. Par ailleurs, 80 % est d'origine turque ou marocaine et 50 % a acquis la citoyenneté belge.
15. Illustré par des historiens et islamologues espagnols, selon une tradition datant du début du xxe siècle.
16. Provenant du Pakistan, du Maroc, de Gambie et du Sénégal.
17. Les conversions ont commencé à Grenade après la mort de Franco, en 1975, comme un geste d'opposition culturelle d'ex-militants communistes en quête de spiritualité. À ce mouvement se joignit un mouvement nationaliste de défense de l'héritage pluriel espagnol, sis à Cordoue. Les conversions se multiplient à la suite de la première guerre du Golfe et de mariages entre Espagnoles et immigrés musulmans. L'autre pays avec un nombre de convertis significatif est l'Italie.
18. Qui provient aussi d'Amérique latine selon un système de quotas par pays, d'Europe de l'Est, de Chine et d'Afrique subsaharienne.

En 2000, les immigrés extracommunautaires (516 000) composent 2,7 % de la population espagnole.

19. Le Concordat demeure en vigueur dans les départements d'Alsace pour une charge financière de l'État de 34 millions d'euros dans le budget de 2004 (Plural, 2003).
20. Il existe deux formes de contrat, l'un dit « d'association », alignant les pratiques de l'enseignement privé sur celles de l'enseignement public, l'autre dit « simple » concernant les normes de qualification des enseignants et l'organisation générale de l'enseignement. L'État ne prend pas en charge le fonctionnement matériel des écoles privées.
21. Alors qu'une jurisprudence abondante et applicable à la religion musulmane existe en faveur du judaïsme (abattage rituel, kashrout, aumônerie, régimes spéciaux dans l'administration, écoles). Deux établissements scolaires musulmans existent, à Saint-Denis de la Réunion et, depuis 2003, à Lille.
22. Une association peut être reconnue et financée en partie par l'État si elle n'a pas une fin religieuse.
23. Les communautés catholique, protestante et judaïque détiennent de forts moyens financiers pour organiser leur culte lors de l'adoption de la loi de 1905.
24. J. Cesari, *Être musulman en France. Associations, militants et mosquées*, Paris, Khartala, 1994, p. 152.
25. Georges Felouzis, *Ségrégation ethnique à l'école en France*, Paris, CADIS-EHESS, 2003.
26. Cette loi concernerait 1256 élèves portant le foulard selon le recensement réalisé lors de la rentrée scolaire de 2003 (Entrevue avec Nicolas Sarkozy, France 2, *100 minutes pour convaincre*, 20 novembre 2003). L'UMP et le PS la soutiennent, l'UDF, le PCF, la FSU (syndicats enseignants).

Bibliographie

Berger, Peter (dir.), *Le Réenchantement du monde*, Paris, Bayard-Centurion, 2001.

Cesari, Jocelyne, *Être musulman en France. Associations, militants et mosquées*, Paris, Khartala, 1994.

—, « Islam européen, islam américain », *Le Monde diplomatique*, avril 2001.

Dassetto, Felice, « Visibilisation de l'Islam dans l'espace public », dans Bastenir, Albert et Felice Dassetto, *Immigrations et nouveaux pluralismes*, Bruxelles, De Boeck, 1990, p. 179-208.

Felouzis, Georges, *Ségrégation ethnique à l'école en France*, Paris, CADIS-EHESS, 2003.

Gauchet, Marcel, *Le Désenchantement du monde. Une histoire politique de la religion*, Paris, Gallimard, 1985.

Helly, Denise, « Canadian Multiculturalism : Lessons for the Management of Cultural Diversity ? », *Canadian Issues*, édition Canada-France, été 2004, p. 5-9.

—, « Le traitement de l'islam au Canada. Tendances actuelles », *Revue européenne des migrations internationales*, vol. 20, nº 1, 2004, p. 47-71.

—, « Flux migratoires des pays musulmans et discrimination au Canada », dans Manço, Ural, *L'islam entre discrimination et reconnaissance. La présence des musulmans en Europe occidentale et en Amérique du Nord*, Paris, L'Harmattan, 2004, p. 257-288.

Helly, Denise et Jocelyne Cesari, « Ostracisme, tolérance ou reconnaissance : les musulmans en Europe », dans Manço, Altay et Spyros Amoranitis (dir.), *Reconnaissance de l'islam dans les communes d'Europe. Actions contre les discriminations religieuses*, L'Harmattan, Paris, 2005, p. 163-182.

—, « Occidentalisme et islamisme : les leçons des guerres culturelles », dans Renaud, Jean, Pietrantonio, Linda et Guy Bourgeault (dir.), *Les Relations ethniques en question. Ce qui a changé depuis le 11 septembre 2001*, Montréal, Presses de l'Université de Montréal, 2002, p. 229-252.

Martin, David, *A General Theory of Secularization*, New York, Harper Colophon Books, 1978.

Penninx, Rinus et Hassan Yar, *Western European States and the Political Representation of Islam : The Cases of Belgium and the Netherlands*, manuscrit, 1993.

Plural, *France : Budget des cultes en 2004*, Hors série, nº 4, 14 novembre 2003.

Chapitre 14

Citoyenneté, histoire et nouvelle laïcité

Les fondements d'une pratique française

Claude Langlois

Dans un mouvement de réflexions fondamentales, je partirai de l'actualité la plus récente concernant l'espace scolaire, tout en prenant quelque hauteur pour montrer quels sont les fondements de cette laïcité à la française qui se réclame d'une histoire de plus de deux siècles. Je relève cette actualité dans la création récente de l'Institut européen en science des religions (que je dirige). L'IESR s'appuie sur la Section des sciences religieuses de l'EPHE ; il a été créé à l'été 2002, à la suite du rapport demandé, quelques mois plus tôt, par Jack Lang, alors ministre de l'Éducation nationale, à Régis Debray, concernant l'enseignement du « fait religieux » à l'école[1]. Luc Ferry a ratifié immédiatement la création de son prédécesseur et le ministère de l'Éducation nationale a donné à cet institut, présidé par Régis Debray, les moyens financiers et humains de son fonctionnement. Le rapport Debray reprend, par bien des points, les conclusions du rapport Joutard, effectué dix ans plus tôt, qui portait sur un sujet proche. Le hasard a voulu qu'alors universitaire j'aie été associé à la réflexion conduite par mon collègue et ami historien, notamment lors du colloque de Besançon[2], et qu'en tant que président de la Section des sciences religieuses de l'EPHE, je participe au premier rang à la mise en place de l'IESR, avec Régis Debray.

À dix ans de distance, les deux rapports[3] font le même constat de périlleuse inculture scolaire concernant le fait religieux et font preuve de la même volonté d'en chercher la solution dans l'éducation des enseignants. En effet, le rapport Debray rappelle qu'il ne s'agit évidemment pas de dispenser, à l'école publique, un enseignement religieux qui serait à l'initiative des membres des différentes confessions, pas davantage d'enseigner une nouvelle matière toute laïque qu'on appellerait « science des religions ». Le vocabulaire est volontairement modeste : il s'agit de faire prendre conscience aux enseignants de l'existence du « fait religieux » dans le cadre des disciplines déjà existantes et donc de les aider à parler de ce « fait religieux » de manière juste et précise.

La continuité entre les deux rapports est réelle ; tout aussi évident est le changement de l'un à l'autre. La première différence provient du contexte : le constat d'inculture religieuse, pointé voilà plus de dix ans, portait sur les élèves ; il doit s'étendre, malgré un enseignement supérieur rénové en ce domaine, sur de jeunes enseignants qui vont être massivement recrutés dans les années à venir. Mais la modification essentielle, en termes de conjoncture, est constituée par les formes nouvelles prises par le radicalisme islamique au lendemain du 11 septembre et par l'effet dévastateur, en France, du conflit israélo-palestinien, qui rejaillit de plus en plus dans le milieu scolaire, ce qui rend plus nécessaire encore une approche compétente des diverses religions.

La seconde nouveauté concerne moins le contexte que le contenu. Le rapport Debray manifeste la volonté de prendre en compte le « fait religieux » dans toutes les disciplines, alors qu'il y a dix ans, l'histoire avant tout était concernée. Il faut donc répondre aussi à la demande des enseignants de lettres (français), de philosophie, de langues vivantes, de géographie, voire aussi à celle des enseignants de sciences ou d'éducation physique et sportive. Il importe aussi d'aider les maîtres des écoles au primaire. Cette ambition oblige à penser le rapport au fait religieux non plus seulement sur le mode de son historicité ou de sa factualité mais en prenant en compte la diversité des productions textuelles, qu'il s'agisse des « livres » fondateurs des grandes religions monothéistes, mis récemment au programme[4], ou des documents littéraires et philosophiques, incompréhensibles sans l'évocation de leur horizon religieux. Dans l'un et l'autre cas, les difficultés ne manquent pas. Pour les textes littéraires ou philosophiques, il s'agit de restituer souvent un contexte d'affrontement mal compris, voire mal supporté ; pour les textes fondateurs, la difficulté est surtout d'ordre pédagogique : en effet leur présentation, couplée avec la connaissance historique de l'origine des religions monothéistes, concerne de jeunes élèves (6e et 5e) auxquels il est difficile d'expliquer simplement une histoire qui reste d'approche complexe[5].

La troisième nouveauté provient de la volonté de créer une institution de référence pour faciliter cette formation. L'IESR, qui demeure une structure modeste, a été conçu pour fédérer des initiatives déjà existantes dans ce domaine, pour en susciter de nouvelles aussi. L'IESR a créé six centres régionaux (Aix-Marseille, Lille, Lyon, Rennes, Strasbourg, Toulouse) pour démultiplier son efficacité afin de répondre aux demandes de formation, initiale et continue. Le fait que cet institut s'appuie sur la Section des sciences religieuses de l'EPHE, institution créée en 1886, au moment des lois Ferry, témoigne d'une volonté d'adosser cette structure nouvelle à une institution laïque au prestige scientifique avéré, mais oblige aussi ses membres à prendre en compte les difficultés de la diffusion des savoirs et à ne pas se cantonner dans la recherche stricte.

J'ajouterai une ultime caractéristique. Nous avons dû faire face à une nouvelle demande à laquelle il nous faudrait aussi répondre non plus seulement *comment «enseigner» le fait religieux à l'école* mais aussi *comment aider les établissements* à réagir en face des comportements des acteurs scolaires (élèves principalement) qui présentent des revendications de type religieux, notamment en matière vestimentaire. La mise en place de l'IESR coïncide avec l'irruption d'un débat d'une ampleur démesurée, par rapport à l'objet en question, concernant le port du foulard dit «islamique» dans l'enceinte scolaire. La situation actuelle est en effet paradoxale: l'opinion publique se focalise sur la présence de jeunes filles voilées – 2000 peut-être en tout – dans les établissements scolaires; le chef de l'État et le Parlement ont suscité deux commissions spéciales pour évaluer l'ampleur du mal et les remèdes à y apporter. Une loi va être votée sous le coup d'une émotion suscitée par des faits qui touchent principalement l'école mais aussi le milieu hospitalier. Après le vote de la loi, il faudra revenir à la réalité et donc répondre à des demandes concrètes de gestion de «faits religieux» à l'école.

Les fondements politiques de la laïcité

C'est dans ce contexte de pression exercée par l'actualité – de la création de l'IESR au débat sur le caractère «ostentatoire/ostensible» du voile islamique – qu'il me paraît salutaire de répondre à votre demande de prendre quelque hauteur en proposant une réflexion sur les fondements de la laïcité française. Je voudrais insister sur le fait que je suis un spécialiste du XIXe siècle qui s'est longtemps intéressé à la Révolution française et que la situation actuelle m'a obligé à réfléchir en historien sur la laïcité, objet souvent de développements de qualité, mais parfois d'affirmations aussi péremptoires que mal informées. J'essayerai ici, non de dérouler une histoire, connue dans ses grandes articulations (Révolution et Concordat, lois scolaires laïques et Séparation), mais de mettre en évidence les pratiques politiques qui commandent la compréhension de la laïcité[6].

La prééminence de l'État-nation

Ceux qui réfléchissent sur la laïcité sont tentés de chercher à ce concept spécifique des origines lointaines et si possible prestigieuses, des évangiles aux textes de la Grèce antique, de la scolastique nominaliste aux philosophes français du XVIIIe siècle. C'est oublier que la laïcité n'est pas d'abord une idée mais une pratique politique qui repose sur la tradition française d'un État-nation fort, garant des valeurs contractuelles de la société. La France a connu dans son histoire deux guerres de religion, l'une au XVIe siècle qui aboutit à l'édit de Nantes en faveur des protestants puis à sa révocation en 1685 ; l'autre, plus brève, sous la Révolution, marquée par des exécutions de prêtres et des massacres de populations durant la guerre de Vendée. Bonaparte, au sortir de la Révolution, a su imposer, dans le domaine religieux, sa volonté pacificatrice par la négociation, en 1801, d'un concordat avec le pape et par la reconnaissance, en 1802, des Églises protestantes. L'État, au sortir de cette période troublée, retrouve ainsi sa capacité arbitrale en proposant une paix religieuse qui repose sur la reconnaissance des principales confessions et sur un strict contrôle de leurs manifestations, tout en héritant de la tradition gallicane, notamment par la nomination des évêques, et en portant à l'extrême la volonté du despotisme éclairé de mettre en œuvre une gestion rationnelle de la religion (catéchisme impérial, par exemple). Le modèle concordataire est porteur de contradictions qui se manifestent et sous l'Empire (recours à la force) et sous la Restauration (catholicisme, religion d'État). La structure mise en place permet cependant d'éviter des dérives fatales.

Paradoxalement, l'État bonapartiste reprend à son compte la distinction fondamentale qui a été, en août 1789, à la base de la discussion concernant l'article 10 de la Déclaration des droits de l'homme (« Nul ne doit être inquiété pour ses opinions, mêmes religieuses… ») : le vif débat qui s'était alors instauré avait montré la nécessité de distinguer *religion*, *culte* et *opinion religieuse*[7]. Cette distinction est fondatrice d'une laïcité qui est avant tout un mode spécifique de gestion par l'État des questions religieuses, car elle définit des niveaux d'appréhension du « religieux » – auxquels correspondent des modalités d'intervention sur le religieux – qui ne seront jamais remis en cause ultérieurement, y compris par la Loi de séparation.

D'abord, la religion. En premier lieu, on trouve l'affirmation paradoxale que l'État n'a plus de religion. Il n'y a plus, si l'on préfère une autre formule plus classique, de *religion d'État*. Il faut rappeler un point essentiel du Concordat de 1802, âprement négocié avec Rome : le catholicisme est déclaré la religion *de la très grande majorité des citoyens français* et particulièrement *celle du chef de l'État*, mais non *celle de l'État :* en conséquence l'État ne « croit » pas, ce qui signifie qu'il n'a pas à exprimer, comme tel, de croyances religieuses. La preuve de cette incroyance est fournie, de manière négative : il ne reconnaît plus de délits strictement religieux (comme le blasphème ou le sacrilège)[8] ; l'État, comme le dénoncera Lamennais sous la Restauration, est incroyant, athée même. Tel est le fondement principal de la laïcité, ce que Jean Baubérot, s'appuyant sur mes travaux, appelait « premier seuil de laïcité »[9]. Et l'État napoléonien confirme cette orientation capitale en laïcisant entièrement le code civil comme il avait avalisé la laïcisation de l'État civil (naissance, mariage et enterrement) effectuée en 1792. Pour l'État civil, la nouvelle procédure utilisée mérite attention : les Églises, contrairement à ce qui était imposé en 1792, gardent la possibilité d'inscrire les fidèles sur les registres paroissiaux, comme par le passé pour les catholiques (c'est en 1787 que les protestants disposent d'un État civil propre), mais l'État ouvre les siens à tous, indépendamment, pour chacun, de sa confession, voire de son incroyance ; de plus, pour le mariage, institution centrale, donc contrôlée de près, le maire a l'antériorité sur le curé, manière d'affirmer quotidiennement la prééminence de l'État sur les religions.

Mais, dans le même temps, l'État reconnaît de fait une liberté individuelle d'*opinion* en matière religieuse, une liberté de croire ou de ne pas croire, une liberté de pratiquer ou de ne pas pratiquer, une liberté de critiquer la religion, de changer de religion, de sortir de la religion. Liberté jamais absolue ; liberté qui fait objet de conflits à l'heure de la mort parce que la croyance d'un individu reste un geste à portée sociale[10]. Cette liberté d'opinion religieuse suppose la pluralisation du champ religieux et conduit à terme à l'individuation de l'attitude croyante. Mais aussi l'expression d'*opinion religieuse* indique que la religion est non seulement affaire de choix individuel mais aussi partie intégrante du débat public. Et enfin, en dernier recours, il faut rappeler, comme l'indique la formulation complète de l'article 10 de la Déclaration des droits de l'homme de 1789, l'État est encore juge des limites à assigner aux débats ou aux pratiques collectives au nom de l'ordre public. Ainsi des conversions, dans la première moitié du XIXe siècle : chaque individu est libre d'adopter la religion de son choix, mais des conversions collectives – des paroisses catholiques qui passent au protestantisme, par exemple – font l'objet d'une intervention publique destinée à limiter ce qui risquerait de devenir un *désordre* préjudiciable.

L'État intervient avant tout à cause de la priorité qui est donnée par le Concordat à l'organisation des *cultes*. C'est en effet le point essentiel : l'État « reconnaît » les cultes et, pour les minorités religieuses, il les « organise » sur le modèle consistorial réformé. Les cultes se comprennent comme « la manifestation visible du religieux » : l'État finance les cultes en rémunérant les « ministres des cultes » et pour partie en aidant à la construction des « édifices du culte ». Pour gérer les cultes, le pouvoir se dote de l'instrument régalien par excellence du gouvernement libéral en créant un « ministère des Cultes ». Ce ministère restera toujours une petite structure et, de ce fait, après son autonomie initiale lors de sa création par Bonaparte, il sera rattaché, après 1830, soit au ministère de l'Intérieur, soit à celui de la Justice, soit encore à celui de l'Instruction publique. Ainsi se définit, concrètement, le triangle politique du contrôle de la religion par l'État.

Pourquoi, demandera-t-on, accorder tant d'attention à un modèle devenu caduc, puisque la Loi de séparation a justement supprimé la reconnaissance et le financement des cultes ? En ce domaine, malgré tout, la continuité l'emporte sur le changement, puisque l'État raisonne toujours en fonction de ces trois niveaux pour appréhender le fait religieux. En effet, la distinction entre opinion religieuse, cultes et croyances – ou si l'on préfère le cumul de l'incroyance d'État, de la liberté d'opinion religieuse et de contrôle/protection des cultes – reste essentielle pour comprendre la situation française actuelle.

Il faut encore ajouter que l'État, qui se veut le garant de la paix religieuse, se donne les moyens de la faire respecter, y compris par le recours à la coercition, sous diverses formes, puisque c'est lui qui décide – quitte en régime démocratique à faire voter une loi – quand et comment l'activité religieuse devient dangereuse dans la mesure où elle est censée s'opposer à « l'ordre public ». Ce qui signifie qu'en matière religieuse, la limite entre la protection de l'État et l'arbitraire d'État est vite franchie.

La prééminence de la logique égalitaire

Les généralisations sont toujours dangereuses. La France est un pays où les corporatismes cultivent avec persévérance et efficacité leurs privilèges ; mais c'est aussi un pays où la logique égalitaire est profondément ancrée dans les mentalités. Celle-ci s'applique largement à la gestion des religions, du fait notamment de la structure très différenciée du paysage religieux : en effet, le catholicisme demeure, du début du XIXe siècle à nos jours, une religion très majoritaire. Dans le dernier sondage (CSA-La Vie, 2003), 90 % de ceux qui se rattachent à une religion se déclarent catholiques. Mais dans le système concordataire, le catholicisme, qui représente à lui seul, en édifices du culte, en personnel, en crédits, 95 % du « religieux » visible, n'en est pas moins l'un des quatre cultes reconnus ; il doit donc cohabiter, dès 1802, avec les deux cultes protestants (Église réformée, Église luthérienne) et assez rapidement avec le culte israélite. De soi la pluralité des cultes est porteuse d'égalité.

Mais d'une égalité qui, en cas de difficulté, conduit à abaisser le seuil de la visibilité des religions. Cette pratique s'explique par le conflit des deux France dont j'ai montré dans les *Lieux de Mémoire* tous les harmoniques[11]. En effet, à partir des années 1880, le Concordat le cède à un « discordat » qui dure 25 ans et qui se termine par la Séparation. On peut mettre cette mutation au compte d'une radicalisation idéologique qui se manifeste aussi bien du côté des républicains que des catholiques, mais on peut l'expliquer autrement : chez les républicains, par un fort déséquilibre entre une structure politique majoritaire et une faiblesse des relais efficaces dans la société ; chez les catholiques, par une structure religieuse socialement implantée, mais sans soutiens partisans efficaces, d'où la volonté catholique d'exister politiquement, mais sans en trouver les moyens efficaces, à cause du refus majoritaire de reconnaître la République ; d'où la volonté républicaine, plus efficace, de réduire le plus possible l'emprise du catholicisme sur la société en accroissant la sienne. C'est ainsi qu'il faut interpréter, dans les années 1880, le mouvement, sans égal depuis la Révolution, de laïcisation de la vie politique et surtout de l'espace social, marqué notamment par l'introduction du divorce et de la laïcité scolaire. Cette laïcisation s'est accompagnée d'une campagne systématique de dénigrement : au catholicisme intransigeant et ultramontain, au catholicisme de monuments, d'œuvres, de dévotions, qui s'affiche avec vigueur, les anticléricaux appliquent la grille de lecture critique des Lumières en dénonçant autant de manifestations du fanatisme ou de la superstition. Les Républicains les plus modérés (les Opportunistes), qui ne sont point hostiles à toute religion, opposent seulement, au catholicisme trop envahissant, le protestantisme libéral, modèle d'un christianisme sécularisé et entièrement républicain[12].

Cette volonté de réduire systématiquement les moyens d'emprise des religions sur la société va se retrouver, un siècle plus tard, quand il faudra affronter les nouveaux mouvements religieux, puis l'Islam. On retrouve les mêmes processus utilisés pour disqualifier les nouveaux mouvements religieux, mais les références ont changé : récemment, on donnait en exemple aux mauvaises religions qu'étaient « les sectes » les vieilles religions judéo-chrétiennes, qui avaient accepté les valeurs de la laïcité[13]. L'égalité prônée dans le traitement des religions s'opère toujours, dès qu'il y a conflit, par la mise en avant d'une perspective restrictive. En France, des difficultés avec les religions ne sont pas régulées par le marché comme aux États-Unis, mais par une loi destinée à écarter *a priori* les manifestations potentiellement dangereuses. Ainsi avait-on procédé durement à l'encontre des congrégations enseignantes en 1904, ainsi a-t-on fait récemment contre les sectes, ainsi est-on en train de procéder contre *le voile islamique* à l'école.

Pour revenir à ce dernier cas, il n'est pas surprenant que le conflit se soit polarisé sur l'école, puisque c'est au sein même de l'enseignement public de masse que la laïcisation des années Ferry s'était manifestée par la suppression de la récitation du catéchisme, en 1882, et par la laïcisation des personnels congréganistes en 1886. C'est aussi la massification de l'enseignement secondaire qui crée, plus d'un siècle après, des problèmes similaires, mais évidemment dans un contexte différent, puisque maintenant, la religion devient, dans certains cas, partie prenante d'identités potentiellement conflictuelles.

Il faut en effet se rappeler que l'introduction des lois « laïques » à l'école primaire s'est opérée dans le cadre d'un système duel qui conduit à une séparation radicale selon les sexes, à la fois progressiste dans ses visées émancipatrices, et inégalitaire dans ses contenus, notamment pour la formation des élites. Par ailleurs, l'introduction de la laïcité s'est opéré dans un contexte scolaire lourdement inégalitaire : le système duel – école du peuple, école des élites – n'est pas mis en cause par les nouvelles lois Ferry, il est même conforté par l'existence d'une différenciation au sommet (les quatre écoles normales supérieures)[14] et par la possibilité très limitée de passer d'un système à l'autre (bourses). À cette forte inégalité sociale s'ajoute une inégalité coloniale ouvertement revendiquée : les thuriféraires actuels de Ferry, le laïque, oublient soigneusement d'évoquer Ferry, le colonisateur. Or, les discriminations de type colonial ne sont pas absentes du discours scolaire. Pourquoi évoquer ici ces problèmes ? Parce que ce sont les mutations dans ces trois domaines – massification du recrutement au secondaire, mixité scolaire, immigration en provenance des anciennes colonies africaines – qui « produisent » le conflit actuel dans le monde scolaire, que l'on tente de régler de la même manière que par le passé, en réduisant la visibilité du religieux à l'école sans rechercher ce qui est véritablement en jeu dans ce psychodrame (le voile) qui n'est sans doute pas avant tout religieux.

La Séparation comme paradigme de la laïcité

Dans un récent débat télévisé où le ministre de l'Intérieur, Nicolas Sarkozy, était opposé à Tarik Ramadan, intellectuel musulman connu et controversé, ce dernier, pour montrer qu'il n'ignorait pas le contexte français, reprenait ce qui se répétait alors à l'envi, à savoir l'importance de la loi de 1905, comme fondement de la laïcité scolaire. Faut-il rappeler que la loi de 1905 ne concerne en rien le problème scolaire, même si, lorsque l'on en fait l'histoire, on constate que son vote est la conséquence immédiate d'un combat anticlérical porté de nouveau sur le terrain scolaire, par une législation d'exception (1904) visant les congrégations religieuses, et au premier chef les congrégations enseignantes. Mais la volonté conjointe d'en découdre avec le catholicisme et sur le plan scolaire (congrégations) et sur le plan politique (suppression du Concordat) ne doit pas néanmoins conduire à mélanger les contenus.

La séparation des Églises – voire plutôt des cultes – et de l'État est considérée présentement par une opinion publique peu au fait de ce qui s'est passé voilà un siècle comme une loi fondatrice, alors qu'elle apparaît à l'historien comme la ponctuation d'une phase très conflictuelle et que la loi de 1905 était devenue nécessaire pour ponctuer la dénonciation unilatérale du Concordat de 1801, ratifié justement en 1802 par une loi. La loi de 1905 est avant tout le constat d'un divorce et, comme dans tout divorce, l'important est de savoir à qui iront les biens du ménage. La loi a certes retenu une version modérée de la Séparation[15], mais son application fut des plus dramatiques (les Inventaires) ; et surtout elle est devenue caduque immédiatement dans sa disposition essentielle, la dévolution des biens du culte catholique, puisque le refus pontifical de reconnaître les cultuels conduisit d'une part à une spoliation, sans précédent depuis la Révolution, des biens ecclésiastiques et, d'autre part, en 1908, à une renationalisation indirecte de l'essentiel des biens cultuels (églises et presbytères) par leur transfert aux communes, à charge pour elles de les mettre à la disposition des prêtres et des fidèles[16].

On a présentement oublié cet essentiel ; on ne se souvient plus beaucoup de la clause principale (article 2) qui avalise la fin du modèle concordataire (« La République ne reconnaît, ne salarie ni ne subventionne aucun culte »). La Séparation est avant tout marquée par le désengagement financier de l'État. Dans le système concordataire, le financement public des cultes était la façon tangible de manifester leur reconnaissance. Un ministère et un budget ! Il n'y a plus maintenant de budget des cultes parce qu'il n'y a plus de cultes reconnus. Voilà l'essentiel de la loi de 1905. On demandera, scandalisé, ce que je fais de l'article 1 de cette fameuse loi que chacun cite dévotement : « la République assure la liberté de conscience et garantit le libre exercice des cultes » ; j'en fais grand cas, mais cet article n'innove pas, il confirme seulement ce qui existait en France depuis un siècle sous le régime des cultes reconnus. L'article 1er affirme seulement que la République continue à assurer la même « finalité » que précédemment, c'est-à-dire la liberté de conscience et celle des cultes, tout en se refusant à utiliser les mêmes « moyens » que précédemment.

La loi de 1905 est devenue tellement paradigmatique de la gestion du religieux qu'elle engendre une vision simplificatrice et plus encore anachronique de la réalité, En effet, c'est paradoxalement sur le modèle de la loi de 1905 que l'on interprète les lois laïcisatrices concernant l'école publique, votées vingt ans plus tôt dans un contexte où justement les protagonistes principaux (Jules Ferry et Léon XIII) refusaient que la séparation de l'Église catholique et de l'école publique aboutisse à celle de l'État et des cultes. Mais l'erreur s'explique pour partie dans la mesure où les lois laïques se veulent, elles aussi séparatrices, jusque dans leur mise en œuvre concrète. Ainsi la disparition du catéchisme comme matière d'enseignement n'impliquait pas que celui-ci soit exclu de l'enceinte scolaire. Mais les plus « radicaux » des Républicains tenaient à une séparation physique, à une sanctuarisation totale de l'école, comme l'on dirait maintenant. La conséquence en fut l'octroi d'un jour chômé (le jeudi) pour que l'enseignement du catéchisme puisse se faire hors de l'école.

Cette volonté de séparation totale conduisit souvent à une laïcité d'abstention. Moins on parlerait de religion à l'école, mieux cela vaudrait. Cela entraîna parfois des pratiques surprenantes, comme la réécriture du principal livre de lecture, utilisé au primaire, ouvrage pourtant entièrement laïque dans sa conception, le Tour de France de deux enfants : on en vint en effet à supprimer du paysage français les signes religieux trop « ostentatoires » comme Notre-Dame de la Garde[17], que les enfants ne voient plus dorénavant lorsqu'ils arrivent en vue de Marseille. Plus sérieusement, on se refusa, pour remplacer le catéchisme, à tout enseignement de substitution, comme l'histoire des religions, par contre on développa l'enseignement d'une morale laïque de substitution. À l'évidence, cette laïcité d'abstention, fondée sur une volonté de séparer radicalement la religion de l'école, est une des sources de l'inculture des élèves en matière de religion.

D'une manière plus générale, la séparation de la République et des cultes a été interprétée ultérieurement comme une privatisation totale du religieux en projetant sur la réalité du début du xxe siècle les catégories des sociologues, de Max Weber notamment. Or, cette analyse ne correspond en rien à la réalité, puisque l'article 1 de la loi de 1905 maintient l'existence des « cultes » en prônant leur liberté ; or que sont les « cultes » sinon la dimension publique de la religion. Et cette dimension publique est tout aussi évidente avec la proclamation de la liberté de conscience, qui renvoie à l'article 10 de la Déclaration des droits de l'homme de 1789. La liberté de conscience, c'est justement celle « de ne pas être inquiété pour ses opinions, mêmes religieuses ». Et cette liberté de conscience se met en scène alors sur la place publique, comme le rappelle symboliquement l'érection de statues aux « martyrs » de la liberté de conscience, Étienne Dolet et le chevalier de la Barre, victimes des fanatismes et protestant et catholique[18]. L'affirmation de la « liberté de conscience » comme une formulation plus moderne de la liberté « d'opinion religieuse » maintient la question religieuse au cœur du débat public, sans risque maintenant pour ceux qui attaquent l'intolérance des religions traditionnelles.

La laïcité implique certes une demande de sécularisation comme on l'a vu dans les années 1880, mais ce n'est pas ce qui la définit d'abord. La laïcité, s'il fallait s'en tenir à une formule abrupte, c'est avant tout un mode de gestion des cultes par l'État, marqué par le primat accordé au maintien de l'ordre et par le choix, en cas de conflit, de solutions impliquant une moindre visibilité des religions, dans le but de maintenir la paix publique.

Le partage des libertés

Dans la hiérarchie implicite des principes républicains, l'égalité passe en France avant la liberté, d'autant plus que le XIXe siècle est marqué par un partage des libertés dont on est encore l'héritier. En matière religieuse, il existe en principe deux libertés, celle des cultes et celle de conscience ou d'opinion religieuse ; une troisième bientôt prendra plus de place paradoxalement, la liberté scolaire.

La liberté des cultes demeure au premier rang même quand l'État ne reconnaît plus les cultes en les finançant. La question posée après 1905 est justement celle-ci : comment octroyer une reconnaissance sans « moyens » matériels (budgétaires) ni symboliques (ministère). La liberté des cultes a permis ultérieurement une plus grande capacité pour les confessions de se rendre visible (par exemple les Chantiers du cardinal pour construire rapidement des églises dans la région parisienne) et a nécessité une plus grande discrétion dans les façons de réintroduire quelque reconnaissance des cultes principaux (en nommant par exemple des représentants des grandes religions au Comité consultatif national d'éthique). Alors que la liberté des cultes relève de la gestion régalienne de la religion, la « liberté de conscience », pour reprendre la terminologie de la loi de 1905, est d'inspiration libérale, comme le montre ce qui la fonde en droit, l'article 10 de la Déclaration des droits de l'homme de 1789. C'est, rappelons-le, la liberté individuelle de croire ou ne pas croire, d'adhérer à la religion de son choix, de s'exprimer de manière publique et critique sur les religions. Cette liberté-là est le fondement de l'individualisme en matière de croyance, ce que la papauté condamnera régulièrement et notamment dans le Syllabus. La liberté d'opinion religieuse est une liberté Janus, à deux faces, parce qu'elle repose sur la légitimation, en 1789, de deux figures historiques, le Philosophe et le Protestant, et qu'à ce titre elle implique conjointement le respect des minorités religieuses et la libre critique de la religion[19].

Mais l'histoire a introduit une troisième liberté – la liberté scolaire – que l'Église catholique a rapidement prise à son compte, ce qui lui a permis, au XIXe siècle et encore largement au XXe, de garder une prise directe sur la société. L'Église catholique a combattu sur le terrain scolaire, au cours du XIXe siècle, avec deux armes, les congrégations et la législation scolaire : d'un côté, le développement des congrégations enseignantes ; de l'autre, le vote d'une législation sur la liberté de l'école : en 1833 pour l'école élémentaire, en 1850 pour les collèges, et en 1875 pour les universités. En 1875, l'Église catholique gagnait sur les deux tableaux, les congrégations étaient au plus haut[20] et les deux dernières lois citées permettaient d'ouvrir des collèges et des universités catholiques. Les lois Ferry ne touchèrent pas à cette législation, sauf pour les universités catholiques, contraintes à n'être que des instituts ne délivrant pas de diplômes publics, ce qui demeure, avec quelques aménagements pour les diplômes (couplage avec des universités d'État), la situation actuelle. En 1904, quand l'instrument congréganiste est définitivement cassé, l'Église catholique conserve la seule possibilité de situer l'école confessionnelle dans le cadre des lois sur la liberté scolaire, ce qui l'a conduit aussi à donner immédiatement une structure diocésaine à l'école congréganiste.

Dans la crise qui conduit à 1905, les libertés en matière scolaire n'ont pas été alors remises en cause. Les anticléricaux pensaient sans doute qu'il suffisait de briser l'instrument congréganiste pour arriver à leurs fins, ce qui se révéla une erreur d'appréciation. La question scolaire est demeurée longtemps conflictuelle, au moins jusqu'en 1984, quand les socialistes ont voulu intégrer l'école privée catholique à un grand service public. Le projet a été retiré après des manifestations monstres en faveur de l'enseignement confessionnel. Il est vrai aussi que la Loi Debré (1959) avait modifié en profondeur la situation de l'enseignement catholique en lui offrant un véritable « concordat » scolaire par lequel l'État reconnaissait et « salariait » l'école confessionnelle contre l'acceptation, par celle-ci, de normes propres à l'enseignement public.

Il convient ici de faire deux remarques. D'abord, le principe de la liberté scolaire signifie avant tout la liberté individuelle d'« entreprendre » dans ce secteur. Cette demande était libérale dans son principe, comme le montrent les premiers plans d'éducation élaborés sous la Révolution et les positions de certains libéraux au cours du XIXe siècle[21]. Mais après l'Empire, les libéraux français se sont partagés, la majorité s'est ralliée durablement au monopole universitaire hérité de Napoléon ; une minorité seulement a fait sienne la liberté d'entreprendre en matière scolaire. Du coup, le catholicisme, grâce notamment à la vitalité de ses congrégations, est devenu progressivement le premier « entrepreneur » scolaire privé, voire quasiment le seul[22]. Et donc le catholicisme a monopolisé à son profit cette liberté scolaire.

La seconde remarque concerne la situation actuelle. Le changement de paysage est double : d'une part, l'enseignement catholique se sécularise et dans ses publics et dans ses enseignants ; d'autre part, le terrain scolaire privé s'ouvre à d'autres intervenants religieux, écoles juives hier, peut-être écoles musulmanes demain. Mais quoi qu'il en soit de ces mutations, selon des sondages toujours sans équivoque, l'opinion publique, durant ces dernières décennies, a toujours été majoritairement favorable à l'existence d'une école privée catholique en considérant qu'elle offrait une alternative indispensable à l'enseignement public, ce qui correspond parfaitement à la réalité, puisque, selon des études sérieuses, une famille sur deux, au cours de la scolarisation de ses enfants, a eu, au moins une fois, recours à cet enseignement.

Le retour au présent de la laïcité

Pour conclure, je voudrais revenir au présent, après une réflexion sur cette longue pratique de la laïcité. C'est donc vers l'État que l'opinion publique se tourne pour rétablir l'ordre à l'école, c'est par la loi, commune à tous, que l'on espère refonder la laïcité, quitte d'ailleurs à faire immédiatement, sur le voile islamique, objet de conflit, deux exceptions notables, puisque la loi ne concerne pas l'enseignement supérieur et qu'elle ne s'applique pas aux établissements privés, donc confessionnels, catholiques ou juifs. À tort ou à raison, c'est l'Islam qui maintenant fait problème. Pour comprendre la situation française actuelle, il faut revisiter l'histoire mais dans sa totalité, et notamment celle de la colonisation qui explique celle de l'émigration. Or, la mémoire laïque s'est constituée à la fois sur l'oubli du système des « cultes reconnus » auxquels tenait Jules Ferry et plus encore de la pratique coloniale. Cette mémoire sélective conduit à un autre oubli. Au temps de Ferry, il y avait des cultes reconnus en métropole, et l'Islam l'était dans les trois départements algériens, mais comme religion des colonisés. C'est l'État colonial qui, en 1920, rend visible la participation à l'effort de guerre des troupes coloniales levées en Afrique du Nord en implantant une mosquée en plein Paris. Et l'on oublie que la France, à l'apogée de la phase coloniale, dans les années 1930, se déclarait ouvertement puissance musulmane, par ses possessions en

Afrique du Nord, en Afrique de l'Ouest, et par ses mandats, dans le Proche-Orient.

Une seconde remarque concerne la Loi de séparation et la reconnaissance des cultes. Il serait facile de démontrer que la Loi de séparation a été contournée durant tout le siècle qui a suivi, et cela, dès 1908, puisque le refus des cultuels par Pie IX (1906) empêche le transfert des biens immobiliers à l'Église catholique, et donc conduit le législateur à spolier celle-ci d'une partie de ses biens et à transférer la propriété des églises et des presbytères aux communes, à charge pour elles de les mettre à la disposition des fidèles et aussi de les entretenir comme doit le faire tout bon propriétaire pour son locataire. L'État ne finance plus les cultes, mais les communes héritent de la charge financière de l'entretien de l'essentiel des édifices du culte catholique. Or, la dévolution des biens cultuels constituait le cœur de la Loi. Prenons un autre exemple, tout récent : M. Sarkozy, ministre de l'Intérieur, en organisant l'Islam en France, a mis ses pas dans ceux de Napoléon quand celui-ci convoquait, voilà deux siècles, un Grand Sanhédrin pour organiser le culte « israélite » sur le modèle consistorial protestant. L'organisation vaut, d'une certaine manière, reconnaissance et devrait permettre l'entrée dans le « club » des autres religions historiques, avec lesquels le gouvernement, pour dialoguer, dispose de structures représentatives.

Je voudrais clore cet exposé en rappelant les conditions actuelles de l'exercice de la laïcité scolaire. La France doit tenir compte de trois éléments nouveaux. D'abord, la laïcité ne peut faire abstraction du contexte international marqué à la fois par les nouvelles manifestations de l'islamisme radical depuis 2001 (mars 2004, l'attentat de Madrid) et par l'effet dévastateur sur notre sol du conflit israélo-palestinien, exacerbant les tensions entre français se réclamant de chacun des protagonistes. L'école devient un lieu de tension d'autant plus évident que ce conflit n'est pas d'abord religieux, qu'il n'est pas uniquement « ethnique », mais qu'il est largement social et culturel, ce que l'on feint d'oublier souvent : d'un côté, une population juive de classe moyenne qui a intégré parfaitement la méritocratie scolaire et en tire largement bénéfice, de l'autre des élèves maghrébins souvent en situation d'échec et marquant de ce fait une hostilité visible à l'école.

En second lieu, une juste appréciation de la laïcité à l'école passe par une analyse en terme de genre. On a peu réfléchi sur l'effet d'une mixité qui s'est imposée en France dans les années 1960 comme une valeur de la modernité non plus que sur les conséquences d'une excellence scolaire des filles, bien supérieure aux garçons, quand on considère l'accès des unes et des autres au baccalauréat[23], sans toutefois que cela s'accompagne de la conquête des disciplines scientifiques, ouvrant la porte à des carrières prestigieuses. L'école, pour les filles, notamment celles qui se réclament de l'Islam, demeure émancipatrice. La question du voile doit aussi s'analyser dans cette perspective où se mêlent religion et genre. Il ne serait pas difficile, en effet, de montrer que l'insistance sur le voile des filles résulte d'une lecture sexiste du Coran dans la mesure où, dans le même temps, les garçons s'exonèrent allègrement de règles vestimentaires commandée par une « pudeur » exigible, selon les textes de référence, de tous, hommes et femmes : obliger seulement les filles à être voilées par pudeur, c'est introduire une discrimination sexiste en manipulant des références religieuses traditionnelles. Les exclure si elles refusent de se dévoiler risque d'ajouter une contrainte inutile à une discrimination subie. C'est introduire, à leur encontre, une double peine paradoxale.

Ma dernière remarque portera sur le paradoxe entre la volonté d'enseigner le fait religieux à l'école, donc de l'intégrer dans le champ des savoirs disciplinaires, et une identique volonté d'en masquer le plus possible les manifestations dans l'espace scolaire. Il y a là, me semble-t-il, à terme, une tension difficilement supportable, d'autant plus que c'est l'Islam qui dans l'un et l'autre cas est au centre de l'interrogation et que c'est lui encore qui subit le contact rugueux d'un savoir scientifique, qui concerne moins en France les religions juives et chrétiennes, plus habituées à une lecture sécularisée de leurs « Écritures » ou de leurs origines. On voit bien l'intérêt de sanctuariser le milieu scolaire. Mais cette sanctuarisation est illusoire, car l'école est tributaire de l'environnement dans lequel se trouve la population scolaire qui la fréquente, comme en témoigne par exemple la politique en faveur des ZEP (zone d'éducation prioritaire); elle est de plus dangereuse, car l'école doit être aussi un lieu d'apprentissage de la différence et de respect de la tolérance, non de la seule diffusion des savoirs.

La position française est singulière, singulièrement difficile à comprendre, voire à expliquer. Elle se comprend par une histoire spécifique; elle se traduit par des positions peu partagées dans leur radicalité par les autres démocraties. La confrontation des pratiques scolaires dans le monde occidental pourrait s'avérer utile pour avancer dans cette voie délicate où personne ne peut prétendre avoir trouvé la juste solution. C'est en tout cas dans cette direction que le jeune Institut européen en sciences des religions, que je dirige, entend aussi œuvrer.

Notes

1. Régis Debray, *Enseigner le fait religieux dans l'école laïque*, Paris, Odile Jacob, 2002.
2. *Enseigner l'histoire des religions*, Paris-Besançon, CNDP-CRDP de Besançon, 1992.

3. En septembre 1989, Philippe Joutard remettait au ministre de l'Éducation nationale un rapport plus général sur l'enseignement de l'histoire, de la géographie et des sciences sociales en faisant 16 propositions, dont la 15e, appuyée sur les conclusions d'une commission *ad hoc*, demandait l'enseignement de l'histoire des religions à l'école.
4. Une initiation aux textes anciens, religieux et profanes, est faite dans les premières années du collège, par le professeur de français.
5. La difficulté principale provient de la nécessité de raconter une histoire narrative, là où l'exégèse biblique met en valeur des productions textuelles. Peut-on, par exemple, proposer aux élèves de restituer l'itinéraire des hébreux de l'Égypte à la Palestine comme on proposerait de pointer le déplacement des participant de la première croisade ?
6. Une première esquisse dans la conclusion que j'ai faite à un colloque tenu à Strasbourg. Voir Claude Langlois, « Traditions historiques et perspectives actuelles », dans Francis Messner, *La culture religieuse à l'école*, Paris, Cerf, 1995, p. 207-219.
7. C. Langlois, « Religion, culte et opinion religieuse. La politique des révolutionnaires », *Revue française de sociologie*, n° 30, 1989, p. 471-496.
8. L'affaire Rushdie a été l'occasion de faire le point sur les législations européennes concernant le blasphème et de voir qu'elles étaient encore très présentes en Europe, bien que peu appliquées. Voir Patrice Dartevelle, Philipe Denis et Johannès Robyn, *Blasphèmes et Libertés*, Cerf, 1993.
9. Jean Baubérot, *Vers un nouveau pacte laïque ?*, Seuil, 1990, p. 33-48.
10. Dans la première moitié du XIXe siècle, le ministère des Cultes doit arbitrer entre les familles qui demandent l'enterrement religieux d'un des leurs et le clergé qui le refuse du fait de l'incroyance avouée de la personne ; ultérieurement, à partir des années 1880, la situation se complexifie quand la libre pensée prend comme objectif d'organiser des enterrements civils pour respecter l'opinion du libre penseur contre une Église et une famille qui font souvent alors cause commune pour exiger le maintien d'un rite religieux, qui est aussi un geste de convenance sociale.
11. C. Langlois, « Catholiques et laïcs », dans Pierre Nora, *Les lieux de mémoire, tome 3, 1, Les France*, Paris, Gallimard, 1992, p. 141-183.

12. Patrick Cabanel, *Le Dieu de la République. Aux sources protestantes de la laïcité*, Rennes, PUR, 2003.
13. Les universitaires ont opposé à la désignation « populaire/politique » (les sectes) une neutralisation scientifique (les nouveaux mouvements religieux) ; l'appellation commune conduit à identifier les sectes comme des religions mauvaises ou plutôt dangereuses, ce qui suppose l'existence de religions « bonnes » ou au moins « inoffensives ». Pour faire la « police des sectes », la commission parlementaire, dans son rapport de 1995, a utilisé les fiches des renseignements généraux. Sur le sujet, voir Françoise Champion et Martine Cohen, *Sectes et démocraties*, Paris, Seuil, 1999.
14. La IIIe République a ajouté à la seule école normale supérieure (Ulm) mise en place par la Ire Révolution (1794) trois autres écoles normales (1880-1882) qui témoignent et de l'expansion du modèle prestigieux à l'enseignement primaire (Saint-Cloud) et du dédoublement des modèles pour les femmes (Sèvres et Fontenay).
15. J. Baubérot, 1990, p. 49-80.
16. Jean-Marie Mayeur, *La Séparation des Églises et de l'État*, Paris, Éditions ouvrières, 1991.
17. On en comprend l'enjeu. La construction de ce sanctuaire, couronné par une statue de la Vierge, sur une colline dominant Marseille, était effectivement destinée à opérer une reconquête catholique du paysage urbain.
18. Voir Valentine Zuber, *Les Conflits de la tolérance, Michel Servet entre mémoire et histoire (XIXe-XXe siècles)*, Paris, Honoré Champion, 2004.
19. Cette singularité française explique que sous la même appellation de « liberté de conscience », on a longtemps placé le respect des minorités religieuses et la possibilité de critiquer « la religion » parce que c'est le catholicisme qui était visé sous ce terme générique.
20. L'enquête de 1878 donnait près de 130 000 religieuses, contre 90 000 en 1861.
21. Michel Leter, *Lettre à Luc Ferry sur la liberté des universités*, Paris, Les Belles Lettres, 2004. Essai suggestif qui restitue bien la tradition libérale du XIXe siècle en manière d'enseignement, notamment, comme le titre l'indique, du point de vue de l'université.
22. On le voit bien au cours des années 1830-1860 : quand des demoiselles qui tenaient des pensionnats décèdent, elles se tournent

naturellement vers une congrégation pour que leur œuvre d'enseignement soit continuée ; ainsi le marché privé se rétrécie-t-il progressivement.

23. D'après les statistiques officielles de 1999, si l'on prend le nombre de filles et de garçons d'une classe d'âge qui obtiennent le baccalauréat, on constate, pour cent personnes de chaque catégorie, un écart conséquent de 12 points.

Bibliographie

Baubérot, Jean, *La morale laïque contre l'ordre moral*, Paris, Seuil, 1997.

—, *Vers un nouveau pacte laïque ?*, Paris, Seuil, 1990.

Cabanel, Patrick, *Le Dieu de la République. Aux sources protestantes de la laïcité*, Rennes, PUR, 2003.

Champion, Françoise et Martine Cohen, *Sectes et démocraties*, Paris, Seuil, 1999.

Dartevelle, Patrice, Denis, Philipe et Johannès Robyn, *Blasphèmes et Libertés*, Paris, Cerf, 1993.

Debray, Régis, *Enseigner le fait religieux dans l'école laïque*, Paris, Odile Jacob – SCEREN, avril 2002.

Enseigner l'histoire des religions, Actes du colloque 20-21 novembre 1991-Besançon, CNDP-CRDP de Besançon, Paris-Besançon, 1992.

Langlois, Claude, « Traditions historiques et perspectives actuelles », dans Messner, Francis, *La culture religieuse à l'école*, Paris, Cerf, 1995, p. 207-219.

—, « Catholiques et laïcs », dans Nora, Pierre, *Les lieux de mémoire, tome 3, 1, Les France*, Paris, Gallimard, 1992, p. 141-183.

—, « Religion, culte et opinion religieuse. La politique des révolutionnaires », *Revue française de sociologie*, n° 30, 1989, p. 471-496.

Leter, Michel, *Lettre à Luc Ferry sur la liberté des Universités*, Paris, Les Belles Lettres, 2004.

Mayeur, Jean-Marie, *La Séparation des Églises et de l'État*, Paris, Éditions ouvrières, 1991.

Zuber, Valentine, *Les Conflits de la tolérance, Michel Servet entre mémoire et histoire (XIXe-XXe siècles)*, Paris, Honoré Champion, 2004.

CHAPITRE 15

À quel sécularisme nous vouer?

DOUGLAS FARROW

ICI ET LÀ, il est question récemment de postsécularité[1]. Jürgen Habermas, entre autres, s'est élevé récemment contre le jeu à somme nulle auquel se livrent les forces progressistes antireligieuses, qui se réclament de la science, et les milieux religieux conservateurs, qui valorisent l'autorité de la religion[2]. « La victoire est déjà acquise aux progressistes », souligne Habermas. L'État libéral pèse de tout son poids dans cette prédominance des progressistes, et consent à offrir à leurs opposants, à titre de prix de consolation, une liberté de religion entendue au sens d'une religion confinée à la sphère privée, et dessaisie de tout rôle significatif à l'égard de la *res publica*. Habermas estime que le jeu a assez duré. Il propose, à l'enseigne du « sens commun éclairé », une médiation entre l'objectivité putative des sécularistes et la subjectivité présumée des « religionnistes ». Le sens commun éclairé, qui met l'accent sur l'autonomie humaine[3], invite tant la science que la religion à faire preuve d'humilité, en écoutant l'autre parti et en se mettant en quête d'une sagesse humaine authentique qui favoriserait une communauté de perspectives.

Une de mes collègues à l'Université McGill, Margaret Somerville, présente une analyse semblable dans son ouvrage, *The Ethical Canary*[4]. Elle n'emploie pas l'expression « postsécularité ». Elle fait siens les diktats d'un certain sécularisme, qui interdit toute évocation directe de la religion dans le discours moral public. Pourtant, ses recherches l'amènent à vouloir dépasser l'opposition entre le modèle qu'elle désigne comme celui de la « science pure » et un autre modèle, celui du « pur mystère ». Faisant fi de ces deux perspectives jugées réductrices, elle propose un modèle « science et esprit » pour occulter cette funeste dichotomie. La médiation proposée semble être fonction, dans une certaine mesure, de la valeur du message des grandes religions (notamment la religion chrétienne) concernant le bien et le mal, la dignité humaine, et ainsi de suite.

Cette dissidence est confortée, entre autres, par le prince de Galles, le prince Charles, qui avance que la peur du ridicule associé à la simple mention de Dieu accuse typiquement une perte de sens dans la « civilisation occidentale ». S'opposant au dualisme occulte déploré par Habermas, le prince poursuit :

> Les grandes religions offrent presque toutes une vision intégrale de la sainteté du monde. Le message chrétien, qui propose entre autres la doctrine profondément mystique et symbolique de l'Incarnation, traduit un discours traditionnel d'unité des univers de l'esprit et de la matière et de la manifestation de Dieu au sein du monde et de l'humanité. Mais, au cours des trois derniers siècles, une scission s'est opérée dans notre perception du monde. La science a cherché à exercer un monopole – voire une tyrannie – sur notre intelligence... La science a revendiqué une domination sur le monde de la nature dont elle avait chassé Dieu, fragmentant ainsi le cosmos et reléguant le sacré au fond d'un compartiment accessoire de notre entendement, en marge de notre existence quotidienne pratique. Nous commençons à peine à mesurer les conséquences désastreuses de cette perspective[5].

Ces prises de conscience annoncent-elles le printemps qu'attendent les esprits tenant le sécularisme pour responsable de certaines afflictions où est plongée notre société ? Invitentelles la religion à retrouver sa voix dans la sphère publique ? Certains enthousiastes s'empareront des formulations nouvelles, dans le sillage du « sens commun éclairé » ou du modèle « science et esprit », en rêvant d'un déploiement conceptuel inédit. Quant à moi, je demeure sceptique.

Mais à quoi tient ce scepticisme ? Non pas d'une objection à la présence de la religion ou du discours religieux dans la sphère publique. Je tiens cette présence pour nécessaire et plus ou moins incontournable. L'être humain, j'en conviens, ne saurait être disséqué, sa partie visible, corporelle, étant privilégiée par le discours et les politiques publiques, au détriment de sa partie invisible, spirituelle : l'humanité est indissoluble, pour ainsi dire. Citons une fois de plus le prince de Galles : « Je crois que le danger de tous ces postulats matérialistes est de plus en plus pressenti, dans notre monde marqué par une aliénation et une insatisfaction croissantes. Certains verront là l'amorce d'un retour de la marée, mais je crains que ce mouvement de retour ne soit entravé par de vastes troupeaux de vaches sacrées. Certains scientifiques commencent lentement à saisir la complexité étonnante et le *mystère* de l'univers. Mais il nous faut combler le fossé béant qui nous sépare des univers intérieurs et extérieurs, de notre nature physique et spirituelle, dépeints par les grandes confessions religieuses. Le pont à bâtir est l'expression de notre humanité. »

Le fait qu'un vaste troupeau de vaches, sacrées ou profanes, puisse stopper une marée montante est peu probable, mais c'est l'esprit de la métaphore qui importe. Il existe un genre de sécularisme – que j'appelle « sécularisme supersessioniste »[6] – qui vise l'élimination de la religion et l'assujettissement (certains diront la « libération ») de l'esprit humain, désormais attaché uniquement à la réalisation de projets entièrement déterminés par des fins temporelles[7]. Voilà un sécularisme tenant de l'attitude de

« Big Brother » un sécularisme qui craint l'influence de la religion et cherche à interdire ses manifestations publiques. Ce sécularisme, aux États-Unis, s'affaire à colmater rapidement toute brèche réelle ou imaginaire dans le mur de séparation entre l'Église et l'État (un empressement illustré dans l'affaire de la statue de Moïse, ou « Roy's Rock », en Alabama)[8]. Même si le Canada ne professe aucune doctrine officielle d'une séparation entre l'Église et l'État, puisque son monarque est chef en titre de l'Église d'Angleterre, la culture canadienne s'oriente dans cette direction[9]. De fait, nos tribunaux cherchent depuis un certain temps à élaborer une telle doctrine en s'aidant de la Charte, n'en déplaise à Hobbes et à la « lettre morte », selon l'expression d'un tribunal[10], du préambule de la Charte, qui (à l'instar de la partie défenderesse en Alabama) associe explicitement la foi en la primauté du droit à la foi en la suprématie de Dieu.

Ce genre de sécularisme, qui craint la religion et cherche à la réprimer, représente une forme de sécularisme dépassée, aux dires de certains. Tout en maintenant les acquis de cette perspective éclairée, nous serions en voie de nous remettre du choc – un choc survenu assez tard au Québec, peut-être pas avant la Révolution tranquille – pour aborder une phase nouvelle, marquée par une certaine maturité, où nous pouvons aspirer à un sens commun éclairé, à une synthèse entre la science et l'esprit, à une réunion de nos dimensions physique et spirituelle. L'ancien sécularisme ne nous est plus d'aucune utilité, et (nous disent les sociologues) nous ne pouvons faire confiance à la vieille thèse de la sécularisation, qui affirmait non seulement la différenciation des sphères religieuse et séculière, mais annonçait le déclin de la religion[11].

Mais pourquoi, moi qui n'ai aucune sympathie pour le sécularisme dualiste, antireligieux, que ces gens récusent, pourquoi ce qu'ils proposent m'inspire-t-il un tel scepticisme ? Mon attitude ne tient pas simplement aux nombreux signes de prospérité de l'ancien sécularisme que je relève un peu partout (témoin, l'interdiction du foulard, du crucifix et de la kippa dans les lieux publics en France, une interdiction promulguée au nom du sécularisme[12] ; ou le concert de protestations indignées qui a accueilli ici, au Canada, la tentative d'intervention du Vatican dans le débat sur le mariage[13]). Les perspectives qui sont censées occulter l'ancien sécularisme m'apparaissent à vrai dire assez nébuleuses. Qu'est-ce que l'« esprit », au juste ? Et comment définir le sens commun éclairé ? Quel pont entend-on jeter entre le matériel et le spirituel ? Force est de constater que ce discours n'est guère nouveau, et qu'il accuse aujourd'hui la confusion et l'incohérence déplorées jadis[14].

Par ailleurs, le sécularisme n'est pas forcément dualiste ou antireligieux. Il est même souvent présenté – perspective tout à fait plausible – comme un mode de pensée nécessaire à la fois à la défense de la religion devant des gouvernements présomptueux et répressifs, et à la défense de la société devant des entités religieuses présomptueuses et ambitieuses. N'avons-nous pas besoin d'une *certaine forme* de sécularisme ? Nous en convenons, mais de quelle forme ? Le moment est venu, peut-être, de réexaminer les options sécularistes plutôt que d'envisager un dépassement du sécularisme. Après m'être penché sur quelques perspectives sécularistes, j'expliquerai l'assentiment que je donne à l'une d'elles.

Le sécularisme libéral

Bon nombre d'entre nous sommes las du sécularisme militant, soit. Mais attention, une autre forme de sécularisme se déploie, un sécularisme plus ouvert, qui ne vise pas à exclure la religion de la sphère publique, même si ses adeptes professent le principe de la séparation de l'Église et de l'État. À l'encontre de leurs homologues militants, ils ne cherchent pas à ériger un mur de séparation beaucoup plus élevé que celui que Jefferson voulait construire à l'origine[15]. Cette forme, nous l'appellerons « sécularisme libéral », puisqu'elle s'inscrit dans la tradition lockéenne et non dans le sillage des *philosophes* maîtres de scepticisme.

Le sécularisme libéral défend une position de neutralité. Il entend par là, entre autres, un désengagement à l'égard des idées religieuses, mais non associé à une lutte pour l'éradication de toute influence religieuse. Ce sécularisme se flatte aujourd'hui de ses lettres de noblesse multiculturelles et pluralistes. C'est ce type de sécularisme qui a inspiré au juge en chef du Canada, dans la décision *Chamberlain*, la remarque suivante : « Le fait que la *School Act* insiste sur la stricte laïcité ne signifie pas que les considérations religieuses n'ont aucune place dans les débats et les décisions du conseil scolaire ». Au contraire : « La religion est un aspect fondamental de la vie des gens, et le conseil scolaire ne peut en faire abstraction dans ses délibérations. Toutefois, l'exigence de laïcité fait en sorte que nul ne peut invoquer les convictions religieuses des uns pour écarter les valeurs des autres[16]. »

Le sécularisme libéral cadre avec les objectifs énoncés déjà par Locke dans sa *Lettre sur la tolérance* – des objectifs plus modestes que ceux du sécularisme militant : pourquoi chercher à investir tout le champ du réel en nourrissant une ambition réductionniste ? Le sécularisme libéral se préoccupe des choses temporelles, sans préjudice (du moins le prétend-il) des questions éternelles. « L'État, selon mes idées, est une société d'hommes instituée dans la seule vue de l'établissement, de la conservation et de l'avancement de leurs intérêts civils », affirme

Locke. «J'appelle "intérêts civils", la vie, la liberté, la santé du corps ; la possession des biens extérieurs, tels que sont l'argent, les terres, les maisons, les meubles, et autres choses de cette nature. Il est du devoir du magistrat civil d'assurer, par l'impartiale exécution de lois équitables, à tout le peuple en général, et à chacun de ses sujets en particulier, la possession légitime de toutes les choses qui regardent cette vie. » Ces objectifs, aussi modestes soient-ils, sont inatteignables là où s'affairent des démarcheurs religieux ou moraux suscitant sans cesse des querelles publiques en cherchant à imposer des perspectives ou un mode de vie accordés à leur vision de l'éternité. Lisons Locke à nouveau : «Je crois qu'il est d'une nécessité absolue de distinguer ici, avec toute l'exactitude possible, ce qui regarde le gouvernement civil, de ce qui appartient à la religion, et de marquer les justes bornes qui séparent les droits de l'un et ceux de l'autre. Sans cela, il n'y aura jamais de fin aux disputes qui s'élèveront entre ceux qui s'intéressent, ou qui prétendent s'intéresser, d'un côté au salut des âmes, et de l'autre au bien de l'État. »

Mais voilà le problème. Comment *pouvons*-nous « distinguer, avec toute l'exactitude possible, ce qui regarde le gouvernement civil de ce qui appartient à la religion et marquer les justes bornes qui séparent les droits de l'un et ceux de l'autre » ? Et comment opérons-nous cette distinction sans exclure le religieux, sans défavoriser les personnes et les groupes religieux, au mépris de nos principes de neutralité ? Comment marquons-nous cette distinction sans verser dans l'« illibéralisme », comme le craint Habermas ?

Ceux-là qui soutiennent qu'un gouvernement civil est un gouvernement séculier, c'est-à-dire « non religieux », se réclameront du libéralisme. Pourtant, leur position s'apparente fort à l'ancien sécularisme antireligieux[17]. Un sécularisme libéral effectivement distinct, en pratique, du sécularisme militant, ne saurait se donner l'objectif d'établir un gouvernement civil, et encore moins une société civile, qui évacue la dimension religieuse. Il ne saurait donc reléguer le religieux dans la sphère purement privée, en le tenant pour une dimension que l'on doit laisser à la porte des bureaux des conseils scolaires, voire à la porte du cabinet du premier ministre[18]. Une telle marginalisation traduit une méconnaissance profonde de la religion. Une telle définition de la laïcité balise le fait religieux selon des paramètres que les religions elles-mêmes ne reconnaîtront pas. Une telle dichotomie contredit les principes de neutralité qu'elle est censée servir.

Je ne m'attarderai pas sur cet aspect, traité avec compétence ailleurs[19]. J'affirme cependant que l'organisation politique des choses temporelles ne saurait faire l'impasse sur les choses éternelles. Il faut reconnaître, à tout le moins, que les décideurs politiques qui se cantonnent dans les réalités temporelles font intervenir dans leur gouvernance, explicitement ou implicitement, leurs perspectives concernant les réalités éternelles car une conceptualisation des réalités éternelles ne prenant aucune résonance politique, ou à l'inverse une conceptualisation de la politique ne faisant en rien appel aux réalités éternelles, traduit une perspective particulière à l'égard de l'« éternel ». En somme, tout refus de voir le refus de voir que la politique est imbriquée dans les visions du monde, les moyens dans les fins, tient lui-même nécessairement d'une vision du monde particulière (une vision vouée à l'impasse, à mon sens). Or, une telle vision du monde tend à s'imposer secrètement, témoin tous ces prétendus libéraux qui versent progressivement dans l'« illibéralisme », refusant de tolérer toute divergence véritable[20]. Certains évoquent même une forme de religion civile, défendue typiquement aujourd'hui par un politicien, ou peut-être par l'un de nos « rois-philosophes » couronnés, qui décline les « valeurs canadiennes» sur un ton condescendant à l'égard des minorités religieuses coupables, qu'il enjoint de tomber à genoux et de confesser leurs péchés. Pour sa part, la personne postsécularise consentira peut-être à consulter les vraies religions en matière de valeurs. Mais (si elle ressemble un tant soit peu à mon amie Margaret Somerville) elle repoussera très vite le chameau qui se montrera le bout du nez dans l'ouverture de sa tente[21].

Mais alors, si «séculier» n'est pas synonyme de «non religieux», comment le définir? Et si le sécularisme ne vise pas la création d'un espace sans religion, quel est son objectif? Nous pouvons faire appel ici à un sécularisme libéral grandement modifié, que cherche à élaborer, entre autres, William Galston, ou au *modus vivendi* imaginé par John Gray, ou encore à certaines formes de communautarisme. Une telle approche traduit la reconnaissance de l'impossibilité d'opérer dans l'être humain, ou dans la société civile, une dichotomie des moyens et des fins, du matériel et du spirituel, du temporel et de l'éternel. Elle se fonde sur le besoin qu'a l'être humain d'une vision du bien, et de formes tangibles du bien, pour mener librement une vie bonne. Mais elle n'esquive pas la problématique en invoquant, pour la défense d'une telle liberté, une spiritualité vague, générique, éclectique[22]. Elle reconnaît plutôt que seules des communautés réelles et spécifiques – dans les faits, il s'agit habituellement de groupes religieux – peuvent offrir des visions cohérentes des biens et des finalités. Ces communautés préexistent à la société civile ou à l'État, d'une existence bien plus fondamentale. La société civile n'est pas la tente dont les magistrats doivent tenir la porte fermée aux groupes religieux. Ces groupes eux-mêmes sont des tentes; il revient à l'État de leur fournir simplement l'aménagement qui leur permette d'être montées de manière ordonnée[23].

Cette forme de sécularisme ne montre aucun parti pris antireligieux, car l'espace séculier est créé par et pour les espaces antérieurs des groupes religieux et culturels. David Novak souligne que « les communautés sont rarement autarciques, sur les plans politique, économique ou intellectuel. Elles doivent contracter d'une manière ou d'une autre des alliances avec d'autres communautés hors de leur propre domaine culturel, des alliances d'égal à égal, où l'une des deux parties, voire chacune des deux parties, est forcée de devenir une tierce entité anonyme. » Dans l'espace séculier créé par de telles alliances, chacun est libre de s'exprimer ou de ne pas s'exprimer au nom de son dieu, s'il professe l'existence d'un dieu, et nul n'est tenu de reconnaître le dieu d'autrui. Cet espace requiert simplement de l'ensemble des parties une intelligence commune de la sagesse dont elles doivent faire preuve pour agir ensemble. Or, l'agir collectif, de même que les programmes ou les structures au service de cet agir, sont soigneusement circonscrits. Jamais ne leur accordera-t-on une importance suprême. Ce sont les communautés elles-mêmes qui décident de ce qui revêt une importance suprême. Même les objectifs établis démocratiquement, signale Novak, « cessent d'être démocratiques dès qu'on en fait autre chose que des fins temporelles pénultièmes[24]. »

Voilà une perspective qui me plaît bien. Ici, le séculier et le religieux se chevauchent, sans que le premier supplante ou subsume le second. Cette perspective dessine tout au plus, ou presque, une « aire commune » où des personnes nourries par différentes traditions peuvent œuvrer en collaboration au service de questions communes d'intérêts ou de responsabilités. J'ai cependant une réserve à formuler. Cette vision d'un espace séculier restreint et d'un État serviteur modeste a ses attraits, certes, mais cette restriction de l'espace, ce minimalisme de l'État qui s'y déploie, permettent-ils à l'État de n'embrasser –

du moins en principe – que le bien collectif des communautés de biens qui le composent ? Et comment l'État saura-t-il contribuer au bien de ses communautés de biens, s'il n'a pas lui-même une connaissance du bien ? Comment saura-t-il, par exemple, si une guerre est juste ou injuste, ou si une telle question a quelque importance ? Comment saura-t-il si le mariage doit être hétérosexuel ou homosexuel, monogame, polygame ou polyamoureux, ou même si le mariage a quelque importance en tant qu'institution publique[25] ? Pour trancher de telles questions, ne doit-il pas faire appel, après tout, à quelque chose comme le sens commun éclairé évoqué par Habermas ? La société civile et l'État requièrent certes un fondement positif et un critère restrictif indiscutable – pouvant éclairer leur conscience politique. Mais d'où, sinon de la religion, peuvent-ils tenir ces éléments ? Et alors, de quelle religion s'agira-t-il ?

Novak laisse une part de mystère à cet égard. Ce n'est pas à Aristote ou à Kant seulement, dit-il, que nous devons faire appel pour parvenir à une compréhension satisfaisante des biens sociaux et de l'ordre politique, ces sources classiques ne manquant pas d'éléments religieux, cette compréhension pouvant cependant être séparée, pour des visées publiques, des fondements religieux sur lesquels ces œuvres sont élaborées. Je crois qu'avec un petit effort, nous pouvons parvenir à dissiper le mystère de manière plus ou moins satisfaisante. Or, Galston nous place devant une problématique beaucoup plus difficile. Le pluralisme démocratique, demande-t-il, ne repose-t-il pas sur un pluralisme des valeurs, qui ne cadre pas tout à fait avec une vision « moniste » du monde ? Cette question en soulève une autre, que Galston s'est gardé de poser : est-ce que les religions professant une vérité universelle peuvent réellement embrasser le pluralisme politique, et le pluralisme politique peut-il embrasser ces religions[26] ?

Le libéralisme rawlsien préfère ne pas aborder de telles questions. Or, ce libéralisme du *modus vivendi*, à l'instar peut-être d'une variante plus rawlsienne, s'inscrit encore trop dans le sillage de Locke, c'est-à-dire qu'il présuppose tout bonnement, comme fondement véritable, une vision du monde largement judéo-chrétienne, traduite dans le langage des droits de la personne, qui lui donne l'illusion d'une neutralité absolue de tout gouvernement temporel à l'égard des questions spirituelles – neutralité lui permettant de restreindre son action de manière nécessaire, ou de permettre qu'elle soit restreinte, sinon par les groupes religieux, du moins par ses propres tribunaux. (Je dis : « par ses propres tribunaux », puisque ces derniers ont dû assumer les rôles tant négatifs que positifs des communautés religieuses depuis les tout débuts du travail de traduction susmentionné ; et puisqu'il est de plus en plus manifeste qu'en Amérique du Nord, il n'y a place que pour une seule conscience publique, soit la conscience judiciaire, et, au Canada, que pour un seul acte judiciaire, la Charte des droits et libertés[27].) Cependant, la vision du monde judéo-chrétienne ne va plus de soi, tout le monde ou presque en conviendra. Et sans l'appui de cette vision, le langage des droits de la personne accuse une grande instabilité, voire une vacuité effective. Là même où il est accentué, sa signification et sa portée ne ressortent pas clairement. De plus en plus, son application est déterminée par des jeux de pouvoir, déployés dans les universités, les médias, les tribunaux et à l'Assemblée des Nations Unies, au nom des adeptes de visions du monde plus ou moins divergentes et opposées à celles des traditions fondatrices. Notre espace séculier en devient encore plus problématique.

De telles difficultés ne sauraient, elles non plus, être résolues par le postsécularisme, qui présuppose toujours une vision maîtresse du monde, suprareligieuse ou quasireligieuse, susceptible d'informer les décisions publiques et privées par sa sagesse spirituelle éclectique, car cette grande vision n'existe pas, tout simplement. Avons-nous donc épuisé toutes les possibilités ? Non, il en reste une que nous n'avons pas encore envisagée, une possibilité qui découle du christianisme, mais d'un christianisme plus solide que celui de Locke. Une telle suggestion pourra paraître saugrenue, car il semble parfois que les esprits qui façonnent le Québec moderne, le Canada moderne, et l'Union européenne – voire les récents convertis habermasiens – ne se sont pas encore remis du choc de l'accession de l'Occident à la maturité, et n'aiment guère entendre parler d'une communauté dont ils n'ont pas oublié la pénible tutelle. Or, en matière de sécularité le christianisme, qui en a inventé la notion, peut mettre à profit des enseignements utiles.

Le sécularisme chrétien

Pour cerner cette notion chrétienne du séculier, nous devons dépasser l'analyse fouillée mais tout de même inadéquate de José Casanova. Sept ans avant la conférence prononcée par Habermas (en 2001), Casanova invitait Habermas et ses disciples à se pencher sur le rôle que la religion pouvait jouer « dans la reconstitution de la sphère publique ». Dans *Public Religions in the Modern World*, il parle de la privatisation de la religion comme d'une phase temporaire et soutient que « l'ère des clivages entre le séculier et le religieux, des grands débats concernant le processus historique de la sécularisation moderne, a pris fin, fondamentalement, avec la période historique de la chrétienté occidentale[28]. » Casanova n'évoque pas le prétendu retour du sacré ; il n'anticipe guère une quête d'approfondissement succédant à un grand travail de démystification. Il analyse les évolutions effectives des sociétés influencées par le christianisme.

Or, la déprivatisation qu'il documente, et qui contredit le postulat sécularist d'un déclin continu des croyances et de l'influence religieuses, ne contredit pas l'équation faisant de la sécularisation un processus de différenciation de sphères autonomes – entraînant l'émancipation de l'État et de l'économie, de même que de la science, du droit, de l'éducation, de l'art, et ainsi de suite, de la mainmise de la religion. Pour bien comprendre le séculier, affirme Casanova, même dans une perspective chrétienne (contemporaine), il faut adopter un point de vue qui à la fois embrasse cette différenciation et respecte cette autonomie.

Mais cet objectif est peut-être erroné. Enfin, tout dépend ici de la signification donnée à la notion d'autonomie. La différenciation constitue un processus que le christianisme approuve en principe et qui tient en grande partie à l'influence de l'ancienne doctrine chrétienne de la dualité et à l'enseignement ultérieur de la scolastique. En outre, le type de différenciation que promeut le christianisme favorise un respect absolu de l'autonomie, puisqu'il prend appui entre autres sur la notion de *creatio ex nihilo*[29]. Or, cette différenciation présuppose une intégration et cette autonomie, une hétéronomie. La notion du séculier propre au christianisme respecte tout à fait l'autonomie des diverses sphères, mais tout en les relativisant en fonction de sa confession originelle, de son principe organisateur : « Jésus est Seigneur[30] ». Ce principe embrasse toutes les sphères, sans exception. Ce serait mal comprendre la sécularité chrétienne, donc, que de tenir l'autonomie pour son principe premier ou de voir dans cette autonomie une « émancipation de l'emprise de la religion » au sens que revêt cette expression aujourd'hui, et qui implique une liberté de ces sphères à l'égard de toute vérité supérieure à leur propre vérité, ou à toute « vérité » que nous choisissons d'y investir.

Quel grand principe guide la sécularité chrétienne ? Casanova lui-même reconnaît au départ ce principe pour ce qu'il est, c'est-à-dire un principe eschatologique[31]. En son sens chrétien original, le séculier désigne « ce qui appartient à l'âge présent » – au *saeculum* – plutôt qu'à l'âge à venir. Si cette conception appelle en retour une distinction entre le séculier et le religieux, cette distinction ne comportera certes ni clivage ni opposition, puisque le religieux se définit comme « ce qui assure une médiation entre l'âge présent et l'âge à venir ». Le religieux permet au séculier, qui est déjà ordonné indirectement au royaume de Dieu – une bonne vie ici et maintenant constituant une condition et une préparation pour l'entrée dans ce royaume – d'y être ordonné plus directement par des moyens sacramentels ou surnaturels. Ainsi, la ligne de partage ne sépare pas du tout le religieux et le séculier, mais plutôt une ère transitoire et le royaume « qui n'aura pas de fin[32] ». À l'intérieur de ce schème, la distinction entre le religieux et le séculier ne peut être marquée que dans l'ère transitoire et, comme le note Casanova, cette distinction même est médiatisée par l'Église[33].

Or, le développement de la théologie protestante, qui amorce une remise en question des instruments et de la forme de cette médiation de l'Église, et l'avènement de la philosophie des Lumières, qui conteste, sinon la promesse même du royaume, du moins la forme et les instruments de son avènement, cette conception chrétienne du séculier finit par être occultée au profit d'une conception postchrétienne. Cette compréhension nouvelle ne retient que la distinction entre le religieux et le séculier, une distinction – désormais confinée dans une sphère séparée, et soustraite à la médiation de l'Église – qui s'apparente maintenant à une opposition. Casanova soutient que cette opposition n'est pas absolument nécessaire. Tant que l'Église est disposée à reconnaître le principe de l'autonomie, tant qu'elle est disposée à s'approprier les grands aspects (cosmologique, épistémologique et esthétique) de la critique de la religion formulée par les Lumières, elle peut prendre part au projet moderne de la rationalisation pratique de la vie humaine. De concert avec d'autres partenaires religieux, l'Église peut même contribuer à déceler les lacunes du processus et « l'incapacité des Lumières à honorer ses propres promesses », dans un grand barrage à la marche dangereuse « du marché capitaliste et de l'État administratif » vers l'instauration d'un système planétaire déshumanisant[34]. Sous réserve du principe de différenciation et d'autonomie, l'Église peut même assumer de nouveau un certain rôle de médiation, mais, cette fois, il s'agira de médiatiser à l'intention de la société séculière une conception supérieure de sa sécularité.

Ce que Casanova cherche à faire ressortir, c'est une caractéristique incontournable de la perspective eschatologique chrétienne à l'égard de la sécularité. Le christianisme entend par la sécularité précisément un principe de modestie, une modestie, faut-il le dire, à laquelle il a dû parfois être rappelé. L'âge présent, affirme la pensée chrétienne, n'offre rien de définitif ni d'absolu, sinon la promesse même de l'Évangile. Les politiciens et les juges – cela vaut aussi pour les clercs – ne doivent pas s'imaginer qu'ils possèdent la compétence voulue pour faire régner la liberté et la paix véritables sur terre. Une telle ambition tiendrait de l'orgueil et de l'illusion. S'ils sont dépourvus de la compétence nécessaire à une telle entreprise, ils ne sauraient être investis de l'autorité nécessaire pour s'y engager[35]. Leur vocation, de ce côté-ci du second avènement du Christ, se réduit au maintien optimal, en vue du règne promis de la liberté et de la paix, d'un ordre public qui ne décourage personne de mener une vie préparatoire à la réalisation du bien suprême.

Casanova préfère toutefois occulter ces perspectives peu conformes aux canons des Lumières; peu conformes, devons-nous ajouter, aux canons du pluralisme auquel s'allie de plus en plus la tradition post-Lumières. Ce qui limite l'État pluraliste ou multiculturel, ce n'est pas un manque de compétence pour la réalisation du bien ni l'attente d'un jugement divin mais l'incapacité de la société à adopter une vision commune du bien. De fait, il manque à la société, non seulement la capacité mais aussi la volonté d'entreprendre une telle concertation, puisque l'accord recherché (pense-t-elle) ne serait atteint qu'au prix d'une répression des divergences et des dissensions[36]. Ce refus limite forcément les collectivités qui composent la société. L'Église ne doit pas s'adresser à la société ou à l'État pour promouvoir la vision chrétienne du bien ou son eschatologie. L'Église (tout comme la synagogue et la mosquée) doit respecter les règles. La modestie qu'elle prêche doit correspondre à la forme de modestie que comprennent bien la société civile et l'État. Elle ne doit pas oser leur dire, par exemple, qu'ils ne sont pas autorisés à définir le mariage à leur guise, ou à nier la qualité de personne chez un fœtus, ou à mener des expériences sur les embryons, et ainsi de suite. Dans le contexte libéral qui est le nôtre, c'est là la forme que prend la sécularité.

Le christianisme plus exigeant dont j'ai parlé plus tôt refuse de telles règles. Il se réserve le droit de s'adresser directement aux personnes, aux autres communautés, à la société dans son ensemble, de même qu'à l'État, pour affronter, s'il en ressent la nécessité, leur conception d'eux-mêmes. En somme, il ne saurait se plier aux modalités de la solution imaginée par Casanova au débat de la sécularisation, une solution qui, pour cette forme de christianisme, ne fait qu'entériner l'eschatologie des Lumières au détriment de l'eschatologie chrétienne, si elle ne tient pas tout simplement d'un refus de toute eschatologie publique. Ce christianisme propose un sécularisme différent, un sécularisme qui opère à la fois une *relation* et une distinction entre les fins temporelles et éternelles. Le sécularisme qu'il avance – dans la perspective de l'attente du salut et du jugement divins – possède justement cette faculté : qui est soumis à un jugement est tenu responsable en fonction d'une norme. Il est tenu responsable, car cette norme incontournable ne prête à aucune confusion. Mais sa responsabilité est animée par une attente, une espérance authentiques. On ne saurait en dire autant de l'approche des Lumières, qui se réduit (Kant le sait bien) à un principe de critique perpétuelle, tel que le report indéfini du bien aboutit tôt ou tard à une remise en question du bien[37], non plus de l'approche pluraliste, incapable même d'entreprendre de nous dire comment gouverner, puisque le savoir sur le « comment gouverner » est dépendant du savoir sur le bien, et le savoir partagé du bien est justement, selon cette perspective, ce qui manque.

Certes, ce sont là les positions mêmes que certains reprocheront au sécularisme chrétien. Mais celui-ci persiste et signe, affirmant que les Lumières, non seulement manquent *parfois* à concrétiser leurs promesses, mais sont tout à fait incapables de les concrétiser. Ni le principe de la critique perpétuelle ni le principe pluraliste, nous rappelle-t-il, ne pourront jamais faire advenir une paix perpétuelle. Ces deux partis, lorsque soumis à l'épreuve de la réalité sociale, ne peuvent accoucher que d'une « république procédurière », où règne le droit mais non la droiture, et qui se retranche derrière des lois, en prenant bien soin d'exclure toute loi sacrée. L'avancement de cette république procédurière ne favorise guère la liberté humaine ni le bonheur de l'humanité. Mais une société qui s'est beaucoup investie en ce sens ne saurait prêter l'oreille à de tels avertissements.

Vu d'un angle plus positif, le sécularisme chrétien appelle une vie politique à la fois dynamisée et limitée par la connaissance du bien[38]. Il se positionne ainsi au-delà des versions rawlsienne et *modus vivendi* du sécularisme libéral. La version rawlsienne écarte toute vision globale du bien comme facteur politique décisif et promeut un tel rejet: manœuvre douteuse s'appuyant sur le capital emprunté d'un « consensus par recoupement » en voie de disparition rapide, tout en surveillant avec méfiance une compétition visant l'hégémonie d'une doctrine compréhensive particulière[39]. La version *modus vivendi*, afin de faire place dans l'arène politique à des doctrines compréhensives, met en question la possibilité d'un consensus solide entre les communautés. Le sécularisme chrétien espère toujours voir se concrétiser un tel consensus et travaille sans cesse à son avènement, sans toutefois proposer d'y parvenir en écartant les croyances religieuses ou les visions globales du bien – et encore moins en cédant aux caprices de la postsécularité. Puisqu'il est eschatologique avant d'être philosophique ou politique, le sécularisme chrétien doit nécessairement faire preuve de transparence en ces matières. Tant qu'il reste fidèle à son cadre de référence eschatologique, il favorise la politique de la persuasion plutôt que la politique des rapports de force. Il croit vraiment aux vertus de la persuasion. Il ne nourrit aucun cynisme envers la vérité ni envers la priorité et la nécessité de la vérité et de la bonté en politique. Pourtant, il enseigne que la vérité et la bonté, en politique comme ailleurs, se nourrissent de la modestie et de la retenue manifestées par les êtres qui se reconnaissent responsables à la fois devant Dieu et devant l'humanité.

Voilà, entre autres raisons, pourquoi ce type de sécularisme s'impose comme réponse à la question posée: à quel sécularisme nous vouer? Le côté chrétien de ce sécularisme ne devrait pas être retenu contre lui, car le sécularisme chrétien est ouvert à une collaboration (par exemple, la concertation proposée par Novak, dont l'horizon au départ est celui du judaïsme). Il ne s'agit pas d'un sécularisme qui favorise les chrétiens, comme s'il s'opposait au sécularisme militant qui défavorise les chrétiens, les juifs et l'ensemble des confessions religieuses. Il s'agit d'un sécularisme pour toute la société, d'un sécularisme qui appuie un État modeste mais efficient et une fonction politique tenant compte aussi bien de la dimension spirituelle que de la dimension matérielle de la vie humaine. Certes, ce sécularisme ne serait pas viable sans une certaine ouverture au christianisme et à ses ressources. Là où cette ouverture manque, la question « à quel sécularisme nous vouer ? » commandera une autre réponse. Mais pourrait-on trouver une meilleure réponse ?

Notes

1. Ce texte est traduit de l'anglais par Pierrot Lambert.
2. Jürgen Habermas, Conférence donnée le 14 octobre 2001 (*Frankfurter Rundschau*, n° 240, 16 octobre 2001, p. 18). Je suis redevable à Gregory Baum d'avoir attiré mon attention sur cette conférence.
3. Pensons à la fameuse définition de Kant : « [Le mouvement des Lumières est] la sortie de l'homme de sa minorité dont il est lui-même responsable. Minorité, c'est-à-dire incapacité de se servir de son entendement sans la direction d'autrui. »
4. Margaret Somerville, *The Ethical Canary*, Toronto, Viking, 2000.
5. Prince Charles, « A Sense of the Sacred : Building Bridges Between Islam and the West », *The Wilton Park Seminar*, 13 décembre 1996.
6. Pour une typologie simple du sécularisme, voir Douglas Farrow, « Three Meanings of Secular », *First Things*, n° 133, mai 2003, p. 20-23.
7. C'est là le genre de sécularisme représenté en Grande-Bretagne par la National Secular Society, dont le fondateur, George Jacob Holyoake, a forgé l'expression au milieu des années 1800. La NSS affirme que « le surnaturalisme mise sur l'ignorance et s'oppose

historiquement au progrès»; il doit donc être traité en ennemi. Voir Iain T. Benson, «Considering Secularism», dans Douglas Farrow (dir.), *Recognizing Religion in a Secular Society*, Montréal, McGill-Queen's University Press, 2004.

8. Ce sécularisme militant peut se présenter comme un mouvement de défense de la liberté religieuse; le masque n'est guère convaincant, et l'approche mccarthiste est assez évidente. Pour une histoire du sécularisme aux États-Unis, voir Christian Smith (dir.), *The Secular Revolution*, Berkeley, University of California Press, 2003. Sur la controverse entourant la statue de Moïse à la Cour suprême de l'Alabama, surnommée «Roy's Rock» en souvenir de l'ancien juge en chef Roy Moore, voir mon article «Behold the armies of the Lord», *The Globe and Mail*, 22 août 2003.
9. Témoin, les cérémonies tenues à Ottawa après le 11 septembre, où l'évocation des vivants et des morts a été accueillie dans un silence non rompu par un appel à la miséricorde de Dieu.
10. Voir David Brown, «Freedom From or Freedom For? Religion as a Case Study in Defining the Content of *Charter* Rights», *U.B.C. Law Review*, n° 33, 2000, p. 562, re: *R. v. Sharpe*, 1999, B.C.J. no. 1555, §78-80.
11. José Casanova, *Public Religions in the Modern World*, Chicago, University of Chicago Press, 1994.
12. Ce texte est traduit de l'anglais, langue dans laquelle le terme «laïcité» française est intraduisible. Il indique ce que signifie ici le terme «sécularisme».
13. Voir le mémoire du CDF, «Considerations Regarding Proposals to Give Legal Recognition to Unions between Homosexual Persons», 3 juin 2003.
14. Je pense à Teilhard de Chardin, par exemple. Voir mon ouvrage *Ascension and Ecclesia*, Édimbourg, T. et T. Clark, 1999, p. 198s.
15. Le permis de construction ne fut jamais octroyé officiellement, mais, au cours des années 1940 (notamment *Everson c. Board of Education*, 1947), la Cour suprême des États-Unis a commencé à se comporter comme s'il l'avait été, et à interpréter les modalités de façons nouvelles et élargies. Voir John Witte Jr, *Religion and the American Constitutional Experiment*, Boulder, Westview, 2000, chap. 8.

16. C. J. McLachlin, écrivant au nom de la majorité dans l'affaire *Chamberlain c. Surrey School District No. 36* (2002 SCC 86), au §19.
17. Voir le cas Chamberlain, l'avis dissident exprimé par le juge Gonthier dans le jugement *Chamberlain* de la C.S.C. (§137). Nous pouvons faire remarquer ici que la plupart des causes plaidées aujourd'hui au nom de la neutralité libérale, *Chamberlain* étant un cas typique, s'apparentent plus à l'action socialement paralysante de gens davantage préoccupés par la morale de Locke que par l'objectif de défendre les plaidants.
18. Si la récente rencontre entre le premier ministre Martin et le dalaï-lama s'est déroulée derrière des portes closes à la résidence de l'archevêque, Mgr Gervais, plutôt qu'à la résidence du premier ministre, c'était semble-t-il pour ménager la susceptibilité des Chinois, et non celle des sécularistes.
19. Voir par exemple Michael Sandel, *Liberalism and the Limits of Justice*, deuxième édition, Cambridge, Cambridge University Press, 1998.
20. Ainsi, par exemple, une loi récente en Californie universalise la formation concernant l'avortement dans les programmes d'obstétrique. Quelle incidence une telle pratique aura-t-elle, sinon d'exclure de cette profession importante les personnes qui ne se conforment pas aux canons libéraux contemporains : les personnes dont la vision du monde les oblige à reconnaître un bien supérieur à la « tolérance », une liberté supérieure au « libre choix », une justice supérieure à « l'égalité des chances », en somme les personnes qui représentent une autre voie ?
21. Par exemple, dans ses réflexions sur la question du mariage, Somerville aime tracer une distinction entre ceux qui s'opposent au mariage entre gens du même sexe pour des motifs séculiers et pour des motifs religieux. Elle considère comme recevables les raisons publiques invoquées par les uns, et illégitimes celles des autres (voir son texte dans Daniel Cere et Douglas Farrow (dir.), *Divorcing Marriage*, Kitchener, Castle Quay, 2004). Les motifs religieux sont admissibles dans la vie privée, mais ils ne doivent jamais trouver une expression dans nos décisions sociales ou nos politiques publiques. Ce que peuvent cristalliser les décisions et les politiques, ce sont les « valeurs », la « sagesse », l'« esprit », qui tirent leur origine en partie de la religion.

22. Une spiritualité, par exemple, qui réduit la doctrine de l'incarnation à un symbole de la manifestation de Dieu dans le monde présent et dans l'humanité.
23. Voir plus loin, *Recognizing Religion*, chapitres 3, 4 et 8.
24. Voir *Recognizing Religion*, 64s., et David Novak, « Religious Communities, Secular Society, and Sexuality : One Jewish Opinion », dans Saul M. Olyan et Martha C. Nussbaum, *Sexual Orientation and Human Rights in American Religious Discourse*, Oxford City, Oxford University Press, 1998, p. 13s.
25. La crise déclenchée autour de la définition du mariage est un symptôme du problème dont nous parlons. L'État imposera-t-il un changement, par considération pour la dignité des homosexuels, ou s'opposera-t-il à une réouverture de la définition traditionnelle, en invoquant la liberté religieuse et l'intérêt des enfants ? (S'il ne s'agit pas là d'un souci des âmes, de quoi s'agit-il ?) Devrait-il se retirer du dossier du mariage tout simplement, comme si le mariage ne concernait pas « la vie, la liberté, la santé du corps », ni même « la possession des biens extérieurs, tels que sont l'argent, les terres, les maisons, les meubles, et autres choses de cette nature » ?
26. Galston estime que le pluralisme devrait prendre en considération de telles religions (et accorder des exemption sur le plan de la conduite, par exemple, lorsque les lois générales risquent d'entraver les pratiques religieuses), mais il n'apparaît pas manifestement que la valeur sous-jacente du pluralisme puisse avoir d'autre incidence que de getthoïser les communautés en cause.
27. « Si le relativisme constitue notre religion séculière, et juge nos grands prêtres, alors la Charte des droits représente nos Saintes Écritures. La Charte, en quelques généralités insignifiantes, énonce des droits et habilite les tribunaux à les interpréter. » (Ian Hunter, *National Post*, 27 novembre 2003).
28. J. Casanova, 1994, p. 220.
29. Scot, et notamment Ockham, se sont trompés à cet égard, ce qui a pu orienter dans une mauvaise direction les penseurs qui les ont suivis.
30. Voir, par exemple, 1 Corinthiens 8 6, Colossiens 1 15s.
31. J. Casanova, 1994, p. 12s.
32. Comme le fait remarquer Oliver O'Donovan, « le terme qui correspond à "séculier" est non pas le "sacré" ni le "spirituel" mais

l'"éternel" » (Oliver O'Donovan, *The Desire of the Nations*, Cambridge, Cambridge University Press, 1996, p. 211).

33. Qui comportait (ou comporte) des ordres séculiers tout autant que des ordres religieux, pouvons-nous ajouter.
34. O. O'Donovan, 1996, p. 229s. À cette fin, toutefois, la sphère d'influence de l'Église doit se limiter uniquement à la sphère du discours civil. À titre de partenaire et alliée de la société civile (qui est porteuse de traditions éthiques), la religion entretient une relation importante avec la politique, mais exerce une influence indirecte. Elle peut servir à renforcer la résistance civile à la tendance de l'État à l'auto-expansion, mais elle ne saurait se mêler directement des activités de l'État.
35. Quand ils débordent leur compétence, ces idéaux libéraux versent dans l'illibéralisme ; voir O'Donovan, 1996, chapitre 7.
36. Le pluralisme lui-même, en tant qu'instrument idéologique entre les mains de l'État ou des médias, mène souvent (lorsqu'il est associé aux raisonnements sur les droits à l'égalité) à la répression de la différence ou de la dissension. Témoin, la démission offerte (selon la version officielle) par les commissaires de mariage de la Colombie-Britannique, refusant de présider des mariages entre gens de même sexe.
37. Je retourne l'accusation, bien sûr, contre certains critiques du christianisme dans la foulée des Lumières et contre les concepteurs de la prétendue « crise du retard de la parousie ».
38. Cette forte affirmation exige certes des justifications que je ne peux fournir ici ; voir, par exemple, saint Augustin, *La Trinité* 13 et la *Cité de Dieu* 19.
39. Cette version appuie une théorie politique qui sanctionne le renforcement, par l'État, d'une prétendue neutralité libérale, tout en rejetant le renforcement par l'État de tout autre arrangement politique. Rawls affirme à tort, dans *Political Liberalism*, qu'un tel schéma est indépendant de toute vision globale.

Bibliographie

Benson, Iain T., « Considering Secularism », dans Farrow, Douglas (dir.), *Recognizing Religion in a Secular Society*, Montréal, McGill-Queen's University Press, 2004.

Brown, David, « Freedom From or Freedom For ? Religion as a Case Study in Defining the Content of Charter Rights », *U.B.C. Law Review*, vol. 33, 2000, p. 562, re : R. v. Sharpe, 1999, B.C.J. no. 1555, §78-80.

Casanova, José, *Public Religions in the Modern World*, Chicago, University of Chicago Press, 1994.

CDF, « Considerations Regarding Proposals to Give Legal Recognition to Unions between Homosexual Persons », 3 juin 2003

Cere, Daniel et Douglas Farrow (dir.), *Divorcing Marriage*, Kitchener, Castle Quay, 2004.

Farrow, Douglas, « Three Meanings of Secular », *First Things*, vol. 133, May 2003.

—, *Ascension and Ecclesia*, Édimbourg, T. et T. Clark, 1999.

Habermas, Jürgen, « Lecture of 14 October 2001 », *Frankfürter Rundschau*, 16 octobre 2001, n° 240.

Novak, David, « Religious Communities, Secular Society, and Sexuality : One Jewish Opinion », dans Olyan, Saul M. et Martha C. Nussbaum (dir.), *Sexual Orientation and Human Rights in American Religious Discourse*, Oxford City, Oxford University Press, 1998.

O'Donovan, Oliver, *The Desire of the Nations*, Cambridge, Cambridge University Press, 1996.

Prince Charles, « A Sense of the Sacred : Building Bridges Between Islam and the West », *The Wilton Park Seminar*, 13 décembre 1996.

Rawls, John, *Political Liberalism*, New York, Columbia University Press, 1993.

Sandel, Michael, *Liberalism and the Limits of Justice*, deuxième édition, Cambridge, Cambridge University Press, 1998.

Smith, Christian (dir.), *The Secular Revolution*, Berkeley, University of California Press, 2003.

Somerville, Margaret, *The Ethical Canary*, Toronto, Viking, 2000.

Witte, John Jr, *Religion and the American Constitutional Experiment*, Boulder, Westview, 2000.

CHAPITRE 16

Neutralité des politiques publiques et de la loi à l'égard des valeurs religieuses

CONRAD G. BRUNK

QUELLE PLACE LA RELIGION, avec les valeurs et les croyances qu'elle nourrit, occupe-t-elle dans le discours public et les politiques d'une société démocratique de type libéral[1] ? Cette question soulève des controverses dans les sociétés démocratiques qui ont hérité de fortes traditions religieuses, notamment là où existe une pluralité de traditions religieuses. Les sociétés démocratiques libérales relativement homogènes sur le plan religieux sont moins susceptibles, bien sûr, de connaître de telles controverses, non du fait d'une exclusion totale de la religion de la sphère des débats publics, mais en raison de la quasi-invisibilité de sa présence incontestée sur une scène où elle joue un rôle singulier, presque sans rivale. Il en va tout autrement dans les sociétés démocratiques marquées par une forte pluralité, où toute évocation de valeurs tenues pour ésotériques ou « sectaires » suscite à coup sûr une levée de boucliers. Un tel cabrage pose un dilemme – dont la théorie démocratique libérale n'arrive jamais à sortir – entre le droit de la majorité à trancher les questions politiques fondamentales et le droit de toute minorité à vivre selon ses valeurs particulières.

De tels débats rebondissent dans le paysage politique de la plupart des démocraties libérales depuis quelques années. Au Canada, la polémique engagée sur des questions comme la recherche sur les cellules souches embryonnaires, le mariage entre personnes de même sexe, les droits des gais et des lesbiennes, entre autres, a polarisé des groupes religieux des deux côtés de l'arène et déclenché un tollé contre l'imposition des valeurs religieuses. L'année dernière, la démocratie française « laïque » (*secular*), a dû affronter une remise en question de l'expression religieuse dans la sphère publique, après avoir adopté une loi bannissant certains vêtements et symboles « religieux » « ostentatoires » des écoles et d'autres lieux publics.

Un tel débat fait rage avec une intensité particulière aux États-Unis, où la résurgence d'une puissante droite chrétienne a eu un impact considérable sur la politique américaine, tant intérieure qu'extérieure. Aujourd'hui même, à la une des journaux, s'étale la controverse entourant une conférence internationale sur le VIH/sida, où le gouvernement américain est attaqué parce qu'il s'oppose à une stratégie préventive axée sur la promotion du condom, sous l'influence, semble-t-il, des convictions religieuses en matière sexuelle de l'électorat américain. Le moratoire imposé par le président George W. Bush sur l'investissement de fonds publics pour la recherche sur des cellules souches provenant de fœtus humains et toute autre forme de recherche sur des embryons humains a été vivement critiqué par les milieux scientifiques, tout comme l'imposition injustifiée d'une éthique d'inspiration religieuse aux politiques publiques. Le positionnement politique des candidats à l'élection présidentielle de 2004 aux États-Unis semble être centré sur des politiques concernant le mariage entre personnes de même sexe, l'avortement et d'autres thèmes chers à la droite religieuse, plutôt que sur les questions traditionnellement décisives telles que la politique extérieure et l'économie. Ce déplacement traduit bien la domination du discours religieux dans la sphère publique américaine.

Une telle influence religieuse apparaît incompatible avec les principes fondamentaux de la démocratie libérale à tous ceux-là qui refusent d'épouser les valeurs religieuses ou traditionnelles, et même à bon nombre d'adeptes de ces valeurs. Un point de vue qui prévaut dans la théorie politique libérale tient la neutralité religieuse du gouvernement, de la loi et des institutions politiques pour une condition indispensable de la protection du droit fondamental à la liberté religieuse et politique, l'assise même de la démocratie libérale. Si l'État et ses institutions montrent de la partialité en faveur d'une tradition religieuse (ou culturelle, ou morale), ce gauchissement menace les droits de tous ceux qui n'adhèrent pas à cette tradition. Cet enjeu de la neutralité politique (entendu, dans la loi constitutionnelle américaine, au sens d'un « non-établissement » de la religion) est également interprété, dans les théories politiques libérales dominantes, comme une exigence que la sphère politique soit séculière.

Le terme « séculier » accuse une ambiguïté fondamentale. Aussi, tout appel de l'État libéral à être « séculier » se prête à de multiples interprétations. Le point de vue dominant considère que la défense des valeurs et des postulats sous-tendant la formulation des lois et des politiques publiques ne doit jamais avoir à s'appuyer sur des principes religieux ou traditionnels particuliers. Le « séculier » renvoie donc à un élagage complet de la moralité à la base de la politique publique, qui doit être débarrassée de toute présupposition, de tout contenu religieux ou sectaire. Mais quelles seront donc, alors, les assises de la moralité au cœur de la politique publique et du droit dans une société démocratique libérale « séculière » ?

La tradition libérale séculière

La philosophie morale et politique de notre époque se heurte à cette question capitale : quelles valeurs morales établir, dont la justification ignore toute frontière en faisant appel à des fondements étrangers à toute tradition, à toute pratique religieuse ou culturelle particulière ? Le philosophe politique John Rawls a marqué au XXe siècle l'exploration de cette problématique. Dans son grand ouvrage *Théorie de la justice*, Rawls plaide en faveur d'une moralité publique séculière, fondée sur la notion d'un ensemble de principes auquel pourrait souscrire tout agent attaché rationnellement à son intérêt personnel, dans une « position originelle » relative au contrat social[2]. Bien sûr, les principes satisfaisant ce critère de l'intérêt personnel rationnel sont, aux yeux de Rawls, associés à la théorie démocratique libérale : l'égalité des chances, l'égalité des droits et des libertés civiques (droit à l'autonomie personnelle, liberté d'expression, de religion, d'association, et ainsi de suite) et un principe « *welfare* libéral » de justice distributive, où les inégalités dans la distribution des biens sociaux pourraient se justifier si elles profitent aux « plus désavantagés » de la société.

Rawls, et d'autres philosophes politiques américains tels que Richard Rorty[3], soutiennent que, les valeurs religieuses et traditionnelles ne pouvant être défendues dans la sphère publique sur la foi d'idéaux et de principes qu'aucune personne raisonnable ne saurait rejeter[4], il faut essentiellement réduire au silence, dans la formulation des politiques publiques, les partisans de la plupart des grandes valeurs chères aux milieux religieux. Concrètement, une telle position exige que toute personne attachée à une religion doive faire abstraction de certaines des valeurs qu'elle a épousées si elle veut avoir voix au chapitre dans la sphère publique d'une démocratie libérale, où ses interventions ne devront faire appel qu'à des valeurs reconnues par l'ensemble des citoyens « rationnels ».

Cette tradition « libérale séculière », tenue par de nombreuses personnes, accuse au moins deux postulats contestables. Existe-t-il réellement un ensemble de principes rationnels reconnus par l'ensemble des citoyens « rationnels », quelles que soient leurs propres valeurs ? Bon nombre, sinon la majorité, des philosophes et des éthiciens rejettent ce postulat. Par ailleurs, est-ce qu'un ensemble de principes, tout rationnels et universels soient-ils, suffit à résoudre toutes les problématiques en matière de politique publique et de droit dans une société démocratique libérale ? Le second postulat est tout aussi contestable que le premier. Mon exposé porte justement sur une mise en question de ce second postulat.

Le principe selon lequel la démocratie libérale doit être « séculière », au sens que nous venons de mentionner, est entériné par nombre de penseurs religieux et de penseurs « traditionalistes » qui, reconnaissant l'exclusion nécessaire des propos religieux et traditionnels du débat public, rejettent ou contestent de ce fait l'idée même de la démocratie qu'ils tiennent pour un principe antireligieux. Le philosophe Alastair MacIntyre[5] et les penseurs politiques et éthiques chrétiens Stanley Hauerwas[6], Richard John Neuhaus[7] et John Milbank[8] s'inscrivent dans cette tendance. Leurs critiques de la démocratie libérale, comprises dans cette perspective, ont du mérite. Mais faut-il absolument que la société démocratique libérale affiche le type de « sécularisme » auquel l'identifient tant les théoriciens libéraux que les critiques susmentionnés ? Je ne vois aucune raison d'accréditer ce postulat.

Refus des valeurs consensuelles

Depuis quelques années, la scène politique internationale est dominée par une grande campagne de promotion de la démocratie, version américaine, lancée au-delà des frontières des États-Unis, et plus particulièrement dans le monde islamique. Or, le programme que s'est donné le gouvernement américain se heurte à un refus de plus en plus tranché de la culture sécularisée, exprimé justement par les auteurs des attaques terroristes contre des intérêts occidentaux. Un grand nombre de Musulmans, y compris, probablement, la majorité de ceux-là qui appellent des réformes démocratiques dans leur pays, ressassent les mêmes critiques à l'égard des perspectives sécularistes dominantes de la démocratie libérale que celles formulées par les penseurs chrétiens occidentaux déjà mentionnés. Si tel est le genre de démocratie que l'Occident entend exporter dans les pays musulmans, il n'est guère étonnant que ces pays voient dans cette campagne une grave menace à la préservation de leurs valeurs et de leur culture. La démocratie sécularisée, entendue au sens d'un espace public excluant tout présupposé religieux, est tout à fait étrangère aux conceptions musulmanes foncières d'une communauté morale. Le principe d'une nature « séculière » de la démocratie libérale n'a aucun avenir dans le monde islamique.

Or, elle n'a (ou ne devrait avoir) aucun avenir non plus dans le monde occidental, pour la simple raison que les « valeurs consensuelles » rationnelles postulées par les théoriciens de la sécularité démocratique n'offrent pas une base assez large pour la solution de maintes questions critiques sur la scène politique. Elles n'offrent pas une base assez large, en ce sens que la résolution des controverses publiques se réclamant de ces valeurs ne traduit guère une conception élargie de l'approche à adopter. Sans une telle conception, les problématiques, soit restent non résolues, soit sont réglées en fonction des valeurs minimalistes embrassées par le consensus « séculier ». Si elles restent non résolues, elles alimentent dans des secteurs importants de la société une acrimonie, un sentiment d'aliénation permanent qui menace la démocratie elle-même.

Les *valeurs consensuelles* du libéralisme séculier se résument habituellement à quelques notions morales générales : l'autonomie, l'optimisation des avantages (bienfaisance, absence de préjudice) et la justice (déclinant habituellement les thèmes de l'égalité et de l'équité). La politique publique et les lois régissant de graves questions sociales tels les objectifs visés dans la punition des criminels, les droits et les intérêts des sujets de la recherche médicale et des patients, la réglementation du commerce et la gestion des risques sanitaires et environnementaux sont établis en fonction de ces valeurs minimalistes, même si les problématiques en cause soulèvent des questions fondamentales concernant entre autres la nature d'une bonne vie et le statut métaphysique des agents « marginaux » (les fœtus, les comateux, les personnes gravement handicapées, les animaux et les écosystèmes, entre autres).

Le recours aux « valeurs séculières consensuelles » suffit-il à trancher l'alternative concernant le but de la punition des criminels (châtiment ou dissuasion) ? Suffit-il à déterminer la ligne de partage entre l'embryon et le statut de personne titulaire de droits inaliénables ? (Saurait-il seulement inspirer l'octroi de tels « droits » ?) Ces valeurs minimalistes sauraient-elles fonder une vision cohérente de l'être humain – un problème incontournable pour toute régulation des manipulations génétiques ? Les débats passionnés autour de ces questions dans les sociétés libérales, y compris les plus sécularisées, montrent bien que le recours aux valeurs minimalistes n'apporte pas un éclairage suffisant. Une telle impasse n'a rien de surprenant, car il s'agit là de questions qui font intervenir différentes conceptions opposées sur le sens et la valeur de la vie et de l'environnement naturel que ne sauraient embrasser les valeurs libérales minimalistes (ce que reconnaissent volontiers leurs adeptes).

Les débats acérés entourant la légalisation de l'avortement, le statut du fœtus humain ou la recherche sur les cellules souches, entre autres controverses, illustrent l'impasse à laquelle sont acculées les conceptions des valeurs aux États-Unis et dans d'autres pays démocratiques. Aucun consensus ne se dégage quant au statut du fœtus, à la nature des valeurs en conflit ou à l'équilibre approprié de ces valeurs à assurer. L'approche fondée sur les valeurs libérales minimalistes favorise la valeur de l'autonomie de choix (des femmes, des scientifiques, des patients pouvant bénéficier des thérapies embryonnaires, et ainsi de suite). C'est que les autres valeurs dominantes qui, aux yeux de la théorie libérale, restreignent l'autonomie – l'absence de préjudice et l'équité – ne sont pas menacées en ces matières. Elles ne sont pas menacées du fait qu'un postulat établi antérieurement pose « par défaut » l'absence, en ces matières, d'un préjudice à un sujet moral important.

La question du statut moral et métaphysique du fœtus ou de l'embryon humain ne saurait être tranchée, en soi, par un appel aux principes rationnels rawlsiens, forçant le consentement de toute personne rationnelle, dont le théoricien libéral veut faire le fondement exclusif de la politique publique. La décision établissant ce qui confère un statut moral à un être, qu'il s'agisse d'un être humain à l'état naissant, d'un vertébré inférieur ou supérieur ou d'un écosystème, fait appel nécessairement à des présupposés moraux et métaphysiques qui ont été l'objet d'un débat philosophique intense opposant différentes perspectives « rationnelles » depuis l'aube de l'humanité alphabète, tant religieuse que non religieuse.

Un point de vue « universel », rationnellement consensuel ou défendable, se démarque-t-il vraiment de tous les autres points de vue ? Une telle revendication est tout simplement non crédible, philosophiquement parlant. Une position philosophique refusant (ou conférant) un statut moral à diverses entités n'est pas moins (ni plus) « sectaire » que les perspectives adverses. La répugnance habituelle du libéralisme philosophique à reconnaître un statut moral intégral à la vie humaine prénatale, par exemple, n'est pas un corollaire obligé du minimalisme libéral en soi. Elle traduit plutôt un jugement philosophique non moins « sectaire » ou « idéologique », et guère plus « rationnel » que les jugements opposés.

Néanmoins, lorsque le point de vue opposé s'exprime dans un débat sur la politique publique, il se voit souvent attaqué comme une tentative d'imposer un point de vue religieux ou sectaire à tous les esprits qui pensent autrement. Et quand il exprime la volonté de la majorité, ce point de vue est-il moins « sectaire » que les affirmations opposées ? En vérité, quelle que soit la réponse fournie à cette question, elle s'appuiera sur un ensemble de postulats contestables touchant la nature de la réalité, la nature de la vie bonne, et ainsi de suite. Une société véritablement démocratique doit offrir des institutions et des mécanismes pour une négociation pacifique et constructive de ces conflits de valeurs fondamentaux, une négociation qui ne marginalise pas les débats et ne les confine pas dans les enclaves des relations et des institutions « privées ».

Deux débats actuels

Pour illustrer mon propos, je vous renvoie au débat actuel sur la régulation juridique de la recherche sur les cellules souches ou le transfert de noyau d'une cellule somatique. Les cellules souches sont des cellules « pluripotentes » dans les organismes, c'est-à-dire qu'elles sont capables, lorsque stimulées d'une certaine manière, de se développer pour former tout genre de tissu ou d'organisme dans le corps (la peau, un muscle, un organe, un os, et ainsi de suite). Ces cellules souches offrent un potentiel thérapeutique énorme, puisqu'elles permettent de créer de nouveaux tissus, de nouveaux organes, pour remplacer des tissus ou des organes affaissés ou endommagés. Or, pour que le système immunitaire du bénéficiaire accepte ces tissus nouveaux, il vaut mieux qu'ils aient été développés à partir de ses propres cellules souches. Les avancées de la science et de la technologie ne permettent l'obtention de cellules souches viables que grâce au procédé du « clonage thérapeutique » par lequel des cellules somatiques (par opposition aux cellules germinales ou aux gamètes) sont prélevées chez un patient et utilisées pour produire un embryon humain portant essentiellement le même génotype que celui de ce patient. Les cellules souches peuvent ensuite être « récoltées » chez cet embryon, encore à un stade précoce, et stimulées de façon à produire le tissu ou l'organe dont le patient a besoin. Ce procédé est appelé « clonage thérapeutique », puisqu'il nécessite la création d'un nouvel embryon, ou blastocyste, pour la production de tissus thérapeutiques, par opposition au « clonage reproductif » qui prévoit le plein développement de l'embryon pour donner naissance à un nouvel individu.

La plupart des scientifiques et des gouvernements du monde s'opposent (du moins pour le moment) au clonage reproductif, à l'instar des éthiciens, tant religieux que séculiers. Bon nombre d'entre eux, cependant, appuient le transfert de noyau d'une cellule somatique aux fins d'obtention et d'utilisation de cellules souches de la manière que je viens de décrire. Pourtant, ce « clonage thérapeutique » soulève la désapprobation de nombreux milieux, en particulier des milieux religieux, puisqu'il exige la création technique et ensuite la destruction d'un embryon humain, ce qui soulève la question du statut ou de la valeur morale de l'embryon humain. L'embryon est-il une « personne », un « être humain » de plein droit ? Et s'il n'est pas une personne, quelle valeur doit-on lui conférer ? À quelles limites doit s'en tenir son exploitation ?

Les opinions diffèrent en cette matière d'un pays à l'autre, et même, fait intéressant, d'une démocratie libérale à l'autre. Le Royaume-Uni, par exemple, permet la création d'embryons aux fins de la production de cellules souches. Au Canada, seuls les embryons « restants » (à la suite d'une fécondation in vitro ou d'un avortement) peuvent être ainsi utilisés, et la loi considère comme un acte criminel le clonage tant reproductif que thérapeutique[9]. Aux États-Unis, où une droite religieuse très bien organisée a déployé des démarches agressives en faveur d'une législation soutenant « le droit à la vie », seules les lignées cellulaires souches peuvent être utilisées. Quant à l'Allemagne, elle a interdit toute recherche sur les cellules souches embryonnaires.

Des groupes religieux ont exercé une forte influence sur l'élaboration de ces politiques dans bon nombre de pays. Leur pouvoir a été vivement critiqué, beaucoup y voyant un ascendant inapproprié dans une société démocratique, pour les raisons déjà mentionnées. Cette critique s'apparente aux arguments lancés dans les débats sur l'avortement, dans ces mêmes pays. Le statut du fœtus posant problème, les démocraties libérales préfèrent appuyer leurs politiques publiques sur le principe du choix le plus vaste possible. Pour favoriser cette liberté maximale, l'idéal est d'adopter une loi qui permette à ceux qui n'y voient aucun problème moral d'obtenir (ou de pratiquer) des avortements, tout en laissant à ceux qui y voient un problème le choix de ne pas en obtenir (ou de ne pas en pratiquer). Tant que la question de l'avortement pouvait être définie comme une affaire de décision personnelle, privée, l'État (et les politiques publiques) pouvaient s'en tenir à une position de neutralité quant au statut moral du fœtus. Certes, les opposants à la politique du « libre choix » n'étaient guère convaincus par cette prétention à la neutralité.

Or, même là où les parties sont convenues d'adopter le principe de la liberté de choix comme meilleure voie de solution des controverses morales au sujet de l'avortement, les débats concernant le transfert de noyau d'une cellule somatique et la thérapie à partir de cellules souches, qui s'appuient sur le même principe, aboutissent à des solutions différentes. Il est beaucoup plus difficile de reléguer ces questions à la sphère des décisions privées et de laisser la valeur de l'autonomie régir les politiques publiques en cette matière. Nous avons affaire ici à une question d'éthique « publique », puisqu'il s'agit de déterminer la façon d'investir des fonds publics dans la recherche, le développement et le transfert de cette technologie dans le meilleur intérêt du système de santé public. La recherche est tenue pour une activité organisationnelle, et non privée. Mais surtout, elle est tenue pour une activité « publique » au sens où ses résultats bénéficient à l'ensemble de la société, et non pas seulement aux personnes qui souffrent de telle maladie particulière et peuvent choisir entre diverses thérapies qui sont ou ne sont pas fonction de types spécifiques de recherche. Les décideurs en matière de recherche et de politique de la santé doivent déterminer quels genres d'activités doivent être permises, réglementées ou interdites dans le développement de la base de connaissances et de technologies dont l'ensemble de la société pourra bénéficier. Tous les membres de la société, à titre de bénéficiaires potentiels de ces nouvelles technologies de soins de santé, assument la responsabilité des activités qui leur ont donné naissance. En somme, tout le monde a un intérêt moral à défendre en cette matière.

La question du transfert de noyau d'une cellule somatique devient donc une question politique dont l'enjeu moral, celui du statut des embryons et des fœtus humains, ne saurait être affaire de choix personnel, privé. Cet enjeu appelle une prise de position publique. La valeur libérale fondamentale de l'autonomie du choix ne résout pas cette question comme elle résout la controverse autour de l'avortement. L'épineux problème du statut de la vie humaine prénatale doit donc être abordé de front en tant que question politique.

Mais comment une société démocratique pluraliste, dont les membres se situent dans des perspectives profondément différentes, pourra-t-elle traduire une solution dans ses lois et ses politiques ? Déboutera-t-elle les points de vue qualifiés de « religieux », soit par ceux qui les épousent, soit par leurs opposants ? Pourquoi leurs tenants ne pourraient-ils pas les faire prévaloir tout autant que les points de vue non associés à la religion ? Si, comme je l'avance, cette problématique soulève des questions métaphysiques, morales et conceptuelles que ne saurait résoudre un simple recours à des principes rationnels, ratifiés par consentement mutuel de personnes rationnelles, tenus pour les fondements « séculiers » de la démocratie libérale, le critère d'identification à ces principes exclura du discours public tous les points de vue cherchant à s'y exprimer. Dans une démocratie pluraliste, *seul* le recours à des postulats controversés et contestés pourra éclairer les décideurs.

***

Cette reconnaissance des incidences du pluralisme conduit, à mon sens, à plusieurs conclusions. Premièrement, aucune voix dans le débat public ne peut raisonnablement revendiquer une supériorité quelconque, du simple fait qu'elle s'écarte du langage et des postulats associés au discours « religieux », traditionnel ou sectaire. « Religieuse » ou pas, toute position défendue dans le débat représente un système de croyances ou de valeurs contestables, traduisant en ce sens des perspectives « sectaires », voire « traditionnelles[10] ». Deuxièmement, quel que soit le point de vue qui prévale effectivement (c'est-à-dire le point de vue que traduira en fin de compte la politique adoptée), tant que ce point de vue est le fruit d'un débat entièrement libre et démocratique, adopté à la suite de compromis par un vote majoritaire, personne ne pourra prétendre que la politique établie constitue une « imposition » injustifiée d'un point de vue religieux ou sectaire qui viole ses droits. De fait, comme je l'ai affirmé, *toute* politique en ce domaine s'éloignera des perspectives morales de bon nombre de gens dans une société pluraliste et traduira inévitablement un ensemble de postulats contestés et non consensuels.

Ces conclusions tiendraient même à la suite d'un débat mené, par un ou plusieurs partis, d'une manière étroitement sectaire ou idéologique. Ce qui compte, finalement, ce n'est pas tant le langage employé dans le débat entourant l'adoption de la politique mais l'accueil que la population réserve à cette politique (compte tenu des compromis nécessaires à son adoption) pour *les raisons, quelles qu'elles soient, que pourrait avoir un individu ou un groupe particulier de la soutenir.* Cela ne signifie toutefois pas qu'il soit sage ou prudent, pour ceux-là qui militent en faveur d'une position donnée, par exemple l'interdiction de toute recherche entraînant la destruction d'embryons ou de fœtus humains, de faire appel aux autorités et au langage ésotérique propre à leur tradition. Dans une société pluraliste, surtout là où ne se profile aucune tradition dominante, une stratégie de recours aux Saintes Écritures ou aux « postulats de la foi » pour défendre le droit du fœtus à la vie aura peu de poids aux yeux des gens à qui ces références confessionnelles sont étrangères. Et même dans les sociétés caractérisées par une tradition dominante (chrétienne, par exemple), à quelle autorité l'ensemble des croyants accepteront-ils de se soumettre ? (Quel verset des Écritures ralliera tous les esprits ? À quels enseignements souscrire ? Ceux de saint Paul ou ceux du pape ?) L'unanimité est loin d'être assurée. Une stratégie beaucoup plus efficace et, de fait, *démocratique*, consistera à trouver les raisons étayant une position personnelle qui sont susceptibles de gagner l'assentiment du plus grand nombre. C'est là de fait la stratégie adoptée habituellement par les mouvements politiques, religieux, traditionnels ou « séculiers » efficaces. Les arguments les plus convaincants ne seront pas forcément ceux qui s'inscrivent dans le paradigme politique libéral. Et même s'ils étaient associés à ce paradigme, il s'agit ici de *stratégie*, et non de *légitimité*.

Les points de vue non religieux ou « séculiers » défendus dans la sphère du débat public présentent les mêmes caractéristiques. Ils s'expriment en un langage propre, ésotérique, s'appuyant sur une philosophie particulière, « traditionnelle » parfois, et font appel à des autorités. De fait, la culture démocratique occidentale accuse à l'heure actuelle une aliénation de vastes collectivités, tant religieuses que non religieuses, qui se sentent étrangères au langage du discours libéral sécularisé et à l'invocation des autorités du libéralisme chez les élites qui tendent à dominer les tribunes politiques. Ce discours dominant tend à ignorer la nécessaire ouverture aux perspectives qu'ouvrent les valeurs de l'ensemble de la société, tant il se complaît dans une terminologie dont la légitimité exclusive lui apparaît incontestable.

Toute société démocratique pluraliste doit donc se poser certaines questions incontournables : qui a le droit de trancher (qui est admissible au processus décisionnel) ? Quelle terminologie, quelle forme de raisonnement sont recevables ? Quels critères moraux sont légitimes ? Si l'argumentation offerte jusqu'ici est juste, une société véritablement pluraliste et *démocratique* favorisera l'inclusivité et rejettera l'élitisme d'un discours public professionnalisé excluant les voix de maints acteurs sociaux. Et elle ne marginalisera aucun point de vue, du simple fait de la nature sectaire ou ésotérique des postulats qu'il exprime. Elle maximisera par ailleurs les chances de participation au débat public, reconnaissant que les enjeux qui divisent profondément une société doivent être cernés dans une démarche collective qui exige des affrontements ardus et des compromis, et dont les fruits ne correspondent pas toujours aux canons des idéologies et des méthodes exploités par les élites professionnelles qui tendent à contrôler ce discours dans les sociétés bureaucratiques modernes.

Les démocraties libérales modernes accusent, entre autres tendances marquées, une propension à ériger des systèmes rationalisés de gestion – des bureaucraties – pratiquant un discours hautement professionnalisé. Les bureaucraties gouvernementales et judiciaires dans les sociétés pluralistes ont cherché à créer des algorithmes rationnels de résolution de problèmes et un langage justificatif pour le processus décisionnel judiciaire et réglementaire qui ratissent large dans leur base de référence sociale et affichent une neutralité sur le plan des valeurs, de sorte que les décisions bureaucratiques ne puissent prêter le flanc à des accusations de partialité dans les débats sérieux tels celui qui concerne les cellules souches. Elles ont de ce fait favorisé deux genres de discours, celui de la science (reconnu comme objectif et non orienté par des valeurs) et, bien sûr, le langage moral minimaliste de la théorie politique libérale (reconnu comme « rationnel » et universel, ou du moins consensuel). Ces deux formes de discours sont également favorisées dans l'interprétation judiciaire des antécédents et des constitutions. Les universités et les écoles professionnelles des sociétés bureaucratiques modernes définissent de plus en plus la « compétence » en fonction de la maîtrise de ces formes de discours (celles des sciences, des mathématiques et, dans les meilleurs des cas, de la théorie politique libérale). Les bureaucraties gouvernementales et les tribunaux voient donc leurs effectifs constitués de diplômés de ces institutions, qui maîtrisent de tels discours – des technocrates exploitant des algorithmes rationnels pour la gestion des marchés, la réglementation des risques, la détermination des responsabilités et l'élaboration des projets de loi. Les sociétés démocratiques libérales privilégient ces discours rationnels à qui elles souhaitent confier l'arbitrage désintéressé des débats sociaux, du fait de leur apparence d'ob-jectivité et de neutralité. Un postulat étrange, occulté mais bel et bien accrédité, veut que les conflits profonds de valeurs puissent être résolus (sinon évités) par le recours à des algorithmes étrangers aux valeurs. Voilà un exemple clair, s'il en est un, d'un « raisonnement naturaliste fallacieux » (tirant d'un constat factuel l'affirmation d'une nécessité). La plupart du temps, la pratique d'un tel raisonnement déguise des valeurs occultes en simples jugements de réalité.

Ce type de discours professionnalisé préside depuis un certain temps à l'orientation et à l'arbitrage des débats éthiques sérieux dans les sociétés démocratiques libérales. Il domine par exemple le dossier de la recherche sur les cellules souches et les fœtus. Dans la plupart des pays que j'ai mentionnés, le débat accuse une configuration caractéristique. Les « experts » faisant autorité dans les audiences parlementaires, les groupes de consultants et les commissions présidentielles, sont justement les scientifiques et les éthiciens professionnels formés à l'école des discours professionnels de la science et de la théorie politico-éthique libérale. Les données jugées recevables sont les données empiriques de la science, les normes imposées sont celles de l'autonomie, de l'utilité et de l'équité (quant aux chances d'avoir voix au chapitre), et les méthodes du processus de décision tiennent aux algorithmes quantitatifs des rapports coûts-bénéfices, coûts-efficacité. Ces discours professionnalisés balisent les formes de raisonnement et de données factuelles admissibles tout en marginalisant une grande partie du discours des communautés de valeurs pour qui les questions en cause sont associées à une forte charge affective. Ces communautés se trouvent bien sûr aliénées du processus démocratique même.

Des critiques de « l'industrie de la bioéthique » formulées au cours du dernier quart du xxe siècle dans les sociétés démocratiques libérales avancent le même argument. Les bioéthiciens professionnels sortis des universités qui viennent grossir les rangs des comités d'examen éthique des hôpitaux, des sociétés et des administrations gouvernementales pratiquent pour la plupart le discours éthique dominant des facultés de philosophie, soit le discours libéral sécularisé de l'autonomie, de l'utilité et de l'équité. Il est largement reconnu à l'heure actuelle, même au sein de la profession, que ce discours accuse un appauvrissement, lorsque inséré dans le contexte décisionnel qui est celui des personnes concrètes vivant dans une pluralité de milieux culturels et religieux. Le modèle évolutif de la bioéthique professionnelle s'achemine heureusement vers un processus décisionnel « inductif » et « contextuel », où les normes directrices s'adaptent aux valeurs des personnes chargées de responsabilités familiales ou communautaires, et sont appliquées d'une manière attentive à leurs incidences. Ce genre de démocratisation du discours éthique devrait se propager dans la société démocratique.

À quelles finalités devrait s'attacher fondamentalement une société démocratique pluraliste composée de communautés divisées par de profonds désaccords au chapitre des valeurs ? Elle devrait, à mon sens, se donner les objectifs suivants. Premièrement, la société devrait garantir un juste *processus* de négociation en cas de conflit de valeurs. Aucun ensemble de valeurs, religieuses ou non religieuses, ne doit jouir *a priori* d'un avantage ou d'un statut privilégié dans ce processus. Les processus politiques peuvent se vouloir neutres, mais les politiques de fond ne sauraient rester dans la neutralité. Deuxièmement, il faudrait promouvoir l'épanouissement de « communautés de valeurs » au sein de la société civile (ce qui nous donnerait une forme plus dynamique de « multiculturalisme »). Seules ces communautés offrent une forte vision de la vie bonne, essentielle à une vie morale intégrale, même dans la perspective de la théorie politique qui ne peut offrir une telle vision. Or, ces valeurs doivent être représentées auprès des instances d'élaboration des politiques publiques, ne serait-ce que du fait des questions en cause, dont la solution exige un appel à ces valeurs de fond.

Troisièmement, une démocratie pluraliste juste protégera les droits fondamentaux des minorités, particulièrement des minorités « perdantes » au jeu politique des biens moraux et non moraux entre lesquels la société balance. Mais aucune communauté minoritaire, aucun individu ne peut revendiquer un droit fondamental de vivre dans une société où les lois et les politiques ne soient pas façonnées par des valeurs appartenant à un système qui n'est pas le sien propre. La plupart des démocraties libérales tiennent pour inaliénable le droit à la liberté de religion et de conscience. Mais aucune société démocratique n'a réussi à interpréter ce droit d'une manière qui en permette l'actualisation en harmonie avec les valeurs personnelles, là où ces valeurs entrent en conflit avec les droits fondamentaux d'autrui. Et le grand principe de la liberté de conscience ne saurait se traduire pour le citoyen en un droit de vivre dans une société dont les politiques publiques sur des questions controversées se fondent sur ses valeurs personnelles ou restent neutres à l'égard de ces valeurs. Cela est souvent impossible, comme nous l'avons vu. J'ajouterai que cela n'est même pas souhaitable.

J'ai voulu montrer la dimension éthique (et souvent religieuse) irréductible des questions qui sont au cœur des grands dossiers du droit et de la politique publique. J'ai cherché également à faire ressortir l'insuffisance des valeurs « consensuelles » ou des discours et des méthodes bureaucratiques professionnalisés pour traiter ces questions. Une négociation ouverte des valeurs conflictuelles dans la sphère publique apparaît incontournable. L'exclusion de ce débat de valeurs fondées sur des principes religieux ne rend pas justice à la nature de ces questions ni à la complexité des conflits de valeur qu'elles suscitent. Voilà justement de quoi est faite la démocratie[11].

Notes

1. Ce texte est traduit de l'anglais par Pierrot Lambert.
2. John Rawls, *A Theory of Justice*, Cambridge (États-Unis), Harvard University Press, Seuil, 1997.
3. Richard Rorty, « Religion as a Conversation Stopper » dans Richard Rorty, *Philosophy and Social Hope*, Londres, Penguin Books, 1999. Voir aussi R. Rorty, *Contingency, Irony, and Solidarity*, Cambridge, Cambridge University Press, 1989.
4. J. Rawls, *Political Liberalism*, New York, Columbia University Press, 1993.
5. Alasdair MacIntyre, *Whose Justice ? Which Rationality ?*, Chicago, University of Notre Dame Press, 1988. Voir également *After Virtue*, Chicago, University of Notre Dame Press, 1984.

6. Stanley Hauerwas, *A Better Hope : Resources for a Church Confronting Capitalism, Democracy, and Postmodernity*, Grand Rapids, Brazos Press, 2000 ; S. Hauerwas, *A Community of Character : Toward a Constructive Christian Social Ethic*, Chicago, University of Notre Dame Press, 1981.
7. Richard John Neuhaus, *The Naked Public Square : Religion and Democracy in America*, Grand Rapids, William B. Eerdmans, 1995.
8. John Milbank, *Theology and Social Theory : Beyond Secular Reason*, Oxford, Blackwell, 1990.
9. Projet de loi C-13, *Loi sur la procréation assistée*, adopté par la Chambre des communes le 28 octobre 2003.
10. L'individualisme libéral est en lui-même une « tradition » intellectuelle, se réclamant de ses propres figures d'autorité (de Kant et Locke à Rawls et Rorty) et professant ses propres orthodoxies. Il ne saurait prétendre représenter un consensus universel, rationnel, quoi qu'en dise Francis Fukuyama dans son discours sur « la fin de l'histoire ».
11. Depuis qu'il a présenté publiquement cet exposé à l'automne de 2003, Jeffrey Stout a publié un traité très étoffé sur le sujet abordé ici, qui analyse de manière beaucoup plus détaillée et convaincante la nature de la démocratie elle-même comme une « tradition », et déploie une critique beaucoup plus incisive du discours de la théorie politique libérale. Stout plaide pour un retour à une ancienne conception de la démocratie formulée par des penseurs américains tels Emerson, Whitman et John Dewey. La philosophie publique, soutient Stout, devrait être conçue comme un exercice de rationalité expressive, qui exprime les diverses « rationalités » des cultures et des traditions formant une société démocratique. Jeffrey Stout, *Democracy and Tradition*, Princeton, Princeton University Press, 2004.

Bibliographie

Hauerwas, Stanley, *A Better Hope : Resources for a Church Confronting Capitalism, Democracy, and Postmodernity*, Grand Rapids, Brazos Press, 2000.

—, *A Community of Character : Toward a Constructive Christian Social Ethic*, Chicago, University of Notre Dame Press, 1981.

MacIntyre, Alasdair, *Whose Justice ? Which Rationality ?*, Chicago, University of Notre Dame Press, 1988.

—, *After Virtue*, Chicago, University of Notre Dame Press, 1984.

Milbank, John, *Theology and Social Theory : Beyond Secular Reason*, Oxford, Blackwell, 1990.

Neuhaus, Richard John, *The Naked Public Square : Religion and Democracy in America*, Grand Rapids, William B. Eerdmans, 1995.

Rawls, John, *A Political Liberalism*, New York, Columbia University Press, 1993.

—, *Theory of Justice*, Cambridge (États-Unis), Harvard University Press, 1971.

Rorty, Richard, « Religion as a Conversation Stopper », dans *Philosophy and Social Hope*, Londres, Penguin Books, 1999.

—, *Contingency, Irony, and Solidarity*, Cambridge, Cambridge University Press, 1989.

Stout Jeffrey, *Democracy and Tradition*, Princeton, Princeton University Press, 2004.

CHAPITRE 17

Les religions, entre la sécularité et la participation à la sphère publique

SOLANGE LEFEBVRE

DE L'ENSEMBLE DES CONTRIBUTIONS et des discussions, il ressort qu'on peut difficilement soutenir la thèse d'une privatisation de la religion, selon laquelle celle-ci serait reléguée dans l'aire privée de l'individu et de la sphère associative ou communautaire. Rappelons à ce titre que la distinction entre l'État et la société civile est pour une part artificielle, dans la mesure où celle-ci est représentée dans et par l'État. Il ressort aussi des diverses réflexions que le « je » rationnel de la modernité n'est pas aussi neutre qu'il y paraît. Plus important encore, un malaise certain traverse les relations entre les décideurs, les acteurs des divers niveaux de la sphère publique et les groupes religieux, dans les sociétés où s'affirme un plus grand pluralisme.

Pour dégager les voies d'avenir d'une meilleure coexistence, je désire dans ce chapitre mettre trois questions en évidence : les divers aspects concernant l'ambivalence entre la reconnaissance et la marginalisation, la complexité de ce que l'on entend par « séparation entre la religion et l'État », le développement nécessaire d'un champ appliqué d'étude des religions.

Entre la reconnaissance et la marginalisation

Plusieurs contributions de ce livre plaident en faveur d'une attitude moins défensive ou exclusive, quant à l'apport des religions dans les grands débats publics. Dans le deuxième chapitre, l'intérêt de l'étude de Biles réside dans le fait de montrer comment s'exerce toujours l'influence des majorités religieuses au plan sociopolitique, en l'occurrence celle des Églises catholique et protestante traditionnelles au Canada. Il soutient que l'enrichissement du modèle multiculturaliste exige à la fois qu'on admette que la religion peut jouer ce rôle critique et constructif en certaines matières, à la fois qu'on reconnaisse que d'autres voix religieuses et convictionnelles puissent se faire entendre. M.-P. Bousquet, au chapitre 8, analysant le cas du système religieux des groupes amérindiens, montre à quel point ceux-ci ont fait des percées importantes : si les politiques fédérales et provinciales ont porté atteinte aux spiritualités traditionnelles autochtones jusque dans les années 1950, elles favorisent à présent leur diffusion dans les programmes correctionnels, de la santé et des services sociaux, et les intègrent même dans divers rituels civiques et politiques.

Dans la foulée, Brunk et Farrow (chapitres 15 et 16) soutiendront qu'une saine sécularité ou un sain sécularisme de l'État doit accepter que des groupes religieux puissent avoir voix au chapitre dans certains secteurs. Pourtant, la vision dominante de la démocratie libérale répugne à ce que les groupes religieux soient entendus, surtout en matière morale, préférant que les politiques publiques permettent l'éventail de choix le plus large possible, ce que signifierait la « neutralité » de l'État. À travers son analyse du débat sur les cellules souches, Brunk montre les limites de ce fonctionnement, et rappelle que toute position sur des enjeux d'intérêt public se fonde sur un système contestable de croyances et de valeurs, même la position dite « moderne », libérale et rationnelle, qui comporte sa tradition et son orthodoxie philosophiques. Farrow examine diverses formes de sécularités ou de sécularismes, et estime plus pertinente celle qui à la fois ne rejette pas les manifestations publiques de la religion et ne prétend pas monopoliser le sens et les préoccupations ultimes. Un « sécularisme chrétien » lui paraît présenter l'avantage, à ce titre, de limiter et de dynamiser la vie politique en la situant sur l'horizon du bien, dans l'espérance que les visions divergentes du bien pourront être surmontées, selon sa vision « eschatologique » ou d'un futur ouvert. Cet aspect eschatologique constitue une dimension de la théologie chrétienne dont F. Bousquet rappelle la contribution fondamentale à la sphère publique.

Le cas de la religion musulmane est sans doute un baromètre des changements qui surviennent depuis peu en Occident, quant à une certaine « déprivatisation » de la religion. Au chapitre 13, Denise Helly observe qu'en France et en Belgique, il y a volonté de contrôle politique des associations musulmanes et des mosquées sur leur territoire, et, bien que très minoritaire, l'islam reçoit en Espagne beaucoup d'attention. Helly trouve les raisons spécifiques de ces développements dans certaines caractéristiques des trois pays impliqués, et non dans celles des communautés musulmanes elles-mêmes. Sur cet horizon, Langlois, discutant du cas de la laïcité française au chapitre 14, rappelle l'histoire délicate de gestion du seuil de « visibilité » de la religion qui marque ce modèle jusqu'à aujourd'hui, sur fond de méfiance, en vue de sauvegarder la « paix publique ». Ce qui nous renvoie au problème contemporain de la violence religieuse et, plus généralement, de la violence groupale, sur lequel Casoni se penche, prenant pour exemples le nazisme et le génocide au Rwanda (chapitre 12). Cette violence groupale ne concerne qu'une petite minorité de groupes sectaires ou religieux ;

malgré tout, on peut comprendre que les États développent des stratégies de défense et de prévention à l'égard de violences religieuses ou sectaires potentielles. Mais il serait dommage que l'attention au rôle public de la religion ne la réduise à une menace pour la paix publique. À l'opposé, ainsi que l'a rappelé F. Bousquet, il serait aussi contestable et appauvrissant pour les démocraties de se contenter d'instrumentaliser les religions en vue d'un service des visées de l'État et de neutraliser ainsi leur force critique et prophétique (chapitre 11).

Les réflexions de Siemiatycki sur la sphère municipale de Toronto, de Battaglini et de Gariépy sur le milieu de la santé, illustrent très bien la contradiction entre la reconnaissance de l'importance de la religion et sa marginalisation (chapitres 5, 6 et 7). Certes, la religion pose de nombreuses questions à la sphère publique, mais elle est souvent occultée. Siemiatycki rappelle que les pouvoirs municipaux se trouvent aux premières lignes pour déterminer les styles d'appartenance et l'inclusion des différences, puisqu'ils décident des règles régissant par exemple le zonage, le loisir, les librairies publiques et les écoles. Pourtant, dans aucun programme de la Ville de Toronto, du moins jusqu'à tout récemment, ne tient-on compte explicitement du facteur religieux. Il faut reconnaître plus généralement que les domaines de l'interculturalité ou des études ethniques incluent implicitement la religion, sans toujours y accorder une place significative. Battaglini et Gariépy avouent que la rationalité biomédicale occupe tout l'espace dans les milieux de la santé et qu'on accorde peu d'attention à la religion. Paradoxalement, rappelle le premier, une forte proportion de Québécois estiment que leurs valeurs spirituelles ont un impact positif sur leur santé, et il est reconnu que la religion et la spiritualité constituent un facteur de protection en matière de santé. À l'opposé, la religion peut comporter des facteurs de risque, notamment dans le cas de croyances s'opposant à une intervention médicale spécifique. Gariépy constate la méfiance réciproque avec laquelle la religion, la science médicale et la psychiatrie se considèrent. Par exemple, on accorde une place très réduite aux services d'intervention spirituelle en milieu de santé, puisqu'il est difficile d'évaluer leurs impacts réels, selon les critères de la science médicale.

Christianisme, sécularisation et pluralisme

Eu égard à une certaine marginalisation de l'attention à la religion dans la sphère publique, et de la religion elle-même, il faut insister sur la complicité historique du Canada avec le christianisme, à l'instar de tous les pays occidentaux. Les églises chrétiennes conservent une influence quasiment exclusive sur certaines questions sociales, et tant qu'on ne dispute pas leur place dominante implicite, elles demeurent «quasi invisibles» dans les États modernes. Le christianisme marque à plusieurs titres l'histoire des idées, les visions du monde, l'imaginaire et l'univers des représentations en Occident. Il faut aussi reconnaître que les diverses dénominations chrétiennes de vieille souche historique s'accommodent assez bien d'une privatisation ou, dirai-je plutôt, d'une discrétion de la religion. Le christianisme a contribué à cette privatisation sociale, à travers l'intériorisation du rapport à Dieu et à travers sa diffusion initiale dans l'Empire romain qui présentait un visage pluraliste. Citons par exemple un extrait de l'épître à Diognète, écrite au IIe siècle: « Les chrétiens ne se distinguent des autres hommes ni par le pays, ni par le langage, ni par les vêtements... Leur genre de vie n'a rien de singulier... Ils se répartissent dans les cités grecques et barbares suivant le lot échu à chacun; ils se conforment aux usages locaux pour les vêtements, la nourriture et la manière de vivre... »[1]. Certes, plusieurs siècles de chrétienté ont marqué la géographie et la culture des pays de manière considérable, les rapports entre religion et pouvoir politique ont connu plusieurs phases houleuses, mais la dynamique de discrétion appartient aux origines mêmes du christianisme. Et les critiques modernes de la religion ont incité les chrétiens à renouer avec cette attitude.

Outre les enjeux que Farrow et Brunk ont fait valoir autour des rapports entre le christianisme et la sécularisation, deux volets constituent donc en quelque sorte l'alliance implicite entre la religion chrétienne et la culture en Occident : une interrelation intime au plan des coutumes, des normes et des symboles, et une sécularité adaptative forte. Par « sécularité adaptative forte », nous voulons dire une prise en compte des diverses cultures. Plus affirmée encore au sein des protestantismes traditionnels, cette sécularité s'affirme au sein du catholicisme officiel, depuis la Seconde Guerre mondiale, à travers la distinction entre le temporel et le spirituel. Les discussions autour du concept de sécularisation oublient souvent ses origines théologiques, autour de la double signification de « passage à l'état laïc », et d'adaptation au « siècle » ou « monde », c'est-à-dire la « sécularité »[2]. Les mouvements chrétiens orientés vers l'engagement social, les communautés religieuses et une majorité de chrétiens, plus ou moins pratiquants, endossent pleinement ce projet séculier qui se résume ainsi : travailler *dans le monde et comme du dedans* à la sanctification du monde, à la façon d'un ferment (*in saeculo et ex saeculo*). La métaphore du ferment indique que l'agir dans la sécularité s'est élaboré selon une théologie de la discrétion, de l'immersion des chrétiens dans un univers séculier plus ou moins hostile à l'évangélisation directe et en rupture avec les chrétientés occidentales. Par conséquent, on valorise le témoignage silencieux, l'action sociale et politique pertinente qui évite le prosélytisme[3]. C'est ainsi que l'on peut interpréter la « sécularisation » qu'ont pu activer les mouvements d'action catholique et les mouvements protestants du *Social Gospel* depuis le XIXe siècle.

Si bien qu'à la fois l'arrivée de religions non chrétiennes et les nouvelles affirmations religieuses publiques, tant chrétiennes que non chrétiennes, bouleversent cette vieille alliance. Eu égard aux affirmations publiques chrétiennes, c'est peut-être ainsi que l'on doit interpréter l'insertion de la mention de Dieu dans la nouvelle Constitution canadienne promulguée en 1982, sous l'influence de divers lobbies et malgré le désir de Trudeau de clairement distinguer entre la loi et la religion, dans un État libéral pluraliste[4]. Si l'on tient compte des religions qui ont crû en importance depuis les années 1980, il n'est pas étonnant qu'on rencontre, en première ligne des débats, le port de symboles religieux visibles. Lors des discussions tenues pendant notre colloque, le secrétaire de la Fédération sikhe du Canada donnait pour exemple d'inadaptation au pluralisme religieux le fait qu'on avait, dans un hôpital de Toronto, rasé la barbe d'un compatriote sikh à l'hôpital. Or, les hommes sikhs pieux doivent porter cinq signes ou cinq K interreliés de leur foi, parmi lesquels les cheveux longs et la barbe, qu'ils ne coupent jamais. Dans l'actualité, les discussions sur un autre K, le kirpan ou courte épée, nous sont plus familières, sans compter celles autour du voile des jeunes filles musulmanes. Cette diversité « visible » bouleverse les coutumes, les mœurs de discrétion et les symboles culturels des majorités chrétiennes.

Au Québec, Therrien réfléchit sur la portée du principe canadien d'accommodement raisonnable des demandes religieuses concernant tant les symboles que les fêtes et autres usages, et montre l'émergence d'un modèle dit de « laïcité ouverte », qui vise une meilleure prise en compte de la diversité religieuse.

Cette émergence est d'ailleurs particulièrement bien illustrée par l'évolution du système d'éducation, telle que la retrace Cadrin-Pelletier. L'« ouverture à la diversité religieuse » devient un apprentissage essentiel, et la déconfessionnalisation du système public ouvre la voie à une *laïcité ouverte sur le fait religieux* à l'école publique. Le Comité sur les affaires religieuses, chargé de conseiller le ministère de l'Éducation, a élaboré des positions importantes à cet égard : la diversité religieuse doit être un enjeu d'éducation, et sa visibilité « raisonnable » ne peut que susciter de sains débats formateurs dans les milieux scolaires[5]. Dans les faits, on sait que la prise en compte de la diversité religieuse s'avère souvent un « problème » de plus pour les gestionnaires. Voilà pourquoi une position politique claire est importante, pour appuyer et favoriser la prise en compte « raisonnable » de la diversité, plutôt que sa marginalisation.

Outre les enjeux symboliques et les styles de vie, sur le plan normatif et éthique, il est mal vu et difficile pour les groupes religieux canadiens, comme en Europe du reste, de faire entendre une voix, l'exemple le plus récent concernant le mariage entre personnes de même sexe au Canada. On peut se demander si l'apport d'un groupe religieux à la discussion démocratique ne repose que sur son adaptation à l'évolution du champ normatif et socioculturel, ou s'il peut être aussi apprécié et écouté malgré l'expression d'une voix discordante. Il en va de même de toute voix qui s'élève contre un accord consensuel, et ce, dans d'autres sphères de la vie publique. Une question demeure : fait-on véritablement place à une diversité de voix sur la place publique ou est-on entré dans un régime libéral et juridique purement procédurier et rationnel ? Déjà, dans les années 1970, on rencontrait une critique de la simplification indue que provoquait la bureaucratie moderne des États, prétendant unifier la pluralité et une réalité, dans les faits, impossible à systématiser. Cette critique se logeait à l'enseigne des critiques de l'idéologie, sous l'influence du marxisme, et des systèmes totalisants hyper-bureaucratiques[6].

Mais, sur un autre plan, si nous poursuivons la réflexion sur le problème de la contribution des groupes religieux à la discussion publique, ces dernières années ont vu l'élaboration de diverses réflexions déplorant l'abandon du politique et de la poursuite du bien commun aux revendications de type identitaire et leur frénétique « course aux droits ». En résulterait une crise du normatif au profit d'une judiciarisation des rapports humains. Au fondement du problème se trouverait la fragmentation de la communauté et l'impuissance politique à rassembler les intérêts dispersés, autour d'une poursuite commune du bien. Si, pour les uns, il s'agit d'un déclin de l'« unité collective »[7], ou de la nation[8], pour les autres, il s'agit d'une rationalisation radicale de l'État, qui rejette hors de la dynamique de la gouvernance l'appréhension de toutes sources transcendantes ou particulières du bien, qu'elles soient religieuses ou non.

Partisan d'un certain retour à l'unité, Gauchet parle, quant à lui, après l'évacuation d'un fondement transcendant de la société, de l'évacuation d'une transcendance du politique lui-même, qui était incarnée dans la « laïcité républicaine » française. Et cette évacuation se fait au profit du modèle « pluraliste-identitaire-minoritaire »[9], selon lequel la légitimité de l'État « n'est plus faite que de la répercussion qu'il assure aux réquisitions, aux interrogations ou aux difficultés de la vie commune »[10]. Et il ne pourrait le faire qu'à travers un aménagement procédurier complexe et un grand vide de sens. Gauchet évoque une telle société comme celle capable de se comprendre « dans le détail » mais non dans « son ensemble » ; comme celle qui, faisant droit à la totalité de ses parties, « en vient à s'échapper à elle-même », donc à l'incapacité de se gouverner au sens profond du terme.

Gauchet annonce l'impasse de cette logique « procéduraleidentitaire » et prévoit que redeviendront centrales l'« unité collective » et la « généralité publique ».

Si plusieurs analystes s'entendent autour de ce diagnostic de la fragmentation et de la logique procédurale et réductionniste qui s'ensuit, tous ne voient pas la source de cette crise de sens de la même manière. Les uns souhaitent le retour d'un type fort d'unité collective, les autres recherchent une démocratie véritablement représentative, qui laisse débattre entre elles plusieurs voix. Penchant plutôt vers cette deuxième voie, Brunk et Farrow observent tous deux l'action d'un certain rationalisme libéral, qui réduit le champ normatif à un consensus minimaliste, à travers une bureaucratisation de toute réflexion dans la sphère publique, le problème étant ici non pas celui de la perte de l'« unité collective », mais la peur des communautés de sens. Dans un numéro que je dirigeais sur la laïcité, il y a quelques années, Jacques T. Godbout avait ainsi titré son article critique de ce modèle, « Qui a peur de la communauté ? ». Cette peur tient, selon lui, « de l'absence d'une vision de la société existant par elle-même, indépendamment du pouvoir politique et de l'État. Cette utopie de la communauté... exclut les communautés "concurrentes" et verse dans une hypertrophie de la raison. » Godbout lui préfère le modèle anglo-saxon du *common law*, qui pratique une démocratie représentative plutôt que directe[11].

Il sera intéressant, dans les années à venir, de suivre l'évolution des divers modes de séparation entre la religion et l'État. Dans les pages qui précèdent, on a réfléchi sur les limites du concept de *neutralité*, montrant que toute position se fonde sur une vision du monde particulière. Et, par ailleurs, une neutralité de l'État n'engage pas nécessairement la « neutralité culturelle ». Thiemann fait valoir qu'on ne peut réduire les rapports entre l'État et la religion à des rapports purement institutionnels. Ceux-ci sont empreints de dynamiques associatives et individuelles qui introduisent une grande complexité[12]. Par exemple, le concept de séparation donne lieu à des interprétations contradictoires : d'une part, il peut s'agir d'une stricte application de l'autonomie réciproque de l'État et de la religion, mais, d'autre part, la dite « séparation » peut aussi s'exprimer en termes de « coopération mutuelle », se fondant sur la reconnaissance d'une histoire et d'une tradition partagée par l'État et par l'Église. Mais cette vision promeut le principe d'accommodement des symboles et des comportements religieux dans la sphère publique, surtout pour le christianisme, ce qui limite la reconnaissance du pluralisme religieux. Thiemann recommande de développer une vision conceptuelle qui puisse parfois orienter vers une stricte séparation, parfois vers une coopération inclusive d'autres apports[13]. La reconnaissance de l'apport des groupes religieux réside aussi dans l'appui au développement d'une sphère associative forte et dynamique, puisque les individus impliqués dans la vie civique et politique se forment d'abord et avant tout au sein de ces divers groupes de volontariat, parmi lesquels les groupes religieux jouent un rôle important[14]. On retiendra donc que la séparation entre la religion et l'État suppose diverses modalités, et qu'une vision renforçant le pôle associatif, civil et représentatif questionne à la fois un État tentaculaire et un État recherchant le plus souvent un consensus minimal, ce qui me paraît plus que pertinent.

Un bref examen des concepts de sécularisation et de sécularité, et de laïcité, qui font l'objet de débats continuels, permettra d'appréhender ce débat autrement. On a discuté quelques enjeux « théologiques » du concept de sécularisation et de sécularité. Il faut rappeler que le concept de laïcité comporte aussi sa part de mémoire théologique, trouvant son origine dans une opposition entre les laïcs et les clercs autour de la maîtrise de la question spirituelle, dite de manière classique « domination de la sphère spirituelle »[15]. Rémy nous paraît offrir un point de vue très éclairant sur la sécularisation et la laïcité. La première, tel que nous l'avons dit plus haut, valorise le séculier et favorise une autonomisation réciproque du religieux et du politique : « Les deux domaines n'ont l'un par rapport à l'autre que des relations externes qui permettent de se rendre des services réciproques dans une ambiance de confiance mutuelle »[16]. Et, continue Rémy, « le cœur du mouvement de sécularisation n'est pas une utopie politique, tandis qu'en France, patrie de la laïcité, la neutralité religieuse de l'État n'implique pas une neutralité philosophique », alors que l'État se représente comme foyer de valeurs et de sens[17]. La Belgique procure un exemple plus qu'éclairant. En effet, elle reconnaît, parmi les piliers religieux, le pilier de la « laïcité ». Et de la sorte elle assume la laïcité pour ce qu'elle est, une position convictionnelle spécifique de type philosophique. Rémy observe que plusieurs pays européens semblent se diriger vers un communautarisme modéré, ou, dit autrement, entendent accorder une place prépondérante aux dynamiques volontaires et civiles : « Les évolutions récentes vont dans le sens du renforcement du droit à l'association, du pôle privé, et de la société civile », ce qui appellerait, pour la laïcité de type républicain, une « sécularisation », c'est-à-dire qu'elle se verrait moins comme la raison transcendant les particularismes que comme « cadre garantissant le pluralisme »[18].

Au Québec, nous croyons pouvoir interpréter les visées du groupe d'étude sur la religion à l'école en ce sens. Sous la direction de Jean-Pierre Proulx, ce groupe a publié en 1999 un rapport proposant le concept de *laïcité* ouverte sur le fait religieux[19]. Et le Comité sur les affaires religieuses distingue clairement entre une laïcité idéologique et une laïcité respectueuse du pluralisme religieux[20]. Il sera intéressant de voir jusqu'à quel point on réussira, à travers cet usage du concept, à se distancer d'un modèle français, plutôt de type assimilateur, voire même de la laïcité comme position rationaliste convictionnelle, qui constitue le pilier « laïque » que l'on retrouve en Belgique, par exemple. Au Québec, la laïcité comme conviction est véhiculée par le mouvement laïque québécois, des esprits « laïques » qui s'identifient à l'idéal français républicain, et une part de ce monde de la culture scolaire, plus ou moins influencé par une instruction publique très laïcisée en France. Certains militants « laïques » vont jusqu'à confondre la neutralité politique et la laïcité areligieuse. Il pourrait être difficile de promouvoir une laïcité ouverte de ce côté de l'Atlantique tandis que la France se débat non seulement avec son propre modèle mais aussi avec un rapport difficile aux anciennes colonies musulmanes. Notons à cet égard que les documents officiels ministériels et le projet de loi québécois 118, qui mettait en place une déconfessionnalisation du système scolaire, a évité l'usage du terme « laïcité ».

Pour ma part, j'estime pertinent que l'on situe la position laïque et la laïcité *parmi d'autres* positions convictionnelles. De la sorte, on évite l'un des grands pièges d'une certaine modernité, qui est de croire qu'un progrès inéluctable de l'humanité consiste forcément dans le déclin des convictions religieuses. Par ailleurs, les « laïques » se voient clairement situés comme interlocuteurs, dans le concert des convictions particulières, et non pas assimilés, comme c'est souvent le cas, à la neutralité. Comme le Québec est aussi très marqué par la culture anglo-saxonne et le protestantisme, et qu'il tend vers un équilibre entre l'État et les communautés de sens, il pourrait d'ailleurs s'inscrire plutôt dans le mouvement de sécularisation, mais à ce sujet aussi les débats ne manquent pas. Mais, au-delà des concepts, tous discutables, l'idée à promouvoir, au plan politique, s'avère la suivante : il y a plusieurs aménagements possibles de la séparation entre les religions et l'État.

DÉFIS PROFESSIONNELS : VERS UN CHAMP APPLIQUÉ D'ÉTUDE DES RELIGIONS

Les défis professionnels rattachés à la question religieuse, de même que les exigences d'une étude appliquée des religions, proposée par mon collègue Patrice Brodeur, concernent plusieurs enjeux. Beyer permet de dégager au premier chapitre deux tendances : l'importance de l'immigration pour l'avenir des religions, tant majoritaires que minoritaires, et la discrète désinstitutionnalisation de la religion, à travers l'accroissement du nombre des « sans religion » et des chrétiens sans dénomination. Ce que de nombreux intervenants du monde religieux observent dans les divers milieux publics, parapublics, et au sein même des communautés croyantes, à l'instar de Gariépy au chapitre 7, illustre tout à fait bien ces deux tendances. Identifions quelques défis posés à la réflexion et à l'intervention. Dans les services de type spirituel dispensés dans les institutions publiques et parapubliques, il importe de réfléchir sur le nombre grandissant de personnes ne s'identifiant ni à une communauté de foi ni à une religion, tout en réclamant un service « spirituel » ; d'accueillir la diversité religieuse et de mieux accompagner les individus de spiritualités autochtones aussi très pluralistes ; de former et d'accueillir de nouveaux types d'intervenants, sans lien ou imputabilité avec un groupe religieux.

Au sein des communautés croyantes, on fait face à un grand pluralisme depuis un bon moment. Si l'on réfère, par exemple, aux églises chrétiennes majoritaires, les demandes de rites de passage et les recours d'accompagnement individuel renvoient à des motivations extrêmement variées. Les professions pastorales font donc face, depuis plusieurs années, à cette complexité. Ma faculté se spécialise, depuis les années 1960, dans de nouveaux types de formation pastorale, et le nombre de personnes sans rattachement institutionnel qui fréquentent nos programmes n'a cessé d'augmenter, si bien que, quotidiennement, dans nos formations, se côtoient des prêtres, des laïcs et des personnes poursuivant des quêtes spirituelles très diversifiées. Nous développons depuis peu des programmes en sciences des religions appliquées, les sciences religieuses couvrant ici tant les traditions religieuses que les courants spirituels. La création du Centre d'étude des religions de l'Université de Montréal permet de rendre visibles les diverses expertises qui se forment sur la religion. Prenons pour exemple le Département d'anthropologie, qui accueille de manière informelles des individus appartenant aux réseaux des médecines douces, à la profession maintenant reconnue de « sage-femme » et autres personnes en quête de sens, et qui puisent aux traditions dites « exotiques » des sources d'inspiration.

Brodeur, au chapitre 9, suggère l'établissement d'un champ en étude critique appliquée des religions, où il est plus nommément mention d'experts ou de consultants sur la question religieuse, qui ne sont pas nécessairement engagés dans une voie. Il observe le développement de nouvelles expertises dans diverses sphères de la société, à l'intersection du public et du religieux. Le champ d'application qu'il propose travaillerait à partir d'une interaction entre trois groupes professionnels : les experts scolaires en étude critique de la religion, les pratiquants de discours religieux (théologiens et membres engagés de groupes religieux ou spirituels) et les chercheurs civils d'information sur les pratiquants de discours religieux. Brodeur présente le dialogue interreligieux comme une illustration de ce nouveau développement. Non seulement s'agit-il d'un domaine de l'étude critique appliquée de la religion mais aussi d'une source méthodologique d'application dans tous les autres domaines du même secteur. Son importance s'avère stratégique au plan mondial. Au chapitre 10, Aveline illustre le développement de ce champ à Marseille, laboratoire du pluralisme, où il développe des cursus interdisciplinaires de formation. François Bousquet présente ce qu'on appelle la « théologie chrétienne des religions » comme réflexion sur l'apport du christianisme à la diversité. À cet égard, on souhaite le développement d'une théologie des religions, au sein des autres traditions religieuses.

Mais il est une question qui se pose de manière cruciale pour une science appliquée des religions, déjà mentionnée, mais sur laquelle je veux insister. Partout en Occident, à côté du pluralisme religieux grandissant et de la persistance de groupes chrétiens majoritaires, on note à la fois une pluralisation interne aux groupes religieux et une augmentation des « sans religion » et des chrétiens « sans dénomination ». Ajoutons à cela les déplacements dits du « religieux au spirituel », dans divers milieux et discours individuels. Ces divers faits posent la question de la *désinstitutionnalisation et l'individualisation de la religion*[21]. À cet égard, Hervieu-Léger renonce d'ailleurs à l'usage du concept de « sécularisation », qui indique un passage du religieux au non religieux, pour utiliser plutôt celui de « désinstitutionnalisation », qui indiquerait quant à lui une perte d'influence des institutions religieuses, mais une prolifération des croyances et des spiritualités plus diffuses et plus libres[22]. L'une des grandes questions des prochaines années sera d'ailleurs de réfléchir à la portée de ce phénomène pour la société. Comment aborder la dérégulation du religieux et son éclatement ? Déjà, ce phénomène se fait sentir dans les milieux certes traditionnellement pastoraux, mais aussi ceux qui font respectivement usage de médecines alternatives, proposent diverses psychothérapies, créent des entreprises offrant, par exemple, des « rituels sur mesure », sans compter le milieu très vaste de la création littéraire et audiovisuelle. Rappelons que la Belgique a institutionnalisé une option dite « laïque », se fondant sur une philosophie morale non confessionnelle, et comportant des « conseillers » formés et rémunérés par l'État, dès la fin des années 1950 (Helly). Depuis, l'éclatement de l'espace non confessionnel du sens, dirions-nous, s'est accru.

La question des experts du religieux est d'autant plus cruciale, dans le contexte, décrit plus haut, de désinstitutionnalisation de la religion. À cet égard, la question de la religion à l'école est révélatrice des effets de cette désinstitutionnalisation. Au Québec, sur l'horizon des divers appels à tenir compte de la diversité religieuse depuis les années 1970, tant à travers les chartes des droits qu'à travers les effets de l'immigration, on a vu la déconfessionnalisation des commissions scolaires s'opérer, un service d'animation à la vie spirituelle et d'engagement communautaire se mettre en place, succédant aux services pastoraux, et l'offre d'options de cours sur la religion. La distance établie ainsi avec les institutions religieuses chrétiennes, de même que le maintien d'une référence spirituelle et religieuse, sans ancrage institutionnel, crée un flou important dans les milieux. Ce flou renvoie précisément aux défis de la désinstitutionnalisation de la religion. Il est certes possible de relever le défi, mais à partir de réflexions fondamentales. Surtout, on se demande pourquoi un tel service exclurait certains rapports aux dynamiques communautaires associatives qui nourrissent la vie des élèves, fussent-elles religieuses.

Il importe en tout cas de penser la formation d'experts de la question religieuse. D'où ces experts tireront-ils leur légitimité ? Quelles seront leurs relations aux communautés croyantes, à la communauté scientifique, à la société ? Après des décennies de régulation de l'intervention pastorale par les églises, de partage des pouvoirs et des compétences entre clercs et laïcs, pour ne parler que de la tradition chrétienne, comment pensera-t-on le statut des « nouveaux experts » du religieux ? Et comment situer la question par rapport à la mission critique du milieu scolaire ? On peut se demander, à cet égard, devant l'impératif pluraliste et du respect de la diversité, ce que devient la critique de la religion, une constante depuis les grecs et les chrétiens, qui se riaient du ridicule de certains dieux. Une rationalisation du croire, même dérégulé, ce que mettent en œuvre foncièrement la théologie gréco-latine et chrétienne, demeure-t-elle possible ?

Notes

1. Chrétien anonyme du IIe siècle, « Lettre à Diognète », V.VI. Augustin rapporte de telles adaptations fortes aux cultures, dans Les Confessions.
2. Voir Solange Lefebvre, *Sécularité et Instituts séculiers*, Montréal, Médiapaul, 1989 ; et Art. « Sécularité », dans René Latourelle et Rino Fisichella (dir.), *Dictionnaire de Théologie Fondamentale*, Montréal/Paris, Bellarmin/Cerf, 1992, p. 1217-1231.
3. Voir S. Lefebvre, « Politics and Religion in Quebec », dans John English, Richard Gwyn et P. Whitney Lackenbauer (dir.), *The Hidden Pierre Trudeau. The Faith Behind the Politics*, Ottawa, Novalis, 2004, p. 57-64. Trudeau illustre très bien cette discrétion, jusqu'à une séparation entre sa foi catholique personnelle et la gouvernance, entre la morale et la loi, comme le montre bien la décriminalisation de l'avortement qu'il a promue et contribué à mettre en place.
4. George Egerton, « Trudeau, God, and the Canadian Constitution : Religion, Human Rights, and Government Authority in the Making of the 1982 Constitution », dans David Lyon et Marguerite Van Die (dir.), *Rethinking Church, State, and Modernity. Canada*

between Europe and America, Toronto, University Toronto Press, 2000, p. 90-112.
5. Comité sur les affaires religieuses, *Rites et symboles religieux à l'école. Défis éducatifs de la diversité.* Avis au ministre de l'Éducation, gouvernement du Québec, mars 2003.
6. Voir, par exemple, Jürgen Moltmann, *Religion and Political Society*, New York, Harper & Row, 1974.
7. Marcel Gauchet, *La religion dans la démocratie. Parcours de la laïcité*, Paris, Gallimard, 1998, p. 127.
8. Voir, par exemple, Jacques Beauchemin, *La société des identités. Éthique et politique dans le monde contemporain*, Montréal, Éditions Athéna, 2004.
9. M. Gauchet, 1998, p. 122.
10. *Ibid.*, p. 113.
11. Voir Jacques T. Godbout, « Qui a peur de la communauté ? », *Théologiques*, vol. 6, nº 1, mars 1998, p. 29-38. Voir aussi, du même auteur, *La démocratie des usagers*, Montréal, Boréal, 1987 ; et « Démocratie directe et démocratie représentative : à propos de Démocraties de Jean Baechler », *Bulletin du Mauss*, nº 7, 1990, p. 15-28.
12. Ronald F. Thieman, *Religion in Public Life. A Dilemma for Democracy*, Washington, Georgetown University Press, 1996, p. 66.
13. *Ibid.*, p. 66.
14. *Ibid., p 152-153.*
15. S. Lefebvre, « Origines et actualité de la laïcité. Lecture socio-théologique », *Théologiques*, vol. 6, nº 1 mars 1998, p. 63-79. Renvoie à l'ouvrage classique de Georges de Lagarde, *La naissance de l'esprit laïque au déclin du Moyen Âge. T.1 : Bilan du XIIIe siècle*, Louvain/Paris, Nauwelaerts/Béatrice-Nauwelaerts, 1956.
16. Jean Rémy, « Laïcité et construction de l'Europe », dans Gilbert Vincent et Jean-Paul Willaime (dir.), *Religions et transformations de l'Europe*, Strasbourg, PUS, 1993, p. 369.
17. Zylberberg définit ainsi la laïcité : « Comme doctrine, comme idéologie, la laïcité est un phénomène singulièrement lié à l'histoire républicaine française, à la construction d'une gouverne atypique dans le monde occidental, dans ses relations avec la société civile, son ordonnancement centralisé des reproductions culturelles, sociales et économiques et sa production unitaire d'une citoyenneté informée par un projet rationaliste et républicain hégémonique

dans la Cité. » Jacques Zylberberg, « Laïcité, connais pas : Allemagne, Canada, États-Unis, Royaume-Uni », *Pouvoirs, La laïcité*, Paris, Seuil, 1995, p. 37.

18. J. Rémy, 1993, p. 378.
19. Ministère de l'Éducation du Québec, *Laïcité et religions. Perspective nouvelle pour l'école québécoise*, Rapport du groupe de travail sur la place de la religion à l'école, Québec, 1999.
20. Comité sur les affaires religieuses, mars 2003, p. 22-23.
21. Peter Esterr, Loek Halman et Ruud de Moor, *The Individualizing Society. Value Change in Europe and North America*, Tilburg University Press, 1993.
22. Danièle Hervieu-Léger, *La religion pour mémoire*, Paris, Cerf, 1993.

Bibliographie

Beauchemin, Jacques, *La société des identités. Éthique et politique dans le monde contemporain*, Montréal, Éditions Athéna, 2004.

Comité sur les affaires religieuses, *Rites et symboles religieux à l'école. Défis éducatifs à la diversité.* Avis au ministère de l'Éducation, gouvernement du Québec, mars 2003.

Egerton, George, « Trudeau, God, and the Canadian Constitution : Religion, Human Rights, and Government Authority in the Making of the 1982 Constitution », dans David Lyon et Marguerite Van Die (dir.), *Rethinking Church, State, and Modernity. Canada between Europe and America*, Toronto, University Toronto Press, 2000, p. 90-112.

Esterr, Peter, Halman, Loek et Ruud de Moor, *The Individualizing Society. Value Change in Europe and North America*, Tilburg University Press, 1993.

Gauchet, Marcel, *La religion dans la démocratie. Parcours de la laïcité*, Paris, Gallimard, 1998.

Godbout, Jacques T., « Qui a peur de la communauté ? », *Théologiques*, vol. 6, n° 1, mars 1998, p. 29-38.

—, « Démocratie directe et démocratie représentative : à propos de Démocraties de Jean Baechler », *Bulletin du Mauss*, nº 7, 1990, p. 15-28.

—, *La démocratie des usagers*, Montréal, Boréal, 1987.

Hervieu-Léger, Danièle, *La religion pour mémoire*, Paris, Cerf, 1993.

Lagarde, Georges de, *La naissance de l'esprit laïque au déclin du Moyen Âge. T. 1 : Bilan du XIIIe siècle*, Louvain/Paris, Nauwelaerts/Béatrice-Nauwelaerts, 1956.

Lefebvre, Solange, « Politics and Religion in Quebec », dans John English, Richard Gwyn et P. Whitney Lackenbauer (dir.), *The Hidden Pierre Trudeau. The Faith Behind the Politics*, Ottawa, Novalis, 2004, p. 57-65.

—, « Origines et actualité de la laïcité. Lecture sociothéologique », *Théologiques*, vol. 6, nº 1, mars 1998, p. 63-79.

—, Art. « Sécularité », dans René Latourelle et Rino Fisichella (dir.), *Dictionnaire de Théologie Fondamentale*, Montréal/Paris, Bellarmin/Cerf, 1992, p. 1217-1231.

—, *Sécularité et Instituts séculiers*, Montréal, Médiapaul, 1989.

Ministère de l'Éducation du Québec, *Laïcité et religions. Perspective nouvelle pour l'école québécoise*, Rapport du groupe de travail sur la place de la religion à l'école, Québec, 1999.

Moltmann, Jürgen, *Religion and Political Society*, New York, Harper et Row, 1974.

Rémy, Jean, « Laïcité et construction de l'Europe », dans Gilbert Vincent et Jean-Paul Willaime (dir.), *Religions et transformations de l'Europe*, Strasbourg, PUS, 1993, p. 365-379.

Thiemann, Ronald F., *Religion in Public Life. A Dilemma for Democracy*, Washington, Georgetown University Press, 1996.

Zylberberg, Jacques, « Laïcité, connais pas : Allemagne, Canada, États-Unis, Royaume-Uni », *Pouvoirs, La laïcité*, Paris, Seuil, 1995, p. 37-52.

Collaborateurs

JEAN-MARC AVELINE, professeur, Institut de science et de théologie des religions ; directeur, Institut universitaire catholique de la Méditerranée

ALEX BATTAGLINI, chercheur, Direction de la santé publique et des services sociaux, Montréal

PETER BEYER, professeur, Département d'études anciennes et de sciences des religions, Université d'Ottawa

JOHN BILES, directeur, Partenariats et transfert des connaissances, Projet Metropolis

FRANÇOIS BOUSQUET, directeur, Institut de science et de théologie des religions, Institut catholique de Paris

MARIE-PIERRE BOUSQUET, professeure, Département d'anthropologie, Université de Montréal

PATRICE BRODEUR, professeur et titulaire de la chaire de recherche du Canada Islam, pluralisme et globalisation, Faculté de théologie et de sciences des religions, Université de Montréal

CONRAD G. BRUNK, directeur, Centre d'études sur la religion et la société, Université de Victoria

CHRISTINE CADRIN-PELLETIER, secrétaire, Secrétariat aux affaires religieuses, ministère de l'Éducation, du sport et du loisir du Québec

Dianne Casoni, professeure, École de criminologie, Université de Montréal

Douglas Farrow, professeur, Faculté d'études religieuses, Université McGill

Gilbert Gariépy, coordonnateur, Éducation clinique et pastorale, Centre des sciences de la santé, Winnipeg

Denise Helly, chercheure, Institut national de recherche scientifique – Urbanisation, culture et société, Université du Québec

Claude Langlois, directeur d'études, EPHE-Sciences religieuses, Paris ; Directeur, Institut européen des sciences religieuses (IESR)

Solange Lefebvre, professeure titulaire, chaire Religion, culture et société, Faculté de théologie et de sciences des religions ; directrice, Centre d'étude des religions de l'Université de Montréal

Myer Siemiatycki, professeur, Département de sciences politiques et d'administration publique, Université Ryerson

Sophie Therrien, chercheure, Conseil des relations interculturelles, gouvernement du Québec

Partenaires de recherche sur la religion à l'Université de Montréal

- La chaire de recherche Religion, culture et société
  Titulaire : Solange Lefebvre

  À l'instar des sociétés occidentales, les sociétés québécoise et canadienne sont confrontées à la réalité du pluralisme religieux : au sein de l'espace social et politique, diverses traditions religieuses et de multiples expressions d'une reconfiguration du religieux sont présentes. Les dernières années, notamment les vifs débats sur la place du religieux à l'école, ont mis en évidence l'importance d'une expertise universitaire de pointe quant à la place du religieux dans l'espace public. Le débat scolaire n'est qu'un aspect d'une problématique plus vaste qui appelle une réflexion multidisciplinaire capable de se traduire en propositions d'action. Voilà pourquoi la Faculté de théologie et de sciences des religions a mis sur pied cette chaire de recherche. La chaire Religion, culture et société se donne pour objectif d'être un lieu de recherche multidisciplinaire et de diffusion du savoir relatif à la nouvelle reconfiguration du religieux et à ses incidences sur les plans social, politique, économique, juridique et éthique.

  Nos généreux donateurs sont Power Corporation du Canada, Hydro-Québec, la Banque de Montréal, la Banque Nationale du Canada et la Fondation J.-A.-Bombardier.

- La chaire de recherche du Canada Islam, pluralisme et globalisation
  Titulaire : Patrice Brodeur

  Le but de la chaire est de contribuer à l'avancement de la recherche dans deux champs scolaires interreliés : les études islamiques et les sciences des religions. Fondé sur la triple formation du titulaire de la chaire, le professeur Patrice Brodeur, en études islamiques, en linguistique et en histoire comparative des religions abrahamiques, le programme de recherche inclut deux objectifs interdisciplinaires :

  Théoriser la question de la construction de l'identité de l'Islam contemporain, et de sa représentation de l'altérité religieuse de l'autre, et ce, sur l'horizon de la rivalité entre les religions abrahamiques et entre les identités nationalistes telles qu'elles se forment à travers les courants actuels de la globalisation, dans le monde pluraliste d'après les événements du 11 septembre 2001.

  Théoriser la relation entre les sciences des religions et les sciences des religions appliquées comme un moyen de réfléchir sur les rôles respectifs des chercheurs en sciences des religions, et des intervenants du monde religieux, dans leurs différentes réponses aux défis du pluralisme et de la globalisation.

  Cette chaire est financée par le Conseil en sciences humaines du Canada.

- Le Centre d'étude des religions de l'Université de Montréal (CÉRUM)

  Fruit d'une collaboration entre la Faculté de théologie et de sciences des religions, et la Faculté des arts et des sciences, le CÉRUM regroupe des activités d'enseignement et de recherche en sciences des religions. Il vise notamment à former des spécialistes de la question religieuse. Le Centre compte environ 80 professeurs et chargés de cours issus de diverses disciplines, et intègre des étudiants des trois cycles à ses activités.

Parmi les disciplines étudiées au Centre figurent les sciences des religions, la théologie, le droit, l'histoire, la philosophie, l'histoire de l'art, la littérature, les sciences sociales (anthropologie, sociologie, etc.), les sciences de la santé, la musique, les sciences pures, l'aménagement et l'architecture. La principale mission du CÉRUM est d'établir et de renforcer les collaborations multidisciplinaires. Il aide ses membres à nouer et à entretenir des liens avec la collectivité scientifique et les intervenants intéressés par la question religieuse. Plusieurs facteurs font du CÉRUM un lieu d'étude et de recherche remarquablement dynamique : équipes et enseignement multidisciplinaires, réseaux internationaux, partenariats avec le milieu et riche documentation répartie dans plusieurs bibliothèques de l'université. <www.cerum.umontreal.ca>

Table des matières